#서술형
#해결전략
#문제해결력
#요즘수학공부법

수학도 독해가 힘이다

Chunjae
Maketh
Chunjae

기획총괄 박금옥
편집개발 윤경옥, 김미애, 박초아, 이은혜, 조선현, 김연정, 김수정, 김유림
디자인총괄 김희정
표지디자인 윤순미, 김지현
내지디자인 박희춘, 이혜미
제작 황성진, 조규영

발행일 2020년 10월 1일 초판 2020년 10월 1일 1쇄
발행인 (주)천재교육
주소 서울시 금천구 가산로9길 54
신고번호 제2001-000018호
고객센터 1577-0902

※ 정답 분실 시에는 천재교육 홈페이지에서 내려받으세요.
※ KC 마크는 이 제품이 공통안전기준에 적합하였음을 의미합니다.
※ 주의
책 모서리에 다칠 수 있으니 주의하시기 바랍니다.
부주의로 인한 사고의 경우 책임지지 않습니다.
8세 미만의 어린이는 부모님의 관리가 필요합니다.

수학도 독해가 힘이다

초등 수학 6-1

4차 산업혁명 시대!
AI가 인간의 일자리를 대체하는 시대가
코앞에 다가와 있습니다.

인간의 강력한 라이벌이 되어버린 **AI를 이길 수 있는**
인간의 가장 중요한 **능력 중 하나는**
바로 **'독해력'**입니다.

수학 문제를 푸는 데에도 이러한 **'독해력'이 필요**합니다.
일단 문장을 읽고 이해한 후 수학적으로 바꾸어 생각하여
무엇을 구해야 할지 알아내는 것이 수학 독해의 핵심입니다.

〈수학도 **독해가 힘이다**〉는 읽고 이해하는
수학 독해력 훈련의 기본서입니다.

Contents

수학도 **독해가 힘이다**

이 책의 **특징**

1 문제 **해결력** 기르기

❶ **실행 문제를 푸는 것이 목표!**

실행 문제 ❶

가로가 4.68 m인 텃밭에/
고추 모종 10개를 같은 간격으로 그림과 같이 심었습니다./
모종 사이의 간격은 몇 m인가요?/

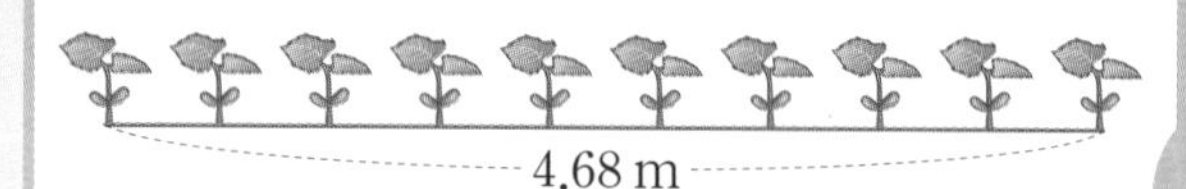

전략 (간격 수)=(모종의 수)−1

❶ (모종 사이의 간격 수)
=10−□=□

풀이 단계별 전략 제시

전략 (텃밭의 가로 길이)÷(모종 사이의 간격 수)

❷ (모종 사이의 간격)
=4.68÷□=□(m)

❷ **선행 문제를 풀면** 실행 문제를 풀기 **쉬워져!**

선행 문제 ❶

도로에 나무 22그루를 같은 간격으로 그림과 같이 한 줄로 심으려고 합니다. 나무 사이의 간격 수는 몇 군데인가요?

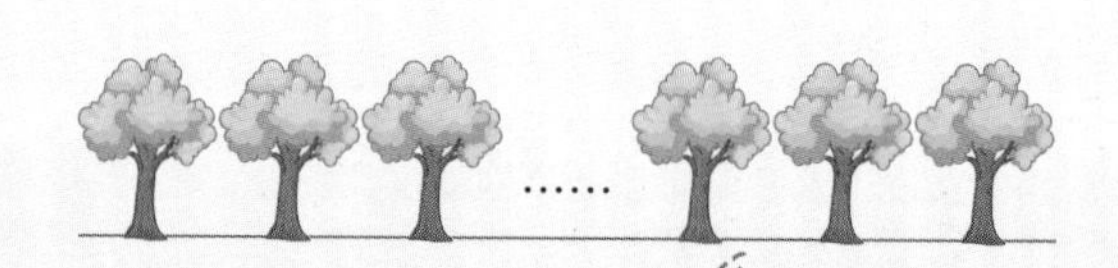

실행 문제를 풀기 위한 워밍업

풀이 (나무 사이의 간격 수)
=(나무의 수)−1

❸ **해결 전략을 익혀서** 선행 문제 → 실행 문제를 **완성!**

선행 문제 해결 전략

나무를 한 줄로 심을 때
(나무 사이의 간격 수)=(나무의 수)−1

예 길이가 12 m인 도로에 나무 4그루를 같은 간격으로 심을 때 나무 사이의 간격 구하기

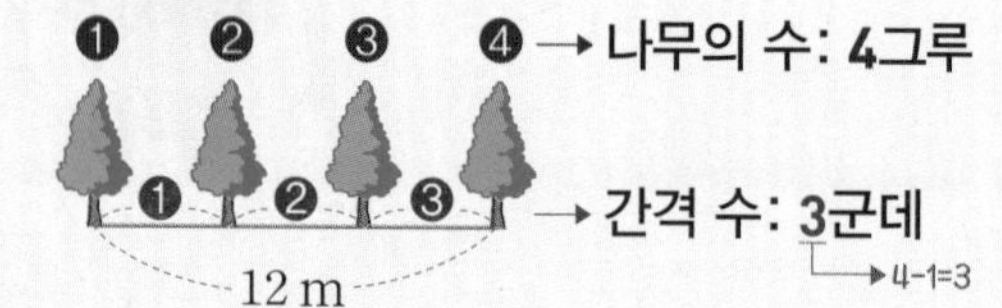

❹ **쌍둥이 문제로** 실행 문제를 **완벽히 익히자!**

쌍둥이 문제 1-1

가로가 72.5 cm인 화단의 한 가로 변을 따라/
처음부터 끝까지 같은 간격으로 꽃 6송이를 심으려고 합니다./
꽃 사이의 간격을 몇 cm로 해야 하나요?/

실행 문제 따라 풀기

실행 문제 해결 방법을 보면서 따라 풀기

❶

❷

답 ____________

실전

수학 사고력 키우기

단계별로 풀면서 **사고력 UP!** 따라 풀기를 하면서 **서술형 완성!**

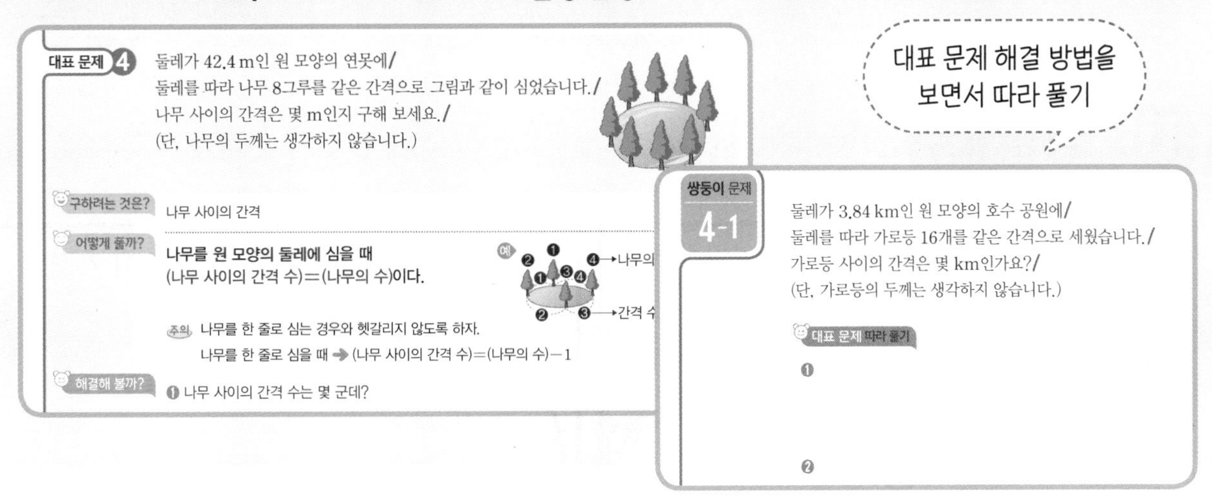

대표 문제 4

둘레가 42.4 m인 원 모양의 연못에/
둘레를 따라 나무 8그루를 같은 간격으로 그림과 같이 심었습니다./
나무 사이의 간격은 몇 m인지 구해 보세요./
(단, 나무의 두께는 생각하지 않습니다.)

구하려는 것은? 나무 사이의 간격

어떻게 풀까? **나무를 원 모양의 둘레에 심을 때**
(나무 사이의 간격 수)=(나무의 수)이다.

주의 나무를 한 줄로 심는 경우와 헷갈리지 않도록 하자.
나무를 한 줄로 심을 때 ➡ (나무 사이의 간격 수)=(나무의 수)−1

해결해 볼까? ❶ 나무 사이의 간격 수는 몇 군데?

쌍둥이 문제 4-1

둘레가 3.84 km인 원 모양의 호수 공원에/
둘레를 따라 가로등 16개를 같은 간격으로 세웠습니다./
가로등 사이의 간격은 몇 km인가요?/
(단, 가로등의 두께는 생각하지 않습니다.)

대표 문제 따라 풀기

❶

❷

대표 문제 해결 방법을
보면서 따라 풀기

완성 3

수학 독해력 완성하기

차근차근 단계를 밟아 가며 **문제 해결력 완성!**

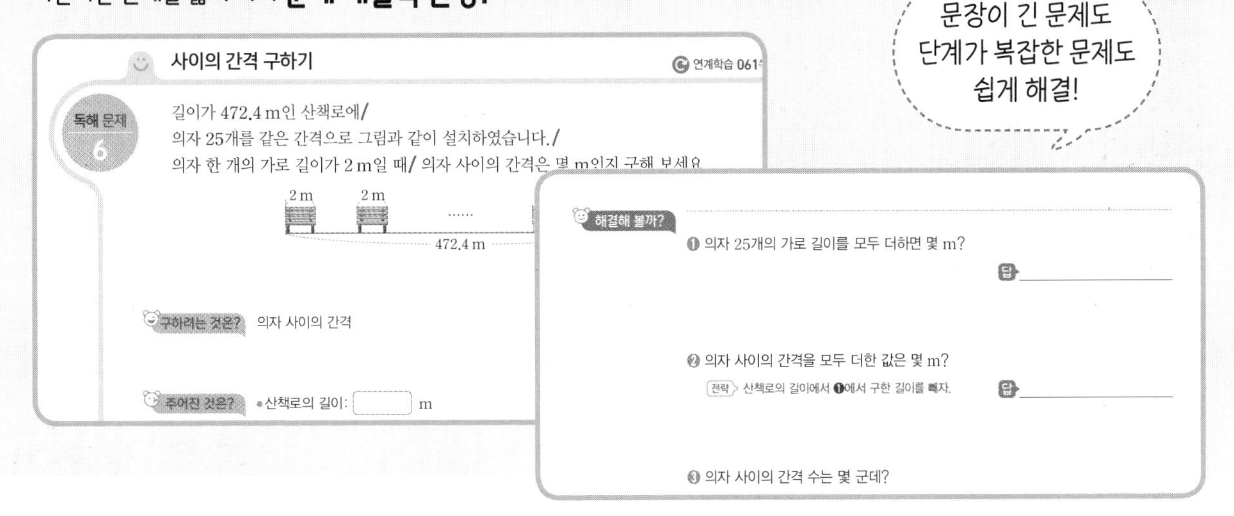

사이의 간격 구하기 연계학습 061

독해 문제 6

길이가 472.4 m인 산책로에/
의자 25개를 같은 간격으로 그림과 같이 설치하였습니다./
의자 한 개의 가로 길이가 2 m일 때/ 의자 사이의 간격은 몇 m인지 구해 보세요.

구하려는 것은? 의자 사이의 간격

주어진 것은? • 산책로의 길이: ☐ m

해결해 볼까?

❶ 의자 25개의 가로 길이를 모두 더하면 몇 m?

답 ____________

❷ 의자 사이의 간격을 모두 더한 값은 몇 m?

전략 산책로의 길이에서 ❶에서 구한 길이를 빼자.

답 ____________

❸ 의자 사이의 간격 수는 몇 군데?

문장이 긴 문제도
단계가 복잡한 문제도
쉽게 해결!

특별 코너 4

창의·융합·코딩 체험하기

요즘 수학 문제인 **창의 • 융합 • 코딩** 문제 수록

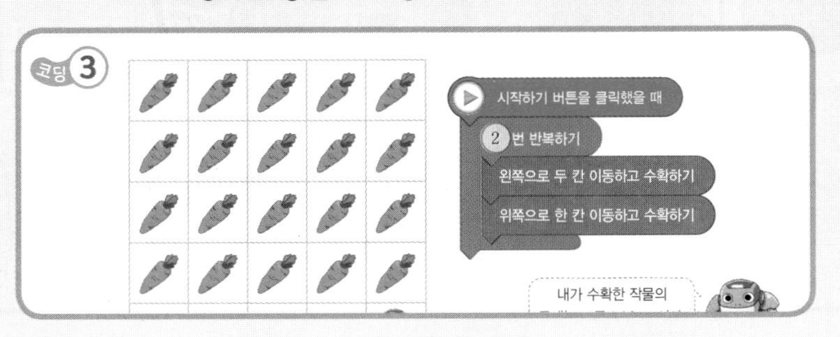

4차 산업 혁명 시대에
알맞은 최신 트렌드 유형

1 분수의 나눗셈

FUN 한 이야기

매쓰 FUN 생활 속 **수학 이야기**

로봇이 일정한 빠르기로 걷고 있어요./

$7\frac{1}{2}$ km를 가는 데/ 5시간이 걸렸어요./ 1시간에 몇 km를 갔나요?

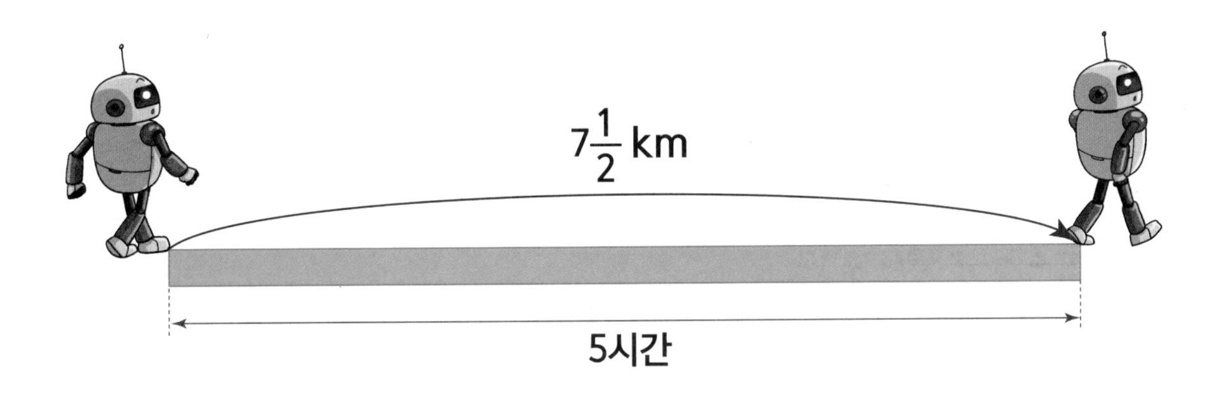

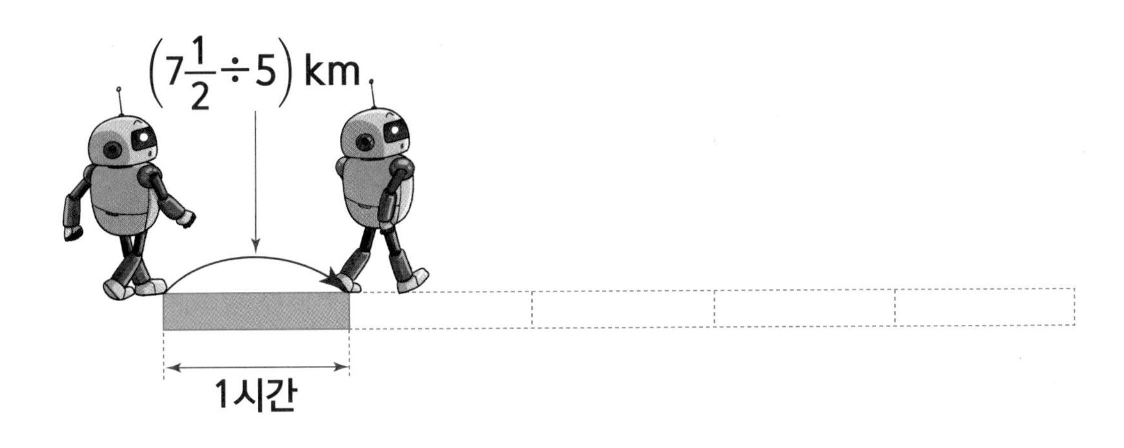

1시간에 간 거리는
5시간에 간 거리인 $7\frac{1}{2}$ km를 5로 나누어 구하자.

식 ________________

답 ________________ km

{ 문제 해결력 기르기 }

① 단위가 다른 분수의 나눗셈

선행 문제 해결 전략

예 수도로 물 $9\,\text{L}$를 받는 데 2분이 걸렸습니다.

(1) **1분 동안** 받은 물의 양 구하기

2분으로 나눠요.

(받은 물의 양)÷(받은 시간)

$=9\div2=\dfrac{9}{2}=4\dfrac{1}{2}$ (L)

(2) **1 L를 받는 데** 걸린 시간 구하기

9 L로 나눠요.

(받은 시간)÷(받은 물의 양)

$=2\div9=\dfrac{2}{9}$(분)

선행 문제 1

수도로 물 $10\,\text{L}$를 받는 데 3분이 걸렸습니다. 물음에 답하세요.

(1) 1분 동안 받은 물은 몇 L인 셈인가요?

풀이 (1분 동안 받은 물의 양)

=(받은 물의 양)÷(걸린 시간)

$=\square\div\square$

$=\dfrac{\square}{\square}=\square$ (L)

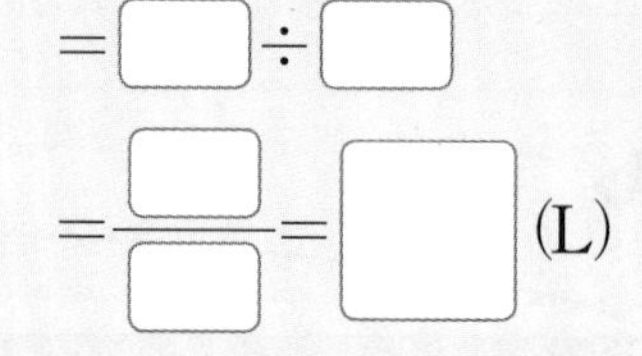

(2) 1 L를 받는 데 걸린 시간은 몇 분인 셈인가요?

풀이 (1 L를 받는 데 걸린 시간)

=(걸린 시간)÷(받은 물의 양)

$=\square\div\square=\square$(분)

실행 문제 1

굵기가 일정한 철근 $4\,\text{m}$의/

무게는 $\dfrac{3}{5}\,\text{kg}$입니다./

이 철근 $1\,\text{m}$의 무게는 몇 kg인가요?

전략 '1 m의 무게'를 구해야 하므로 철근의 길이로 나누자.

❶ 철근의 무게 $\dfrac{3}{5}\,\text{kg}$을 철근의 길이 $\square$ m로 나누어야 한다.

❷ (철근 1 m의 무게)

$=\square\div\square=\square$ (kg)

답 ______________

쌍둥이 문제 1-1

굵기가 일정한 철근 $\dfrac{33}{10}\,\text{m}$의/

무게는 $3\,\text{kg}$입니다./

이 철근 $1\,\text{kg}$의 길이는 몇 m인가요?

실행 문제 따라 풀기

❶

❷

답 ______________

② 똑같이 나누기

선행 문제 해결 전략

'**똑같이 나누었다**'는 말이 있으면
똑같이 나눈 수로 나누자.

예 테이프 2 m를 똑같이 3도막으로 나눈 것 중의 한 도막의 길이 구하기

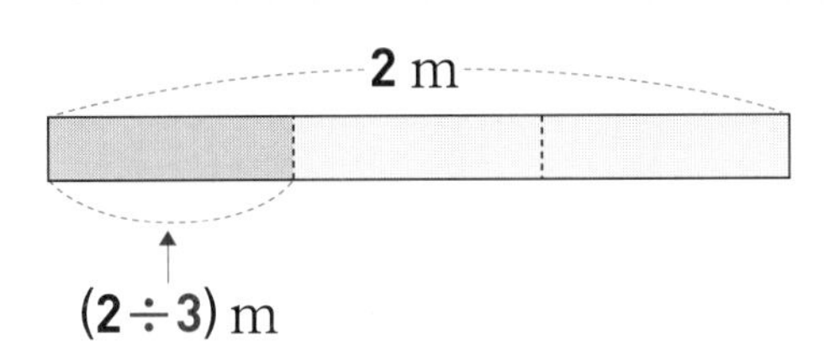

(한 도막의 길이)
=(전체 테이프의 길이)÷(도막 수)
$= 2 \div 3 = \frac{2}{3}$ (m)

선행 문제 2

똑같이 나눈 것 중의 하나를 구해 보세요.

(1) 5 m를 똑같이 6도막으로 나누기

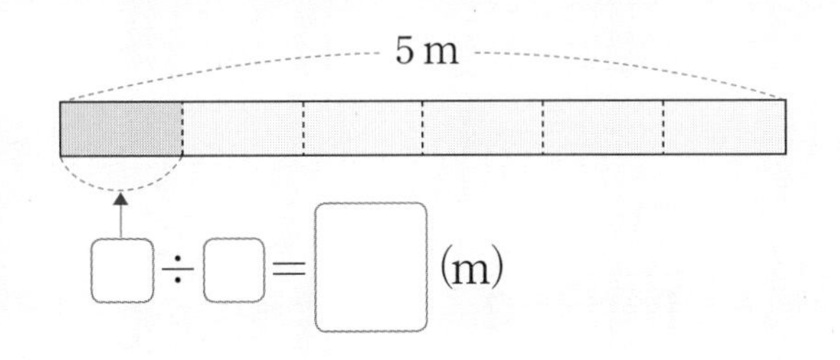

□÷□=□(m)

(2) 3 L를 똑같이 4로 나누기

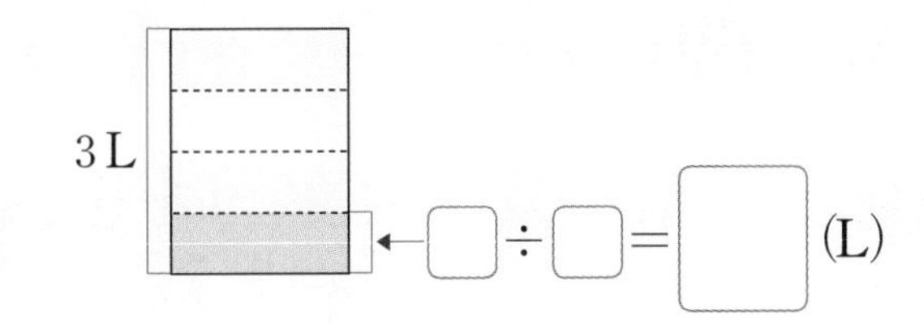

□÷□=□(L)

실행 문제 2

세영이는 가래떡 $\frac{7}{10}$ m를/
똑같이 4도막으로 나누었습니다./
가래떡 3도막의 길이는 몇 m인가요?

전략 (전체 가래떡의 길이)÷(도막 수)

❶ (한 도막의 길이)
=□÷□=□(m)

전략 (한 도막의 길이)×3

❷ (3도막의 길이)
=□×3=□(m)

답 ____________

쌍둥이 문제 2-1

하은이는 물 $\frac{20}{9}$ L를/
컵 5개에 똑같이 나누어 담았습니다./
컵 2개에 담은 물은 몇 L인가요?

실행 문제 따라 풀기

❶

❷

답 ____________

③ □ 안에 들어갈 수 있는 수 구하기

선행 문제 해결 전략

$\frac{2}{5} < \frac{3}{5}$ 분모가 같으면 분자가 클수록 더 커.

• □ 안에 들어갈 수 있는 자연수 구하기

예 분모가 같은 경우

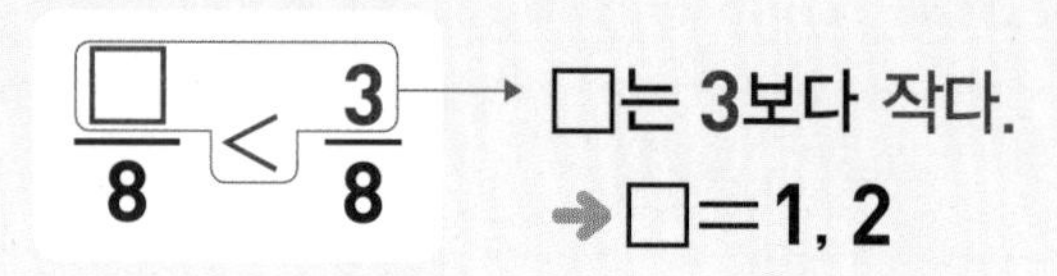

$\frac{\square}{8} < \frac{3}{8}$ → □는 3보다 작다.
→ □=1, 2

예 분모가 다른 경우

$\frac{\square}{8} < \frac{3}{4}$ —통분→ $\frac{\square}{8} < \frac{6}{8}$

□는 6보다 작다.
→ □=1, 2, 3, 4, 5

선행 문제 3

□ 안에 들어갈 수 있는 자연수를 모두 구해 보세요.

(1) $\frac{\square}{7} < \frac{4}{7}$

풀이 □는 □보다 작다.
→ □ 안에 들어갈 자연수: ________

(2) $\frac{\square}{9} < \frac{1}{3}$

풀이 통분하여 나타내기: $\frac{\square}{9} < \frac{\square}{9}$
□는 □보다 작다.
→ □ 안에 들어갈 자연수: ________

실행 문제 3

□ 안에 들어갈 수 있는 자연수를 모두 구해 보세요.

$\frac{\square}{11} < 1\frac{9}{11} \div 5$

❶ $1\frac{9}{11} \div 5=$ ________

전략 ❶에서 구한 값을 이용하여 위 문제의 식을 정리하자.

❷ $\frac{\square}{11} < \frac{\square}{11}$ → □는 □보다 작다.

❸ □ 안에 들어갈 수 있는 자연수:

____

답 ________

쌍둥이 문제 3-1

□ 안에 들어갈 수 있는 자연수를 모두 구해 보세요.

$4\frac{2}{7} \div 6 > \frac{\square}{7}$

실행 문제 따라 풀기

❶

❷

❸

답 ________

4 어떤 수 구하기

선행 문제 해결 전략

잘못 계산한 문제는?

어떤 수를 □라 하여
잘못 계산한 식을 써 보자.

• 어떤 수 구하기

예 **어떤 수를 8로** 나누어야 할 것을 **잘못하여 곱했더니 5가 되었습니다.**

잘못 계산한 식: $\square \times 8 = 5$ (□: 어떤 수)
→ $\square = 5 \div 8 = \frac{5}{8}$

곱셈과 나눗셈의 관계를 이용해서 □를 구해요.

선행 문제 4

어떤 수를 □라 하여 잘못 계산한 식을 써 보세요.

(1) 어떤 수를 7로 나누어야 할 것을 잘못하여 곱했더니 4가 되었습니다.

$\square \times \square = \square$

(2) 어떤 수를 9로 나누어야 할 것을 잘못하여 곱했더니 $\frac{18}{5}$이 되었습니다.

$\square \times \square = \square$

실행 문제 4

어떤 수를 5로 나누어야 할 것을/
잘못하여 곱했더니 3이 되었습니다./
어떤 수는 얼마인가요?

전략 먼저 잘못 계산한 식을 써 보자.

❶ 어떤 수를 □라 하여 잘못 계산한 식 쓰기:

$\square \times \square = \square$

전략 ❶에서 쓴 식을 나눗셈식으로 바꾸어 □의 값을 구하자.

❷ $\square = \square \div \square = \square$

→ 어떤 수: □

답 ____________

쌍둥이 문제 4-1

어떤 수를 4로 나누어야 할 것을/
잘못하여 곱했더니 $2\frac{2}{3}$가 되었습니다./
어떤 수는 얼마인가요?

실행 문제 따라 풀기

❶

❷

답 ____________

⑤ 수 카드를 사용하여 나눗셈식 만들기

선행 문제 해결 전략

$\frac{2}{5} > \frac{2}{7}$ 분자가 같으면 분모가 클수록 더 작아.

$\frac{1}{\square} \div \square = \frac{1}{\square \times \square}$

분모가 클수록 분수는 작아진다. → 계산 결과가 가장 작은 식: □×□를 가장 크게 만든다.

분모가 작을수록 분수는 커진다. → 계산 결과가 가장 큰 식: □×□를 가장 작게 만든다.

선행 문제 5

3장의 수 카드 중에서 2장을 뽑아 ▢ 안에 한 번씩 넣어 계산 결과가 가장 작은 나눗셈식을 만들어 보세요.

2 5 9 → $\frac{1}{\square} \div \square$

풀이 $\frac{1}{①} \div ② = \frac{1}{① \times ②}$

계산 결과가 가장 작은 식을 만들려면 ①×②를 가장 (크게 , 작게) 만든다.

→ 사용할 수 카드 2장: □, □

계산 결과가 가장 작은 식: $\frac{1}{\square} \div \square$

실행 문제 5

3장의 수 카드 중에서 2장을 뽑아/ ▢ 안에 한 번씩 넣어/ 계산 결과가 가장 **작은** 나눗셈식을 만들고/ 계산해 보세요.

3 4 8 → $\frac{1}{\square} \div \square$

전략 $\frac{1}{\square} \div \square$는 $\frac{1}{\square \times \square}$이고, 분모가 클수록 분수는 작아진다.

❶ 사용할 수 카드 2장: □, □

❷ 계산 결과가 가장 작은 식:

$\frac{1}{\square} \div \square = \frac{1}{\square}$

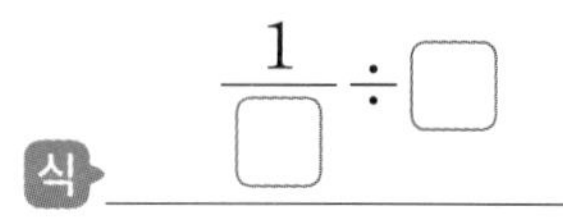

$\frac{1}{\square} \div \square$

식 ______ 답 ______

쌍둥이 문제 5-1

3장의 수 카드 중에서 2장을 뽑아/ ▢ 안에 한 번씩 넣어/ 계산 결과가 가장 **큰** 나눗셈식을 만들고/ 계산해 보세요.

3 4 8 → $\frac{1}{\square} \div \square$

실행 문제 따라 풀기

❶

❷

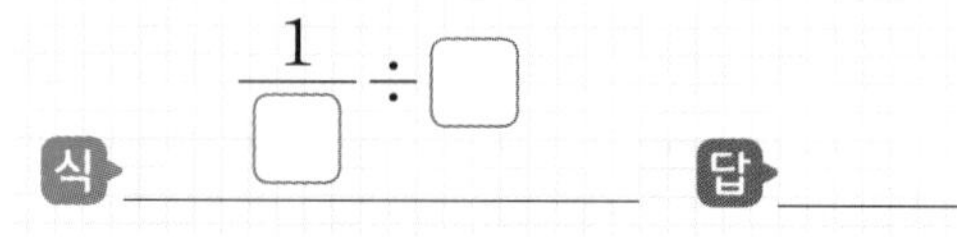

$\frac{1}{\square} \div \square$

식 ______ 답 ______

6 걸리는 시간 구하기

선행 문제 해결 전략

• 분 단위를 시간 단위로 나타내기

60분 = 1시간

$\frac{1}{60}$ ↓ $\frac{1}{60}$ ↓

1분 = $\frac{1}{60}$시간

예 $20분=\frac{20}{60}시간=\frac{1}{3}시간$

1분=$\frac{1}{60}$시간 / 기약분수로 나타내요.

예 $1시간\ 50분=1\frac{50}{60}시간=1\frac{5}{6}시간$

1분=$\frac{1}{60}$시간 / 기약분수로 나타내요.

선행 문제 6

주어진 시간은 몇 시간인지 기약분수로 나타내어 보세요.

(1) $10분=\frac{\square}{60}시간=\frac{\square}{6}시간$

(2) $24분=\frac{\square}{60}시간=\frac{\square}{5}시간$

(3) $1시간\ 30분=1\frac{\square}{60}시간=1\frac{\square}{2}시간$

실행 문제 6

재은이는 자전거를 타고 일정한 빠르기로 1시간 40분 동안/ 20 km를 달렸습니다./ 1 km를 달리는 데 걸린 시간은 몇 시간인지/ 기약분수로 나타내어 보세요.

전략 걸린 시간을 시간 단위로 나타내자.

❶ (20 km를 달리는 데 걸린 시간)

$=1시간\ 40분=1\frac{\square}{60}시간=1\frac{\square}{3}시간$

전략 (❶에서 구한 시간)÷(달린 거리)

❷ (1 km를 달리는 데 걸린 시간)

$=\square\div\square=\square(시간)$

답 ____________

쌍둥이 문제 6-1

선우는 일정한 빠르기로 1시간 45분 동안/ 10 km를 달렸습니다./ 1 km를 달리는 데 걸린 시간은 몇 시간인지/ 기약분수로 나타내어 보세요.

실행 문제 따라 풀기

❶

❷

답 ____________

수학 사고력 키우기

단위가 다른 분수의 나눗셈

연계학습 006쪽

대표 문제 1

수도에서 6분 동안 $20\frac{2}{5}$ L의 물이 일정하게 나왔습니다./
이 수도에서 10분 동안 나오는 물의 양을 구해 보세요.

구하려는 것은?

수도에서 ☐분 동안 나오는 물의 양

주어진 것은?

수도에서 물이 나온 시간: ☐분, 나온 물의 양: ☐ L

해결해 볼까?

❶ 수도에서 1분 동안 나온 물은 몇 L?

전략 '1분 동안 나온 물의 양'을 구해야 하므로 물이 나온 시간으로 나누자.

답 ____________

❷ 수도에서 10분 동안 나오는 물은 몇 L?

전략 ❶에서 구한 값에 10을 곱하자.

답 ____________

쌍둥이 문제 1-1

두께가 일정한 나무판자 3 m^2의 무게는 $5\frac{1}{4}$ kg입니다./
이 나무판자 8 m^2의 무게는 몇 kg인가요?

대표 문제 따라 풀기

❶

❷

답 ____________

똑같이 나누기

연계학습 007쪽

대표 문제 2 한 병에 $\frac{8}{5}$ L씩 들어 있는 우유가 5병 있습니다./
이 우유를 일주일 동안/ 매일 똑같이 나누어 마실 때/
하루에 마시게 되는 우유의 양을 구해 보세요.

구하려는 것은?

☐에 마시게 되는 우유의 양

주어진 것은?

- 우유 한 병의 양: ☐ L
- 우유의 수: ☐병
- 마시는 날수: 일주일

해결해 볼까?

❶ 우유 5병은 모두 몇 L?

전략 우유 한 병의 양에 5를 곱하자.

답 ____________

❷ 일주일은 며칠?

답 ____________

❸ 하루에 마시게 되는 우유는 몇 L?

전략 우유 5병의 양을 마시는 날수로 나누자.

답 ____________

쌍둥이 문제 2-1

한 병에 $1\frac{1}{20}$ L씩 들어 있는 참기름이 10병 있습니다./
이 참기름을 식당에서 4월 한 달 동안/ 매일 똑같이 나누어 사용한다면/
하루에 사용하게 되는 참기름은 몇 L인지 기약분수로 나타내어 보세요.

대표 문제 따라 풀기

❶

❷

❸

답 

□ 안에 들어갈 수 있는 수 구하기

연계학습 008쪽

대표 문제 3 □ 안에 들어갈 수 있는 자연수를 모두 구해 보세요.

$$\frac{2}{5} < \frac{\square}{10} < 4\frac{9}{10} \div 7$$

구하려는 것은?

□ 안에 들어갈 수 있는 자연수

어떻게 풀까?

1 $4\frac{9}{10} \div 7$의 계산 결과를 구하고,

2 공통분모를 10으로 하여 **세 분수를 통분**한 후,

3 분자를 비교하여 □ 안에 들어갈 수 있는 자연수를 모두 구하자.

해결해 볼까?

❶ $4\frac{9}{10} \div 7$의 계산 결과는 얼마?

답

❷ 위 ❶에서 구한 값을 이용하여 문제의 식을 정리한 후 통분해 보세요.

$$\frac{2}{5} < \frac{\square}{10} < \square \xrightarrow{\text{통분}} \frac{\square}{10} < \frac{\square}{10} < \frac{\square}{10}$$

❸ □ 안에 들어갈 수 있는 자연수를 모두 구하면?

전략 ❷에서 통분한 것을 보고 □를 모두 구하자.

답

쌍둥이 문제 3-1

□ 안에 들어갈 수 있는 자연수를 모두 구해 보세요.

$$2\frac{1}{12} \div 5 < \frac{\square}{12} < \frac{3}{4}$$

대표 문제 따라 풀기

❶

❷

❸

답

어떤 수 구하기

연계학습 009쪽

대표 문제 4 어떤 수를 8로 나누어야 할 것을/ 잘못하여 곱했더니 $6\frac{2}{3}$가 되었습니다./ 바르게 계산한 값을 기약분수로 나타내어 보세요.

구하려는 것은? 바르게 계산한 값

주어진 것은? 잘못하여 어떤 수에 □을/를 곱했더니 □이/가 되었다.

해결해 볼까?

❶ 어떤 수를 □라 하여 잘못 계산한 곱셈식을 쓰면?

식 ______

❷ 어떤 수 □의 값을 기약분수로 나타내면?

전략 ❶에서 쓴 곱셈식을 나눗셈식으로 바꾸어 □의 값을 구하자.

답 ______

❸ 바르게 계산한 값을 기약분수로 나타내면?

전략 ❷에서 구한 어떤 수를 8로 나누자.

답 ______

쌍둥이 문제 4-1 어떤 수를 15로 나누어야 할 것을/ 잘못하여 곱했더니 $5\frac{5}{8}$가 되었습니다./ 바르게 계산한 값을 기약분수로 나타내어 보세요.

대표 문제 따라 풀기

❶

❷

❸

답 ______

STEP 2 수학 사고력 키우기

수 카드를 사용하여 나눗셈식 만들기

연계학습 010쪽

대표 문제 5

4장의 수 카드 중에서 3장을 뽑아 한 번씩 사용하여/ 계산 결과가 가장 작은 나눗셈식을 만들고/ 계산해 보세요.

어떻게 풀까?

$\frac{㉠}{㉡} \div ㉢ = \frac{㉠}{㉡ \times ㉢}$ 에서 계산 결과가 가장 작으려면

1 ㉡×㉢이 가장 커야 하고, 2 ㉠이 가장 작아야 한다는 것을 이용하자.

해결해 볼까?

❶ ㉡과 ㉢에 넣을 수 카드는?

전략 ㉡×㉢이 가장 크게 만들자.

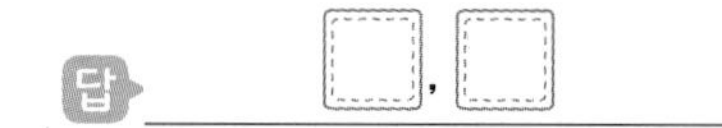

❷ ㉠에 넣을 수 카드는?

전략 ㉠을 가장 작게 만들자.

❸ 계산 결과가 가장 작은 나눗셈식을 만들고 계산해 보세요.

식 답

쌍둥이 문제 5-1

4장의 수 카드 중에서 3장을 뽑아 한 번씩 사용하여/ 계산 결과가 가장 큰 나눗셈식을 만들고/ 계산해 보세요.

대표 문제 따라 풀기

❶

❷

❸

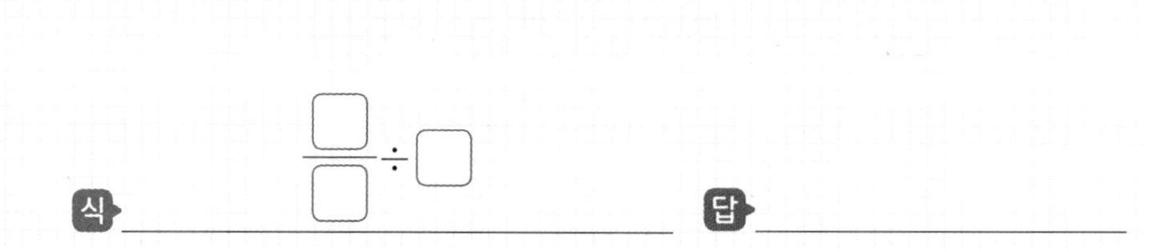

식 답

1 분수의 나눗셈

걸리는 시간 구하기

연계학습 011쪽

대표 문제 6

수혁이는 자전거를 타고 일정한 빠르기로
54분 동안 12 km를 달렸습니다./
같은 빠르기로 20 km를 달리는 데 몇 시간이 걸리는지/
기약분수로 나타내어 보세요.

구하려는 것은?

☐ km를 달리는 데 걸리는 시간

54분 동안 ☐ km를 달림.

❶ 12 km를 달리는 데 걸린 시간인 54분은 몇 시간인지 기약분수로 나타내면?

전략 1분 $=\frac{1}{60}$ 시간임을 이용하자.

❷ 1 km를 달리는 데 걸린 시간은 몇 시간인지 기약분수로 나타내면?

전략 ❶에서 구한 시간을 달린 거리 12 km로 나누자.

❸ 20 km를 달리는 데 걸리는 시간은 몇 시간인지 기약분수로 나타내면?

쌍둥이 문제 6-1

재은이네 아버지는 일정한 빠르기로 벽면을 칠하는 데
36분 동안 15 m^2를 칠했습니다./
같은 빠르기로 벽면 35 m^2를 칠하는 데 몇 시간이 걸리는지/
기약분수로 나타내어 보세요.

대표 문제 따라 풀기

❶

❷

❸

답

STEP 3 수학 독해력 완성하기

한 개의 무게 구하기

독해 문제 1

무게가 똑같은 무지개떡 4개가 놓여 있는 접시의 무게를 재어 보니 $1\frac{2}{5}$ kg이었습니다./ 빈 접시가 $\frac{1}{5}$ kg일 때/ 무지개떡 한 개의 무게를 기약분수로 나타내어 보세요.

해결해 볼까?

❶ 무지개떡 4개의 무게는 몇 kg?

전략 무지개떡 4개가 놓여 있는 접시의 무게에서 빈 접시의 무게를 빼자.

답 ____________

❷ 무지개떡 한 개의 무게는 몇 kg인지 기약분수로 나타내면?

답 ____________

정다각형의 한 변의 길이 구하기

독해 문제 2

길이가 같은 철사 2개를 각각 겹치지 않게 모두 사용하여/ 정사각형과 정육각형을 1개씩 만들었습니다./ 이 정육각형 한 변의 길이를 기약분수로 나타내어 보세요.

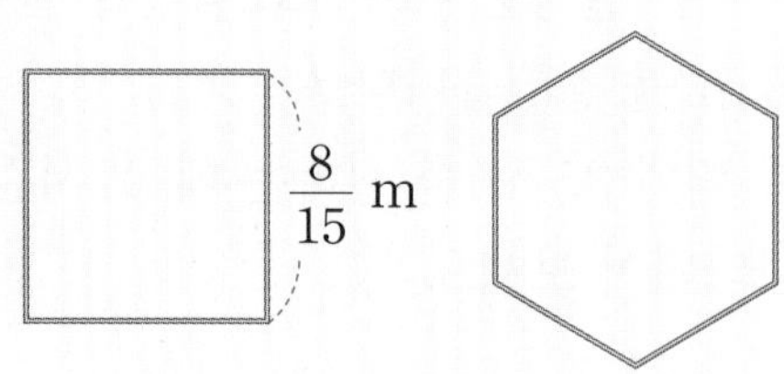

해결해 볼까?

❶ 정사각형을 만드는 데 사용한 철사는 몇 m?

답 ____________

❷ 정육각형을 만드는 데 사용한 철사는 몇 m?

전략 정사각형과 정육각형을 만드는 데 사용한 철사의 길이는 같다.

답 ____________

❸ 정육각형 한 변의 길이는 몇 m인지 기약분수로 나타내면?

답 ____________

텃밭의 넓이 비교하기

독해 문제 3

배추를 심을 텃밭이 더 넓은 모둠은 누구네 모둠인지 구해 보세요.

다영

우리 모둠의 텃밭은 11 m^2야.
상추, 고추, 배추를
똑같은 넓이로 심을 거야.

우리 모둠의 텃밭은 15 m^2야.
오이, 감자, 고구마, 배추를
똑같은 넓이로 심을 거야.

유찬

해결해 볼까?

❶ 다영이네 모둠이 배추를 심을 텃밭의 넓이는 몇 m^2?

전략 > 다영이네 모둠 텃밭의 넓이를
심을 채소 종류의 수로 나누자.

답 ____________

❷ 유찬이네 모둠이 배추를 심을 텃밭의 넓이는 몇 m^2?

전략 > 유찬이네 모둠 텃밭의 넓이를
심을 채소 종류의 수로 나누자.

답 

❸ 배추를 심을 텃밭이 더 넓은 모둠은 누구네 모둠?

답 ____________

페인트를 칠한 넓이 구하기

독해 문제 4

넓이가 $12\frac{3}{4}$ m^2인 벽면에 페인트를 칠하는 데/
전체의 $\frac{7}{9}$은 아버지가 칠하시고/ 나머지는 다예와 동생이 반씩 칠했습니다./
다예가 페인트를 칠한 벽면의 넓이를 기약분수로 나타내어 보세요.

❶ 넓이가 $12\frac{3}{4}$ m^2인 벽면입니다. 아버지, 다예, 동생이 칠한 부분을 각각 나타내면?

전략 > 전체의 $\frac{7}{9}$에 '아버지'를 표시하고, 나머지를 반으로 나누어 '다예'와 '동생'을 표시하자.

❷ 다예가 칠한 벽면은 전체를 똑같이 9로 나눈 것 중의 얼마?

답 ____________

❸ 다예가 페인트를 칠한 벽면의 넓이는 몇 m^2인지 기약분수로 나타내면?

답 ____________

수학 독해력 완성하기

수 카드를 사용하여 나눗셈식 만들기

연계학습 016쪽

독해 문제 5

5장의 수 카드 중에서 4장을 뽑아 한 번씩 사용하여/ 계산 결과가 가장 큰 나눗셈식을 만들고/ 계산해 보세요.

구하려는 것은? 계산 결과가 가장 □ 나눗셈식과 그 계산 결과

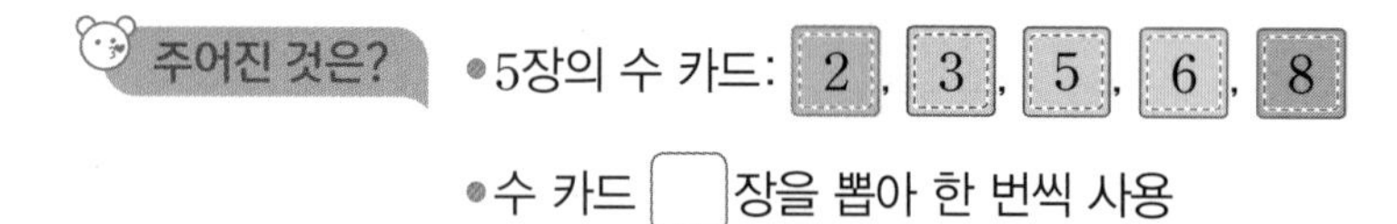

주어진 것은?
- 5장의 수 카드: 2, 3, 5, 6, 8
- 수 카드 □장을 뽑아 한 번씩 사용

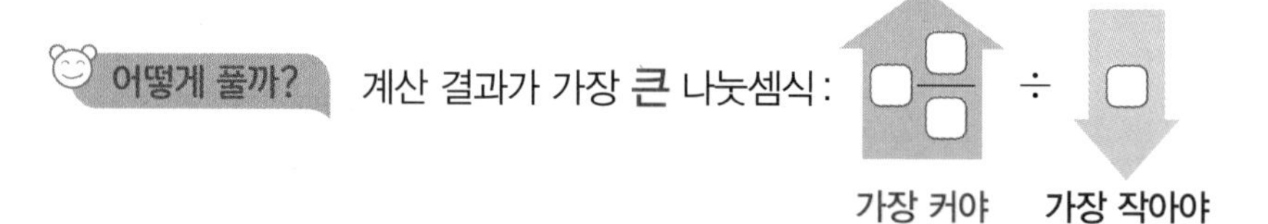

어떻게 풀까? 계산 결과가 가장 큰 나눗셈식: □$\frac{□}{□}$ ÷ □

가장 커야　가장 작아야

해결해 볼까?

❶ 계산 결과가 가장 크려면 나누는 수인 자연수는 얼마?

나누는 수는 가장 (커야 , 작아야) 합니다.

답

❷ 계산 결과가 가장 크려면 나누어지는 수인 대분수는 얼마?

나누어지는 수는 가장 (커야 , 작아야) 합니다.

답

❸ 계산 결과가 가장 큰 나눗셈식을 만들고 계산해 보세요.

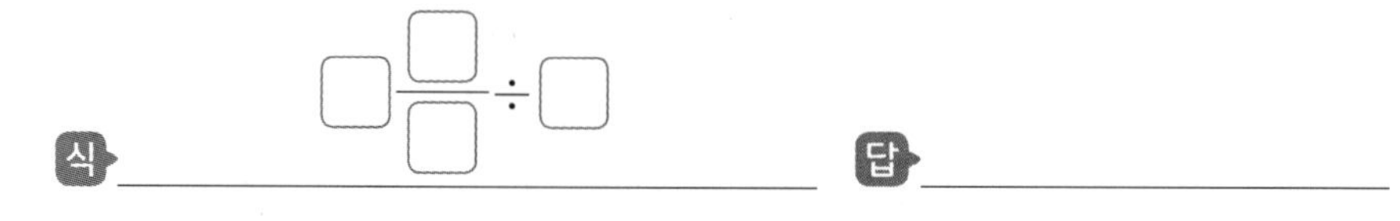

식　□$\frac{□}{□}$ ÷ □

답

1 분수의 나눗셈

걸리는 시간 구하기

연계학습 017쪽

독해 문제 6

킥보드를 타고 일정한 빠르기로
진아는 50분 동안 10 km를 달렸고/
준수는 2시간 동안 22 km를 달렸습니다./
1 km를 달리는 데 걸린 시간이
더 짧은 사람은 누구인지 구해 보세요.

구하려는 것은? 1 km를 달리는 데 걸린 시간이 더 [ ] 사람

주어진 것은?
- 진아가 달린 시간 : 50분, 달린 거리 : [ ] km
- 준수가 달린 시간 : 2시간, 달린 거리 : [ ] km

어떻게 풀까?
1. 진아가 달린 시간을 몇 시간으로 나타내어 **시간의 단위를 통일**하고,
2. 진아와 준수가 1 km를 달리는 데 걸린 시간을 각각 구한 후,
3. 2에서 구한 두 시간을 비교하자.

해결해 볼까?

❶ 진아가 달린 시간인 50분은 몇 시간인지 기약분수로 나타내면?

전략 > 진아와 준수가 달린 시간의 단위를 통일하자.

답 ____________________

❷ 진아와 준수가 1 km를 달리는 데 걸린 시간을 기약분수로 나타내면 각각 몇 시간?

전략 > 진아와 준수가 각각 달린 시간을 달린 거리로 나누자.

답 진아 : ____________________, 준수 : ____________________

❸ 진아와 준수 중에서 1 km를 달리는 데 걸린 시간이 더 짧은 사람은 누구?

창의·융합·코딩 체험하기

융합 **1** 핫케이크 4인분을 만드는 데 필요한 재료의 양입니다./
핫케이크 1인분을 만드는 데/ 필요한 재료의 양을 기약분수로 나타내어 보세요.

재료	4인분 재료의 양	1인분 재료의 양
밀가루	400 g	100 g
설탕	100 g	25 g
소금	3 g	
달걀	2개	$\frac{1}{2}$개
우유	$1\frac{1}{3}$컵	

분수의 나눗셈

코딩 **2** 로봇에게 다음의 명령을 실행시켜/ 물통에 물을 담으려고 합니다./
시작하기 버튼을 4번 클릭했을 때/ 들이가 다음과 같은 물통에 물이 넘치지 않고 가득 담겼다면/
컵의 들이는 몇 L인가요?

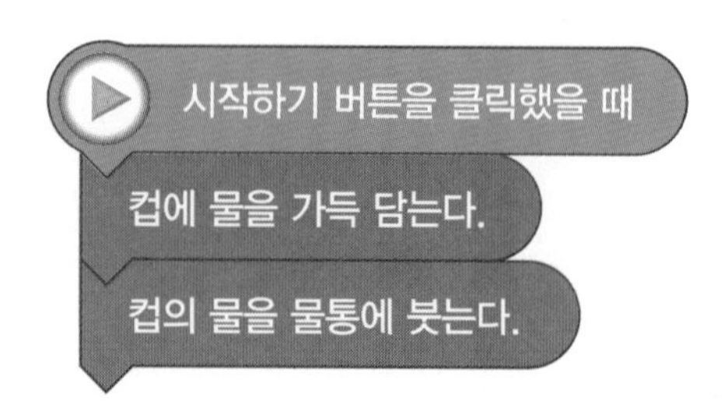

 답 ________________

창의 **3** 지석이의 생활 계획표입니다./
하루에 잠을 자는 시간은/ 학교에서 생활하는 시간의 몇 배인지 기약분수로 나타내어 보세요.

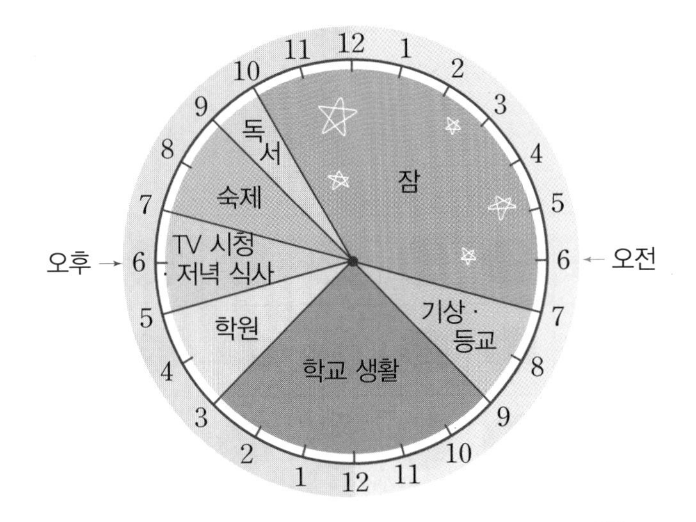

답

코딩 **4** [암호 키]와 [설명]을 보고 암호 키가 나타내는 수와 기호를 찾아 식을 계산해 보세요.

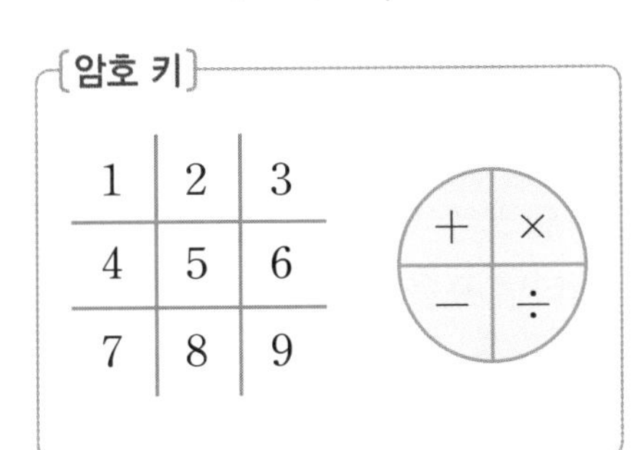

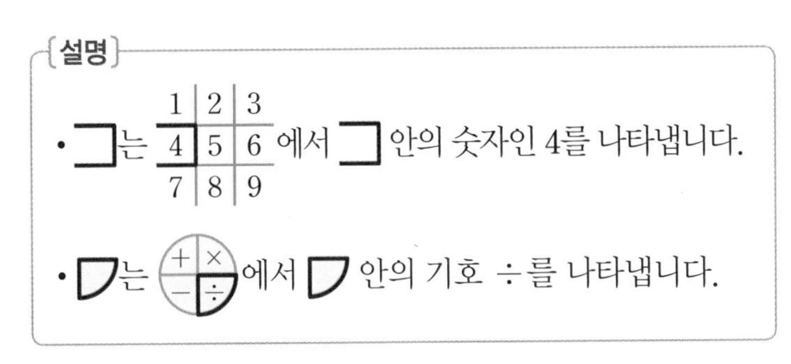

답

창의·융합·코딩 체험하기

코딩 5

로봇이 다음의 명령을 실행하였을 때/수확한 과일의 무게는 모두 $6\frac{3}{4}$ kg입니다./
이 로봇이 수확한 과일의 종류를 쓰고,/그 과일 한 개의 무게는 몇 kg인지 구해 보세요.
(단, 과일은 종류별로 무게가 일정합니다.)

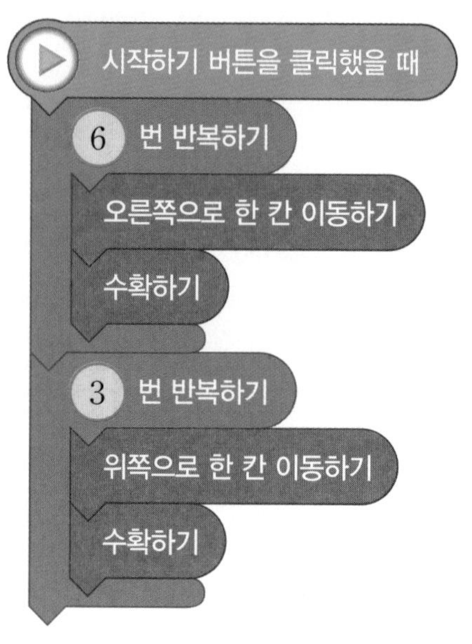

답 과일의 종류 : ____________, 한 개의 무게 : ____________

'연비'란 연료 1 L로 갈 수 있는 거리를 뜻합니다./
즉, 연비가 높다는 것은/ 같은 연료의 양으로 더 많이 달릴 수 있다는 것입니다./
오토바이별로 연료의 양에 따라 갈 수 있는 거리를 나타낸 표를 보고/
연비가 더 높은 오토바이는 어느 것인지 구해 보세요.

오토바이	연료의 양	갈 수 있는 거리
A 오토바이	4 L	121 km
B 오토바이	5 L	$\frac{500}{3}$ km

답 ____________

코딩 7 로봇이 다음 [이동 방법]에 따라/ 시작 지점에서부터 도착 지점까지 [보기]와 같이 이동합니다./

[이동 방법]

❶ 시작 지점에서 이동 방향을 정합니다.

❷ 시작 지점에서부터 도착 지점까지 최소한의 연료를 사용하여 이동합니다.

❸ [명령] 하나를 실행할 때마다 같은 양의 연료를 사용합니다.

[명령]

이동 : 이동 방향으로 한 칸 이동

↶ : 이동 방향을 시계 반대 방향으로 90°만큼 돌리기

↷ : 이동 방향을 시계 방향으로 90°만큼 돌리기

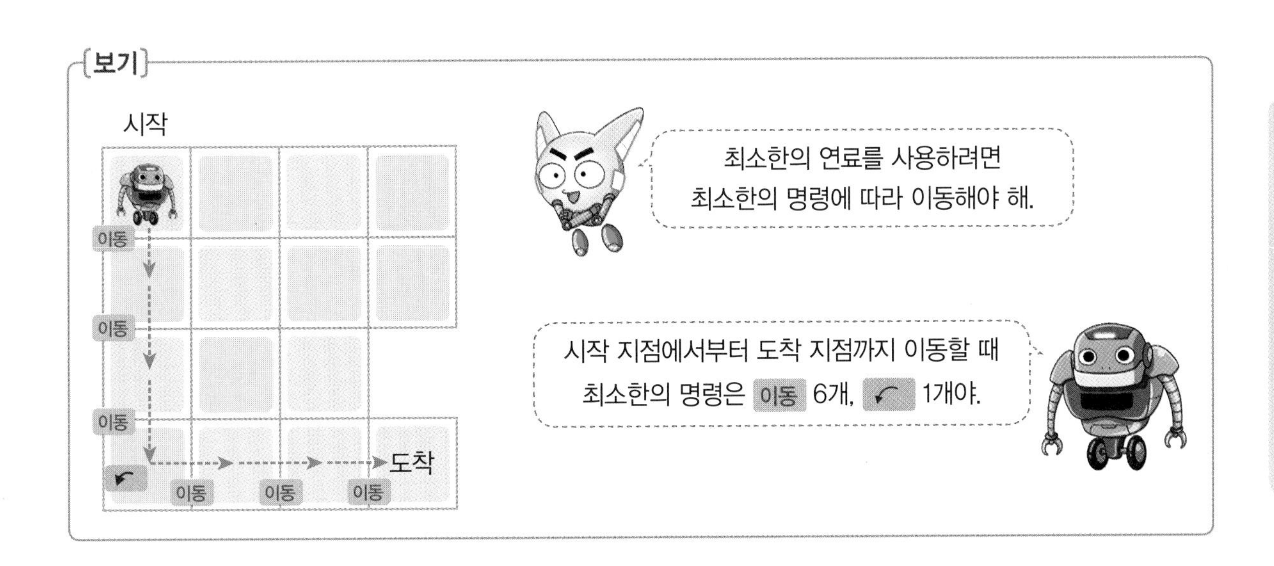

로봇이 [이동 방법]에 따라 이동할 때 사용한 연료의 양은 다음과 같습니다./
[명령] 하나를 실행할 때 사용하는 연료는 몇 L인지 구해 보세요.

답 ____________

실전 마무리 하기

맞힌 문제 수
개 / 10개

똑같이 나누기 007쪽

1 오른쪽은 넓이가 $\frac{99}{8}$ cm^{2}인 마름모를 똑같이 나누어 색칠한 것입니다. 색칠한 부분의 넓이는 몇 cm^{2}인가요?

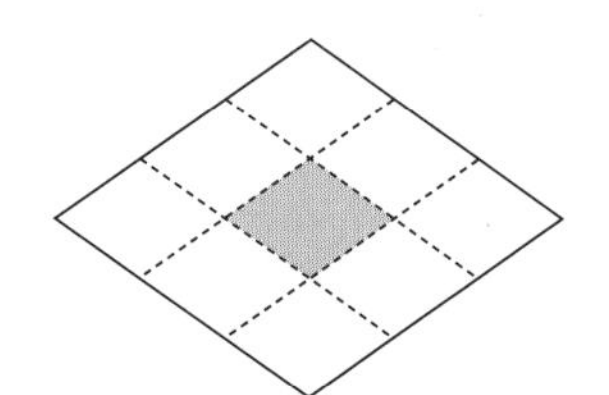

풀이

답

단위가 다른 분수의 나눗셈 006쪽

2 수도에서 3분 동안 $20\frac{5}{8}$ L의 물이 일정하게 나왔습니다. 이 수도에서 1분 동안 나온 물은 몇 L인가요?

답

한 개의 무게 구하기 018쪽

3 무게가 똑같은 사과 9개가 놓여 있는 쟁반의 무게를 재어 보니 $2\frac{4}{5}$ kg이었습니다. 빈 쟁반이 $\frac{1}{10}$ kg이라면 사과 한 개의 무게는 몇 kg인가요?

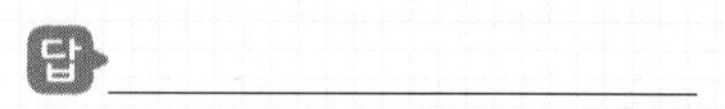

똑같이 나누기 013쪽

4 한 병에 $1\frac{3}{4}$ L씩 들어 있는 주스가 5병 있습니다. 이 주스를 일주일 동안 매일 똑같이 나누어 마신다면 하루에 마시게 되는 주스는 몇 L인가요?

답

□ 안에 들어갈 수 있는 수 구하기 014쪽

5 □ 안에 들어갈 수 있는 자연수를 모두 구해 보세요.

$$\frac{1}{5} < \frac{\square}{25} < \frac{24}{25} \div 3$$

풀이

답

어떤 수 구하기 015쪽

6 어떤 수를 5로 나누어야 할 것을 잘못하여 곱했더니 $2\frac{11}{12}$이 되었습니다. 바르게 계산한 값은 얼마인가요?

풀이

답

정다각형의 한 변의 길이 구하기 018쪽

7 길이가 같은 철사 2개를 각각 겹치지 않게 모두 사용하여 정팔각형과 정오각형을 1개씩 만들었습니다. 이 정오각형 한 변의 길이는 몇 m인가요?

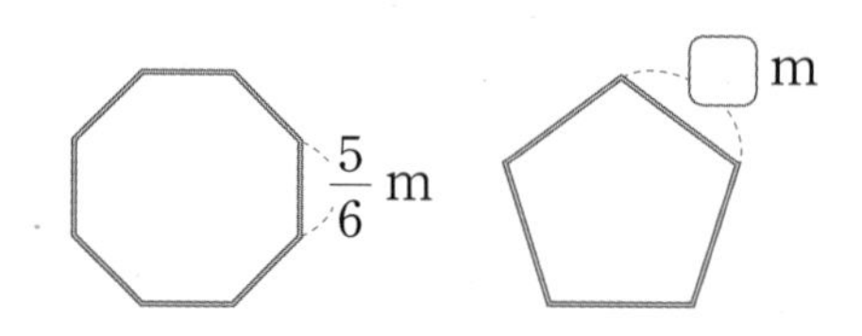

풀이

답

텃밭의 넓이 비교하기 019쪽

8 당근을 심은 텃밭이 더 넓은 모둠은 누구네 모둠인가요?

하준: 우리 모둠의 텃밭은 21 m^2야.
호박, 감자, 당근, 가지를 똑같은 넓이로 심었어.

서윤: 우리 모둠의 텃밭은 16 m^2야.
깻잎, 상추, 당근을 똑같은 넓이로 심었어.

풀이

답

수 카드를 사용하여 나눗셈식 만들기 016쪽

9 4장의 수 카드 중에서 3장을 뽑아 한 번씩 사용하여 계산 결과가 가장 작은 나눗셈식을 만들고 계산해 보세요.

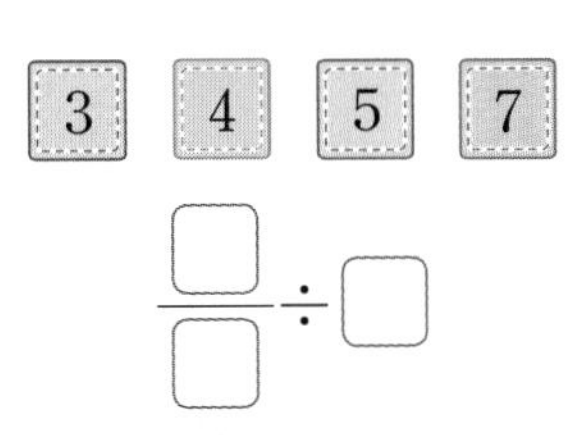

식 $\frac{\square}{\square} \div \square$ ______ 답 ______

걸리는 시간 구하기 017쪽

10 건우는 자전거를 타고 일정한 빠르기로 1시간 4분 동안 16 km를 달렸습니다. 같은 빠르기로 25 km를 달리는 데 몇 시간이 걸리는지 기약분수로 나타내어 보세요.

답 ______

2 각기둥과 각뿔

FUN한 기억 노트

각기둥은 [ ] 모양이고 서로 [ ]하고 합동인 두 면이 있는 입체도형

각기둥의 밑면에 대해 써 보자.

밑면은 서로 평행하고 [ ]인 두 면 이야.

밑면의 모양은 다각형 이고,

밑면의 개수는 ______ 야.

각기둥의 이름

각기둥의 이름은

밑면 의 모양에 따라 정해져.

아래에 주어진 각기둥의 이름은

______ 이야.

각기둥의 옆면에 대해 써 보자.

옆면은 두 밑면과 만나는 면 이야.

옆면의 모양은 ______ 이고,

옆면의 개수는 한 밑면의 [ ]의 수 와 같아.

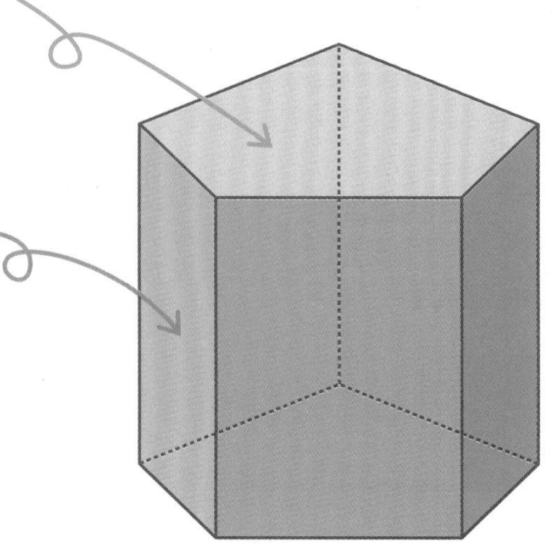

쓸 줄 알아야 진짜 실력!

정답 확인 »

각뿔은 ☐ 모양이고 옆으로 둘러싼 면이 ☐ 각형인 입체도형

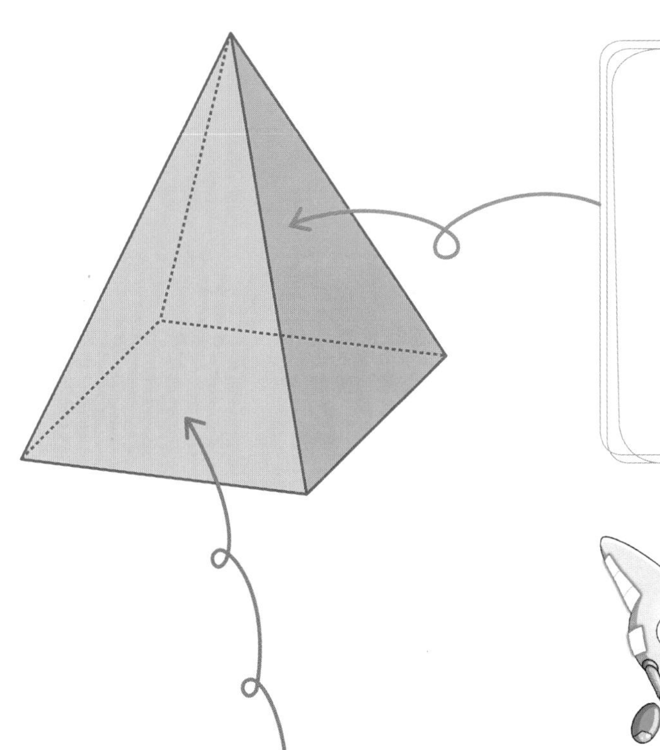

각뿔의 옆면에 대해 써 보자.

옆면은 밑면과 만나는 면 이야.

옆면의 모양은 ______ 이고,

옆면의 개수는 밑면의 ☐ 의 수 와 같아.

각뿔의 이름

각뿔의 이름은

밑면 의 모양에 따라 정해져.

위에 주어진 각뿔의 이름은

______ 이야.

각뿔의 밑면에 대해 써 보자.

밑면의 모양은 다각형 이고,

밑면의 개수는 ______ 야.

STEP 1

문제 해결력 기르기

① 각기둥의 면, 모서리, 꼭짓점의 수

선행 문제 해결 전략

각기둥의 한 밑면의 변의 수를 알면 면, 모서리, 꼭짓점의 수를 구할 수 있어.

각기둥	사각기둥	오각기둥	□각기둥
면의 수	4+2=6	5+2=7	□+2
모서리 수	4×3=12	5×3=15	□×3
꼭짓점 수	4×2=8	5×2=10	□×2

→ 한 밑면의 변의 수

참고 □각기둥의 밑면은 □각형, 옆면은 직사각형

선행 문제 1

삼각기둥의 면, 모서리, 꼭짓점은 각각 몇 개인가요?

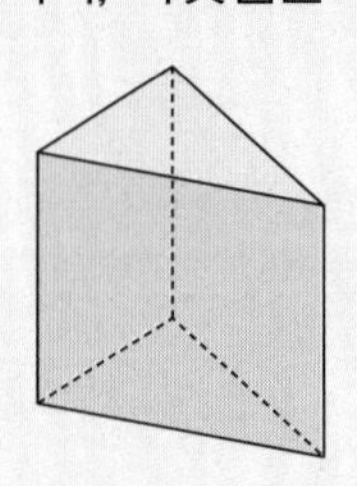

풀이 (한 밑면의 변의 수)=3개

(면의 수)=3+2=□(개)

(모서리의 수)=3×□=□(개)

(꼭짓점의 수)=3×□=□(개)

실행 문제 1

밑면의 모양이 다음과 같은 각기둥이 있습니다./ 이 각기둥의 면은 몇 개인가요?

전략 밑면의 모양에서 변의 수를 세자.

❶ (한 밑면의 변의 수)=□개

전략 (면의 수)=(한 밑면의 변의 수)+2

❷ (각기둥의 면의 수)
=□+□=□(개)

답

쌍둥이 문제 1-1

밑면의 모양이 다음과 같은 각기둥이 있습니다./ 이 각기둥의 꼭짓점은 몇 개인가요?

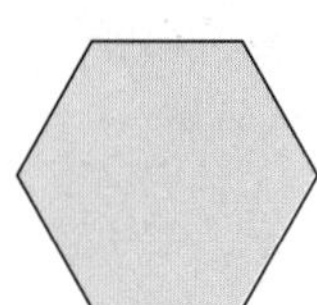

실행 문제 따라 풀기

❶

❷

답

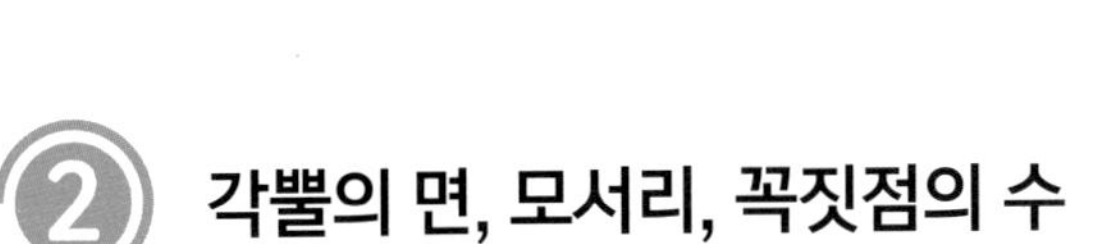

② 각뿔의 면, 모서리, 꼭짓점의 수

선행 문제 해결 전략

각뿔의 밑면의 변의 수를 알면
면, 모서리, 꼭짓점의 수를 구할 수 있어.

각뿔	사각뿔	오각뿔	□각뿔
면의 수	4+1=5	5+1=6	□+1
모서리 수	4×2=8	5×2=10	□×2
꼭짓점 수	4+1=5	5+1=6	□+1

↳ 밑면의 변의 수

참고 □각뿔의 밑면은 □각형, 옆면은 삼각형

선행 문제 2

삼각뿔의 면, 모서리, 꼭짓점은 각각 몇 개인가요?

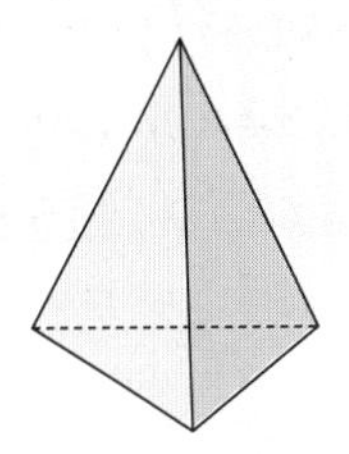

풀이 (밑면의 변의 수)=3개

(면의 수)=3+1=□(개)

(모서리의 수)=3×□=□(개)

(꼭짓점의 수)=3+□=□(개)

실행 문제 2

밑면의 모양과 옆면의 모양이/
다음과 같은 입체도형이 있습니다./
이 입체도형의 꼭짓점은 몇 개인가요?

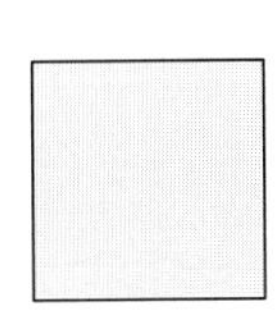

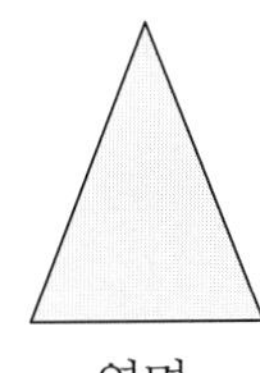

밑면 옆면

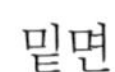

전략 밑면이 다각형이고, 옆면이 삼각형인 입체도형은 각뿔이다.

❶ 밑면이 사각형이고, 옆면이 □각형인
입체도형은 □각뿔이다.

❷ (밑면의 변의 수)=□개

전략 (꼭짓점의 수)=(밑면의 변의 수)+1

❸ (각뿔의 꼭짓점의 수)
=□+□=□(개)

답 

쌍둥이 문제 2-1

밑면의 모양과 옆면의 모양이/
다음과 같은 입체도형이 있습니다./
이 입체도형의 모서리는 몇 개인가요?

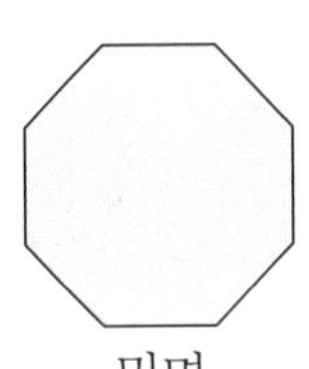

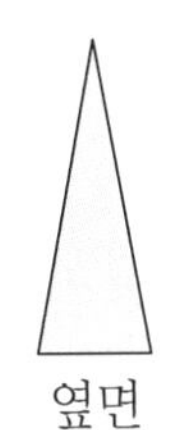

밑면 옆면

실행 문제 따라 풀기

❶

❷

❸

답 

③ 입체도형의 이름

선행 문제 해결 전략

입체도형	□각기둥	□각뿔
면의 수	□+2	□+1
모서리의 수	□×3	□×2
꼭짓점의 수	□×2	□+1

→ 한 밑면의 변의 수 → 밑면의 변의 수

예 모서리의 수가 **12**개인 각기둥의 이름 구하기

□를 사용한 식을 세워 해결하자.

각기둥의 한 밑면의 변의 수를 □개라 하면

각기둥의 모서리의 수: □×3=12

➜ □=12÷3=4

각기둥의 이름: 사각기둥

선행 문제 3

입체도형의 이름을 구해 보세요.

(1) 면의 수가 8개인 각기둥의 이름

풀이 한 밑면의 변의 수를 □개라 하면

각기둥의 면의 수: □+□=8

➜ □=8−□=□이므로

각기둥의 이름: □각기둥

(2) 모서리의 수가 6개인 각뿔의 이름

풀이 밑면의 변의 수를 □개라 하면

각뿔의 모서리의 수: □×□=6

➜ □=6÷□=□이므로

각뿔의 이름: □각뿔

실행 문제 3

면의 수가 7개인 각기둥이 있습니다./
이 각기둥의 꼭짓점은 몇 개인가요?

전략 □를 사용하여 각기둥의 면의 수를 구하는 식을 세우자.

❶ 한 밑면의 변의 수를 □개라 하면

각기둥의 면의 수: □+□=7

➜ □=7−□=□

❷ 각기둥의 이름: □각기둥

전략 (꼭짓점의 수)=(한 밑면의 변의 수)×2

❸ (각기둥의 꼭짓점의 수)

=□×2=□(개)

답 ____________

쌍둥이 문제 3-1

모서리의 수가 8개인 각뿔이 있습니다./
이 각뿔의 면은 몇 개인가요?

실행 문제 따라 풀기

❶

❷

❸

답 ____________

각기둥의 전개도에서 길이 구하기

선행 문제 해결 전략

예 삼각기둥의 전개도에서 선분의 길이 구하기

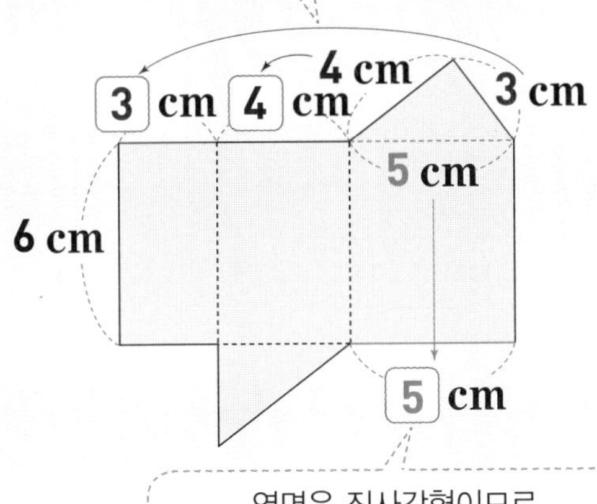

선행 문제 4

삼각기둥의 전개도입니다. 선분 ㄴㅇ의 길이는 몇 cm인가요?

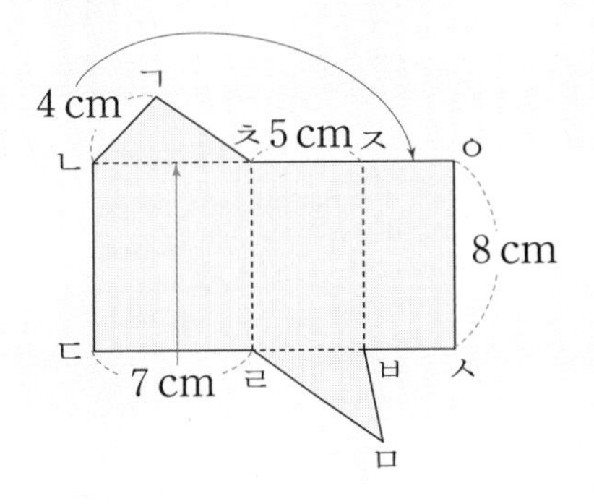

풀이 (선분 ㄴㅊ)=☐ cm

(선분 ㅈㅇ)=☐ cm

➔ (선분 ㄴㅇ)

=☐+5+☐=☐ (cm)

실행 문제 4

삼각기둥의 전개도입니다./
직사각형 ㄱㄴㄷㄹ의 둘레는 몇 cm인가요?

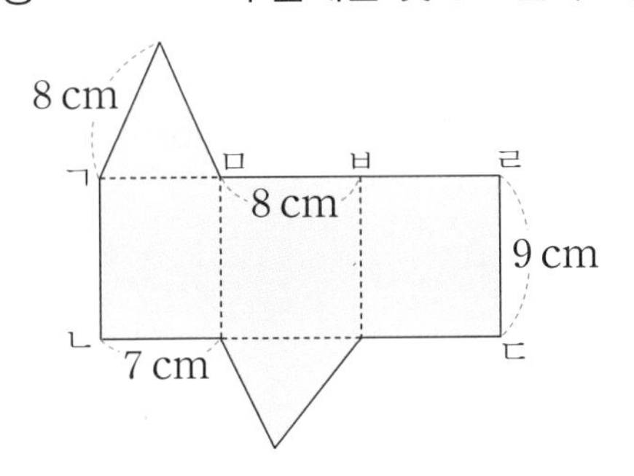

전략 옆면에서 마주 보는 선분의 길이는 같다.
전개도를 접었을 때 서로 만나는 선분의 길이는 같다.

❶ (선분 ㄱㅁ)=☐ cm, (선분 ㅂㄹ)=☐ cm

❷ (선분 ㄱㄹ)

=☐+8+☐=☐ (cm)

전략 (선분 ㄱㄹ+선분 ㄹㄷ)×2

❸ (직사각형 ㄱㄴㄷㄹ의 둘레)

=(☐+☐)×2=☐ (cm)

답

쌍둥이 문제 4-1

사각기둥의 전개도입니다./
직사각형 ㄱㄴㄷㄹ의 둘레는 몇 cm인가요?

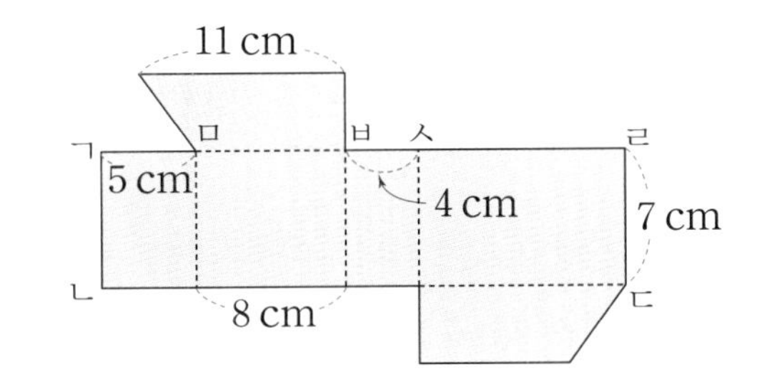

실행 문제 따라 풀기

❶

❷

❸

답

2 각기둥과 각뿔

문제 해결력 기르기

5 각뿔의 모서리 길이 구하기

선행 문제 해결 전략

각뿔에서
(옆면의 수)=(밑면의 변의 수)

예 옆면이 오른쪽 삼각형 5개로 이루어진 각뿔의 이름과 밑면의 한 변의 길이 구하기

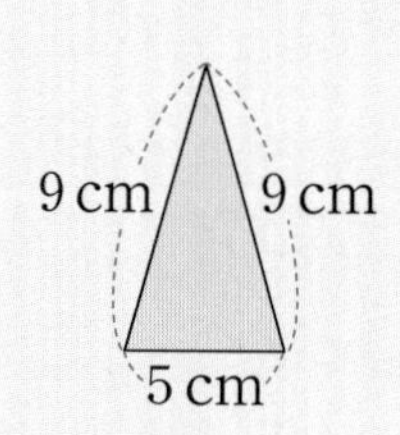

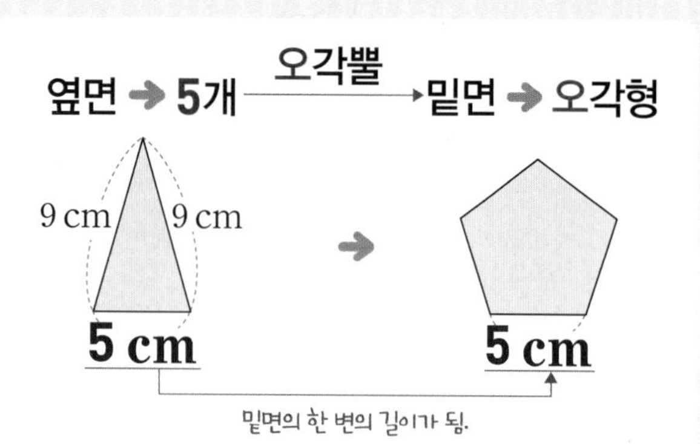

선행 문제 5

옆면이 다음 삼각형 4개로 이루어진 각뿔의 이름과 밑면의 한 변의 길이를 구해 보세요.

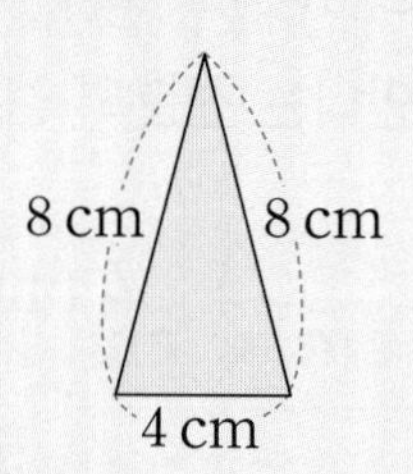

풀이 • 각뿔의 이름:
옆면이 4개이므로 ☐각뿔

• 각뿔의 밑면의 모양:

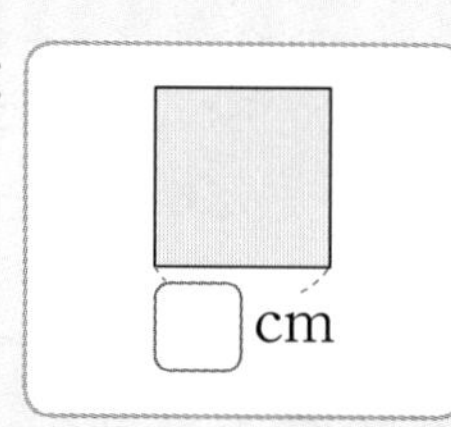

실행 문제 5

옆면이 오른쪽 삼각형 3개로 이루어진 각뿔이 있습니다./ 이 각뿔의 밑면의 둘레는 몇 cm인가요?

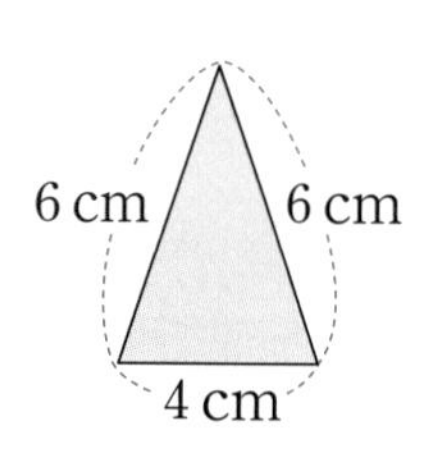

전략 옆면이 3개인 각뿔의 이름을 구하자.

❶ 각뿔의 이름: ☐각뿔

전략 밑면의 모양을 그리고 한 변의 길이를 표시하자.

❷ 각뿔의 밑면의 모양:

❸ (각뿔의 밑면의 둘레)
$=\square\times3=\square$ (cm)

답 ____________

쌍둥이 문제 5-1

옆면이 오른쪽 삼각형 6개로 이루어진 각뿔이 있습니다./ 이 각뿔의 밑면의 둘레는 몇 cm인가요?

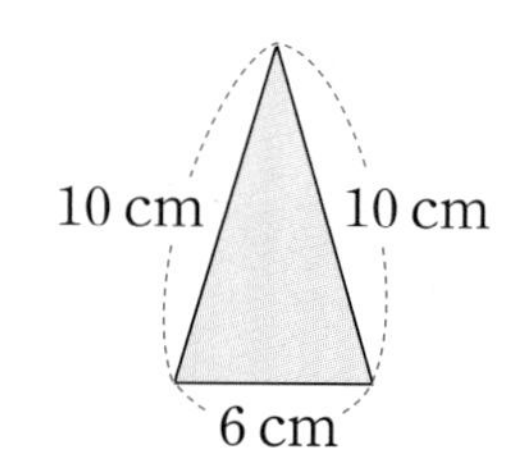

실행 문제 따라 풀기

❶

❷

❸

답 ____________

각기둥의 모서리 길이 구하기

선행 문제 해결 전략

(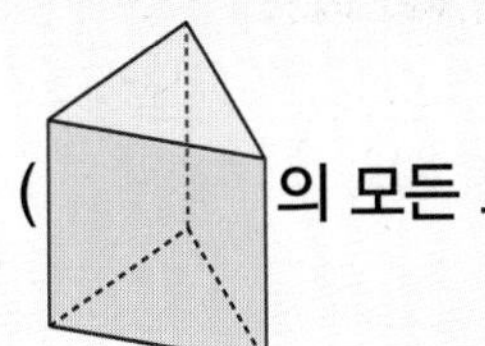 의 모든 모서리 길이의 합)

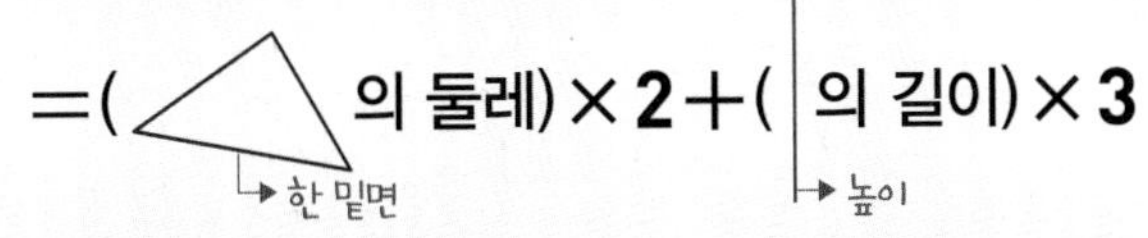

=(한 밑면의 둘레)×2+(높이)×3

삼각기둥이므로 높이를 나타내는 모서리가 3개이다.

(□각기둥의 모든 모서리 길이의 합)
=(한 밑면의 둘레)×2+(높이)×□

선행 문제 6

□ 안에 알맞은 수를 써넣으세요.

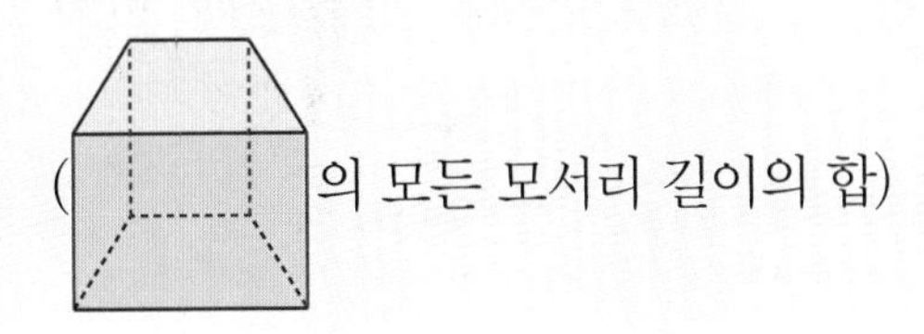

=(의 둘레)×□+(의 길이)×□
한 밑면 / 높이

=(한 밑면의 둘레)×□+(높이)×□

실행 문제 6

삼각기둥입니다./
모든 모서리의 길이의 합은 몇 cm인가요?

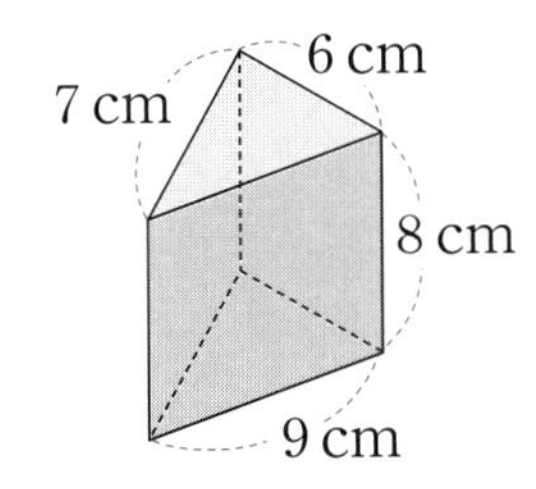

❶ (한 밑면의 둘레)
=7+□+□=□(cm)

❷ (높이)=□cm

전략 (□각기둥의 모든 모서리 길이의 합)
=(한 밑면의 둘레)×2+(높이)×□

❸ (삼각기둥의 모든 모서리 길이의 합)
=□×2+□×3=□(cm)

답 ______________

쌍둥이 문제 6-1

밑면이 정오각형인 오각기둥입니다./
모든 모서리의 길이의 합은 몇 cm인가요?

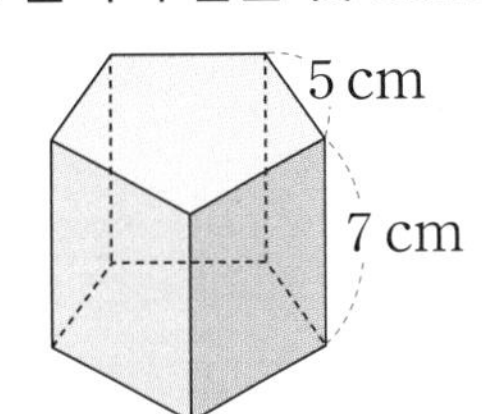

실행 문제 따라 풀기

❶

❷

❸

답 ______________

수학 사고력 키우기

각기둥의 면, 모서리, 꼭짓점의 수

연계학습 032쪽

대표 문제 1

오른쪽 전개도를 접었을 때 만들어지는 각기둥의 모서리, 꼭짓점의 수를 각각 구해 보세요.

구하려는 것은?

각기둥의 ☐의 수, ☐의 수

어떻게 풀까?

1 전개도에서 밑면의 모양을 찾아 한 밑면의 변의 수를 구한 후,

2 한 밑면의 변의 수를 이용하여 모서리, 꼭짓점의 수를 구하자.

해결해 볼까?

❶ 한 밑면의 변은 몇 개?

전략 각기둥에서 두 밑면은 서로 평행하고 합동인 다각형이다.

답 ______

❷ 각기둥의 모서리, 꼭짓점은 각각 몇 개?

전략 (모서리의 수)=(❶의 값)×3, (꼭짓점의 수)=(❶의 값)×2

답 모서리: ______, 꼭짓점: ______

쌍둥이 문제 1-1

오른쪽 전개도를 접었을 때 만들어지는 각기둥의 모서리, 꼭짓점은 각각 몇 개인가요?

대표 문제 따라 풀기

❶

❷

답 모서리: ______, 꼭짓점: ______

각뿔의 면, 모서리, 꼭짓점의 수

연계학습 033쪽

대표 문제 2 다음에서 설명하는 입체도형의 면, 모서리, 꼭짓점의 수를 각각 구해 보세요.

- 밑면은 육각형입니다.
- 옆면은 모두 삼각형입니다.

구하려는 것은? 입체도형의 면, 모서리, 꼭짓점의 수

주어진 것은?
- 밑면의 모양: ☐각형
- 옆면의 모양: ☐각형

해결해 볼까?

❶ 입체도형의 이름은?

전략 밑면이 다각형이고, 옆면이 모두 삼각형인 입체도형은 각뿔이다. 답 ____________

❷ 밑면의 변은 몇 개?

답 ____________

❸ ❶에서 구한 입체도형의 면, 모서리, 꼭짓점은 각각 몇 개?

전략 (면의 수)=(❷의 값)+1, (모서리의 수)=(❷의 값)×2, (꼭짓점의 수)=(❷의 값)+1

답 면: ____________, 모서리: ____________, 꼭짓점: ____________

쌍둥이 문제 2-1 다음에서 설명하는 입체도형의 면, 모서리, 꼭짓점은 각각 몇 개인가요?

- 밑면은 오각형입니다.
- 옆면은 모두 삼각형입니다.

대표 문제 따라 풀기

❶

❷

❸

답 면: ____________, 모서리: ____________, 꼭짓점: ____________

STEP 2 { 수학 사고력 키우기 }

입체도형의 이름

연계학습 034쪽

대표 문제 3 다음에서 설명하는 입체도형의 면의 수를 구해 보세요.

> [**설명 1**] 밑면은 다각형이고, 옆면은 모두 직사각형입니다.
> [**설명 2**] 꼭짓점의 수는 16개입니다.

구하려는 것은? 입체도형의 ☐의 수

주어진 것은?
- 밑면의 모양: 다각형, 옆면의 모양: ☐
- 꼭짓점의 수: ☐개

해결해 볼까?

❶ [**설명 1**]을 만족하는 입체도형에 ○표 하기

답 (각기둥 , 각뿔)

❷ [**설명 1**]과 [**설명 2**]를 만족하는 입체도형의 이름은?

전략 ❶에서 답한 입체도형의 꼭짓점 수를 구하는 식을 이용하자.

답 ______

❸ ❷에서 구한 입체도형의 면은 몇 개?

전략 (면의 수)=(한 밑면의 변의 수)+2

답 ______

쌍둥이 문제 3-1 다음에서 설명하는 입체도형의 모서리는 몇 개인가요?

> [**설명 1**] 밑면은 다각형이고, 옆면은 모두 삼각형입니다.
> [**설명 2**] 면의 수는 7개입니다.

대표 문제 따라 풀기

❶

❷

❸

답 ______

각기둥의 전개도에서 길이 구하기

연계학습 035쪽

대표 문제 4 오른쪽 전개도를 접어 만든 각기둥의 높이는 12 cm입니다./
밑면의 모양이 정육각형일 때/
직사각형 ㄱㄴㄷㄹ의 둘레를 구해 보세요.

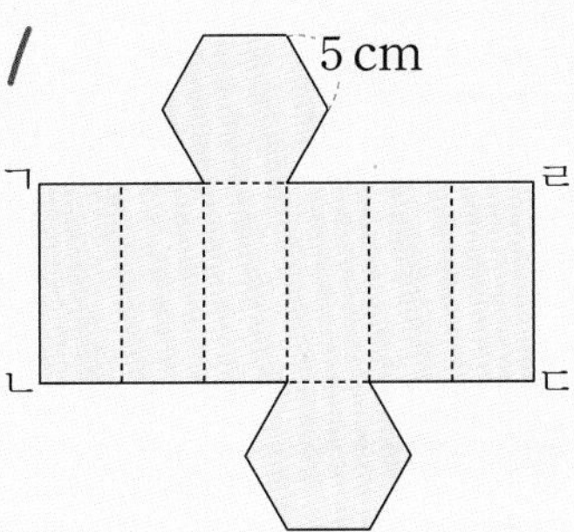

구하려는 것은? 직사각형 ㄱㄴㄷㄹ의 둘레

주어진 것은?
- 높이: ☐ cm
- 밑면의 모양: 한 변이 ☐ cm인 정육각형

해결해 볼까?

❶ 선분 ㄱㄹ의 길이는 몇 cm?

전략 접었을 때 서로 만나는 선분의 길이는 같으므로 선분 ㄱㄹ의 길이는 한 밑면의 둘레와 같다.

답 ____________

❷ 선분 ㄱㄴ의 길이는 몇 cm?

전략 선분 ㄱㄴ의 길이는 각기둥의 높이와 같다.

답 ____________

❸ 직사각형 ㄱㄴㄷㄹ의 둘레는 몇 cm?

답 ____________

쌍둥이 문제 4-1

오른쪽 전개도를 접어 만든 각기둥의 높이는 14 cm입니다./
밑면의 모양이 정오각형일 때/
직사각형 ㄱㄴㄷㄹ의 둘레는 몇 cm인가요?

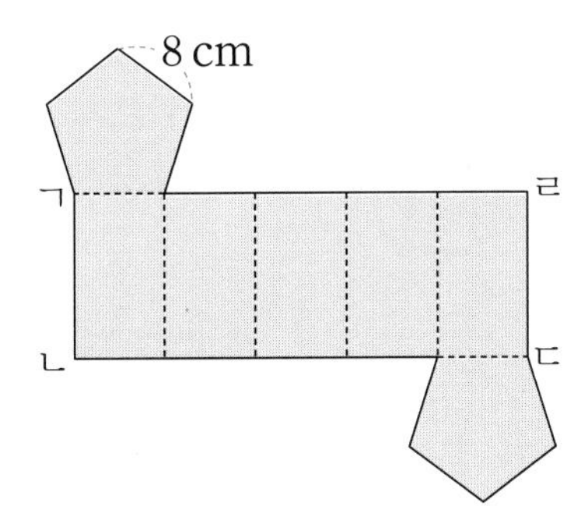

대표 문제 따라 풀기

❶

❷

❸

답 ____________

STEP 2

수학 사고력 키우기

각뿔의 모서리 길이 구하기

연계학습 036쪽

대표 문제 5

옆면이 오른쪽 삼각형 4개로 이루어진 각뿔이 있습니다./ 이 각뿔의 모든 모서리 길이의 합을 구해 보세요.

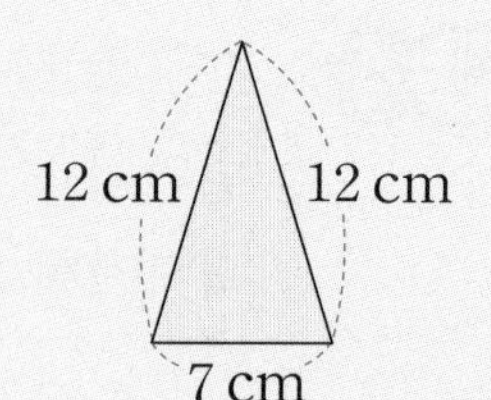

구하려는 것은?

각뿔의 모든 [　　　] 길이의 합

어떻게 풀까?

1 옆면이 4개인 각뿔의 밑면의 둘레를 구하고,
2 길이가 12 cm인 모든 모서리 길이의 합을 구한 후,
3 1과 2에서 구한 값을 더하자.

해결해 볼까?

❶ 각뿔의 밑면의 둘레는 몇 cm?

답 ____________

❷ 각뿔에서 길이가 12 cm인 모서리 길이를 모두 더하면 몇 cm?

전략 옆면이 모두 이등변삼각형이므로 옆면끼리 만나서 생긴 모서리의 길이는 각각 12 cm이다.

답 ____________

❸ 각뿔의 모든 모서리 길이의 합은 몇 cm?

전략 ❶과 ❷에서 구한 길이를 더하자.

답 ____________

쌍둥이 문제 5-1

옆면이 오른쪽 삼각형 5개로 이루어진 각뿔이 있습니다./ 이 각뿔의 모든 모서리 길이의 합은 몇 cm인가요?

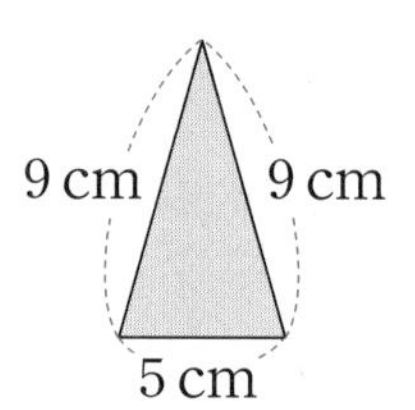

대표 문제 따라 풀기

❶

❷

❸

답 ____________

각기둥의 모서리 길이 구하기

연계학습 037쪽

대표 문제 6

오른쪽 전개도를 접었을 때 만들어지는 각기둥의 모든 모서리 길이의 합을 구해 보세요.

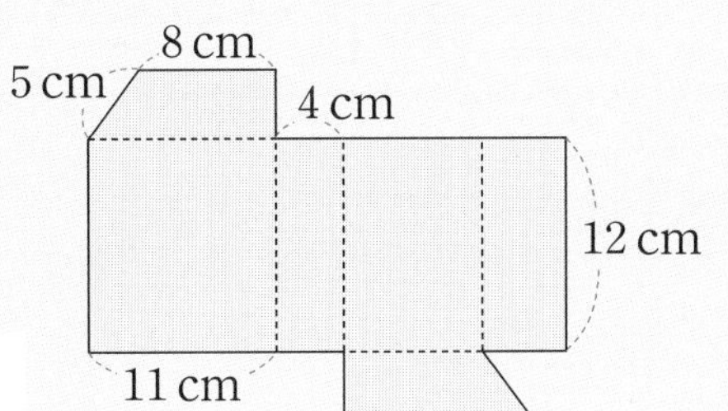

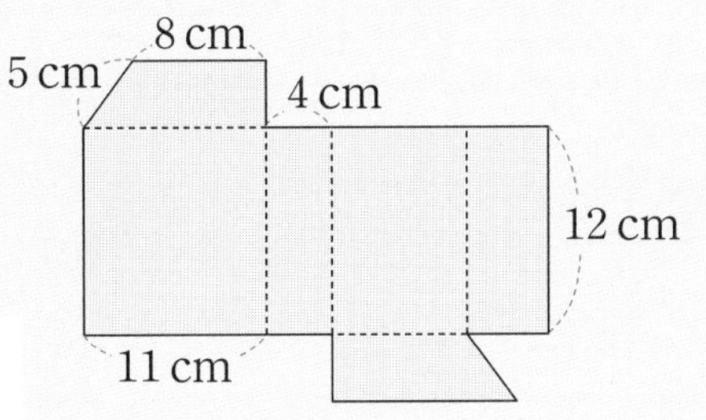

구하려는 것은?

각기둥의 모든 ☐ 길이의 합

어떻게 풀까?

1 한 밑면을 찾아 모든 변의 길이를 더하여 둘레를 구하고,
2 높이를 구한 후,
3 모든 모서리 길이의 합을 구하자.

해결해 볼까?

❶ 각기둥의 한 밑면의 둘레는 몇 cm?

전략 전개도에서 한 밑면을 찾아 모든 변의 길이를 더하자.

답 ____________

❷ 각기둥의 높이는 몇 cm?

답 ____________

❸ 각기둥의 모든 모서리 길이의 합은 몇 cm?

전략 (☐각기둥의 모든 모서리 길이의 합)
=(한 밑면의 둘레)×2+(높이)×☐

답 ____________

쌍둥이 문제 6-1

오른쪽 전개도를 접었을 때 만들어지는 각기둥의 모든 모서리 길이의 합은 몇 cm인가요?
(단, 옆면은 모두 합동입니다.)

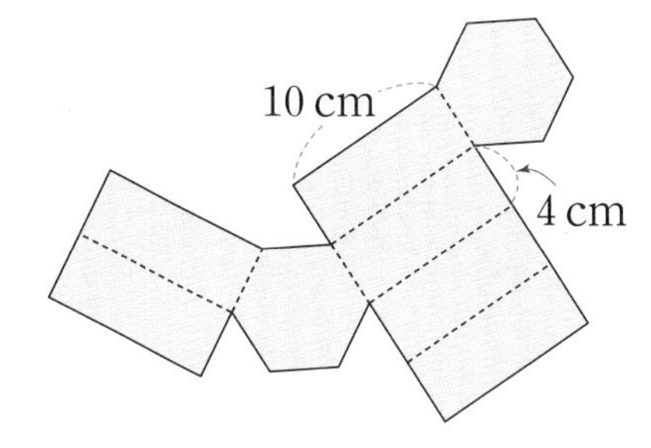

대표 문제 따라 풀기

❶

❷

❸

답 ____________

수학 독해력 완성하기

각기둥의 전개도가 아닌 이유 쓰기

오른쪽은 오각기둥의 전개도가 아닙니다./
그 이유를 써 보세요.

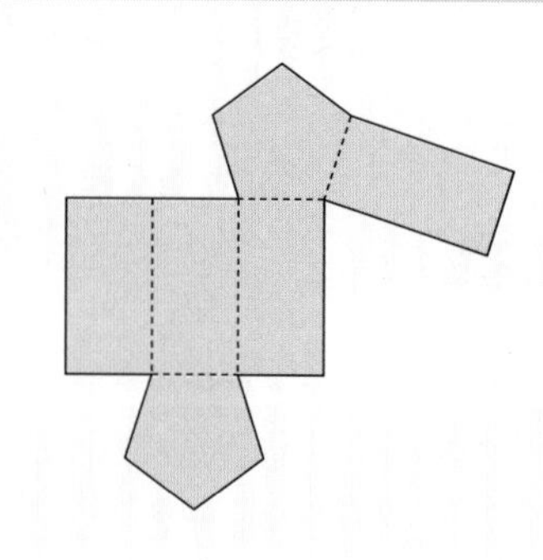

해결해 볼까?

❶ 올바른 오각기둥 전개도의 특징이다. 빈칸을 채우면?

면	모양	개수(개)
밑면	오각형	
옆면		

❷ 위 그림이 오각기둥의 전개도가 아닌 이유는?

이유 ____________________

각기둥 전개도의 일부분을 보고 구성 요소의 수 구하기

독해 문제 2

어떤 각기둥의 옆면만 그린 전개도의 일부분입니다./
이 각기둥의 꼭짓점의 수를 구해 보세요.

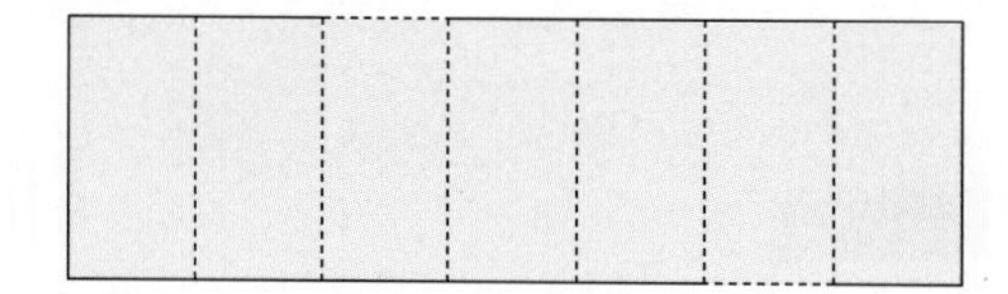

해결해 볼까?

❶ 각기둥의 옆면은 몇 개?

답 ____________________

❷ 각기둥의 이름은?

전략 옆면이 ■개인 각기둥의 이름은 ■각기둥이다.

❸ 각기둥의 꼭짓점은 몇 개?

구성 요소의 수를 이용하여 입체도형의 이름 구하기

독해 문제 3

육각기둥과 모서리의 수가 같은 각뿔의 이름을 써 보세요.

❶ 육각기둥의 모서리는 몇 개?

답 ______________

❷ 모서리의 수가 ❶에서 구한 값인 각뿔의 이름은?

각기둥 전개도의 둘레 구하기

독해 문제 4

밑면이 정삼각형인 각기둥과 그 전개도입니다./
이 각기둥 전개도의 둘레를 구해 보세요.

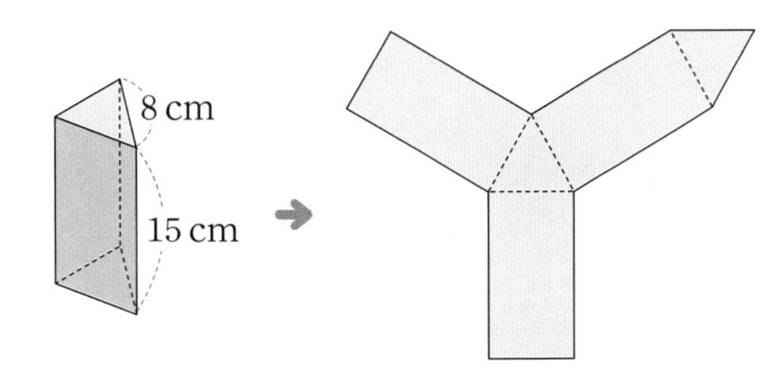

해결해 볼까? ❶ 각기둥 전개도의 둘레에서 길이가 8 cm인 선분은 몇 개?

전략 밑면의 한 변과 길이가 같은 선분을 모두 찾자.

답 ______________

❷ 각기둥 전개도의 둘레에서 길이가 15 cm인 선분은 몇 개?

전략 높이와 길이가 같은 선분을 모두 찾자.

답 ______________

❸ 각기둥 전개도의 둘레는 몇 cm?

입체도형의 이름

연계학습 040쪽

독해 문제 5

모서리의 수와 꼭짓점 수의 합이 30개인 각기둥이 있습니다./
이 각기둥의 이름을 구해 보세요.

구하려는 것은? 조건에 맞는 각기둥의 ☐

주어진 것은? 각기둥의 모서리 수와 꼭짓점 수의 합: ☐개

어떻게 풀까?

1 한 밑면의 변의 수를 ☐개라 하여
모서리의 수와 꼭짓점의 수를 각각 식으로 나타낸 후,
2 그 **합이 30개임을 이용**하여 ☐의 값을 구하고,
3 각기둥의 이름을 구하자.

해결해 볼까?

❶ 각기둥의 한 밑면의 변의 수를 ☐개라 할 때, 모서리의 수와 꼭짓점의 수를 각각 ☐를 사용한 식으로 나타내면?

전략 (모서리의 수)=(한 밑면의 변의 수)×3, (꼭짓점의 수)=(한 밑면의 변의 수)×2

식 모서리의 수: ______________, 꼭짓점의 수: ______________

❷ 각기둥의 한 밑면의 변은 몇 개?

전략 ❶에서 나타낸 두 식의 합이 30개임을 이용하여 ☐의 값을 구하자.

답 ______________

❸ 각기둥의 이름은?

답 ______________

각기둥의 모서리 길이 구하기

연계학습 043쪽

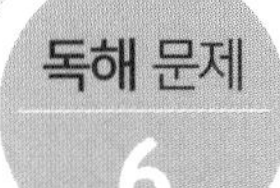

독해 문제 6

다음 [조건]은 주어진 전개도를 접었을 때 만들어지는/
각기둥을 설명한 것입니다./
[조건]을 보고 밑면의 한 변의 길이를 구해 보세요.

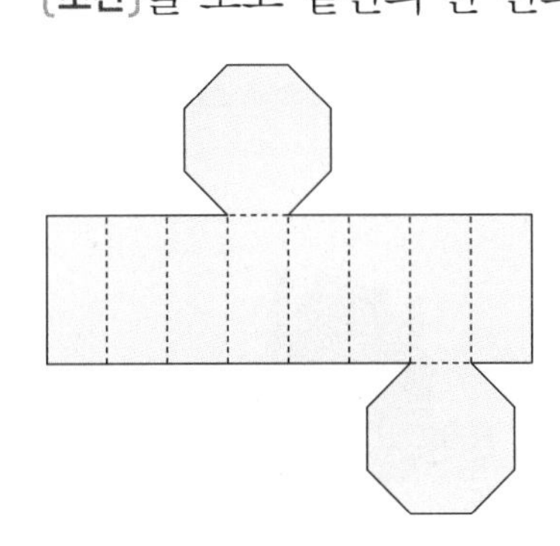

[조건]
- 각기둥의 옆면은 모두 합동입니다.
- 각기둥의 높이는 12 cm입니다.
- 각기둥의 모든 모서리 길이의 합은 176 cm입니다.

구하려는 것은? 밑면의 한 변의 길이

주어진 것은?
- 각기둥의 옆면은 모두 합동
- 각기둥의 높이: ☐ cm
- 각기둥의 모든 모서리 길이의 합: ☐ cm

어떻게 풀까?
1. 각기둥의 이름을 알고 높이를 나타내는 모든 모서리 길이의 합을 구한 후,
2. 두 밑면의 모든 변의 길이의 합을 구하고,
3. 2에서 구한 값을 두 밑면의 변의 수로 나누어 한 변의 길이를 구하자.

해결해 볼까?

❶ 전개도를 접었을 때 만들어지는 각기둥의 이름은?

전략 각기둥의 이름은 밑면의 모양에 따라 정해진다.

답 ____________

❷ 각기둥에서 높이를 나타내는 모서리 길이를 모두 더하면 몇 cm?

답 ____________

❸ 각기둥에서 두 밑면의 모든 변의 길이의 합은 몇 cm?

전략 각기둥의 모든 모서리 길이의 합에서 ❷의 값을 빼자.

❹ 밑면의 한 변의 길이는 몇 cm?

4 STEP 창의·융합·코딩 체험하기

프랑스의 루브르 박물관은 영국의 대영 박물관, 바티칸 시국의 바티칸 박물관과 함께 세계 3대 박물관으로 꼽힙니다./
정문에는 루브르 박물관의 상징인 사각뿔 모양의 유리 피라미드가 설치되어 있는데/
이것은 입구 역할을 하는 동시에 지하 공간 안으로 빛이 잘 비춰지도록 돕는다고 합니다./
이 유리 피라미드 모양인 사각뿔과 밑면의 모양이 같은 각기둥의 이름은 무엇인가요?

(출처: Valikdjan / shutterstock)

 답 ______________

분리배출을 잘하면 환경오염을 줄이고 다양한 자원도 재활용할 수 있다고 합니다./
희준이는 분리배출을 하기 위해 재활용품 종류별로 분리수거 상자를/
다음과 같이 각기둥 모양으로 만들었습니다./
상자에 재활용품의 종류를 써 보세요.

재활용품의 종류	분리수거 상자의 모양
종이류	사각기둥
캔류	육각기둥
플라스틱류	오각기둥
비닐류	삼각기둥

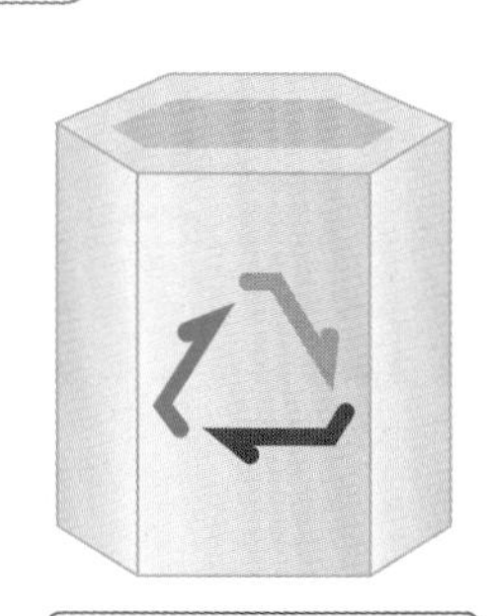

[코딩 3 ~ 4] 주어진 명령을 실행하였을 때/
다음 로봇이 말하게 되는 각뿔의 이름을 써 보세요.

나는 명령에 따라 움직이는데,
내가 지나간 칸에 쓰여 있는 수가
면의 수가 되는 각뿔의 이름을 말해.

시작하기 버튼을 클릭했을 때
왼쪽으로 3칸 이동하기
위쪽으로 3칸 이동하기

4				
	5			6
7			8	
9				시작

답 ____________________

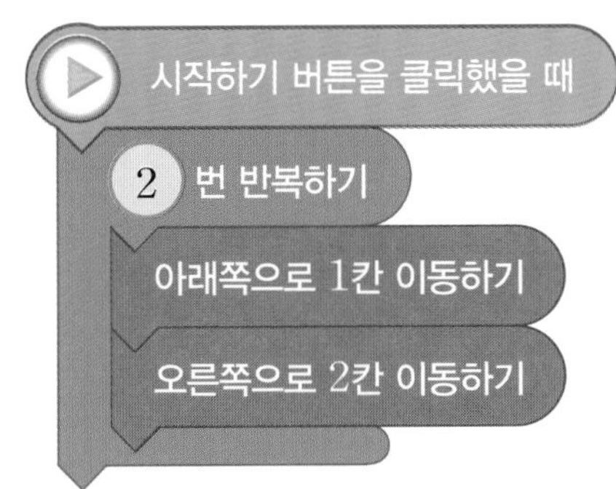

시작			4	
				5
6		7		
	8			9

답 

4 STEP {창의·융합·코딩 체험하기}

로봇이 출발 지점에서 도착 지점까지 한 바퀴를 돌면서/ 각뿔 모양의 아이템을 모두 가졌습니다./
각뿔 모양 아이템 한 개당 50포인트를 얻는다면/
로봇이 얻은 포인트는 모두 몇 포인트인가요?

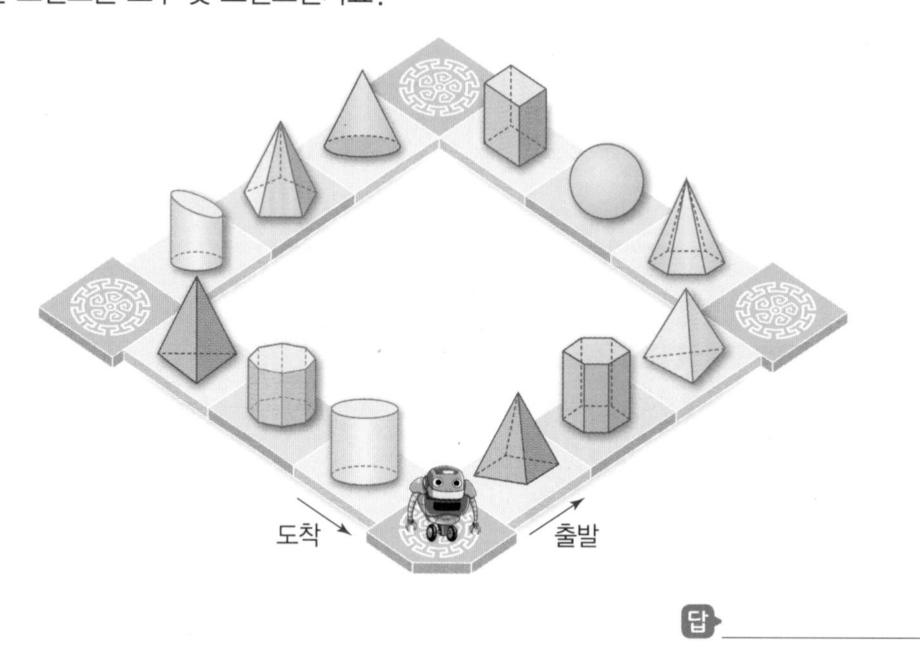

답

각기둥과 각기둥이 아닌 도형을 구분하는/
순서도를 오른쪽과 같이 만들려고 합니다./
㉠에 들어갈 조건을 써 보세요.

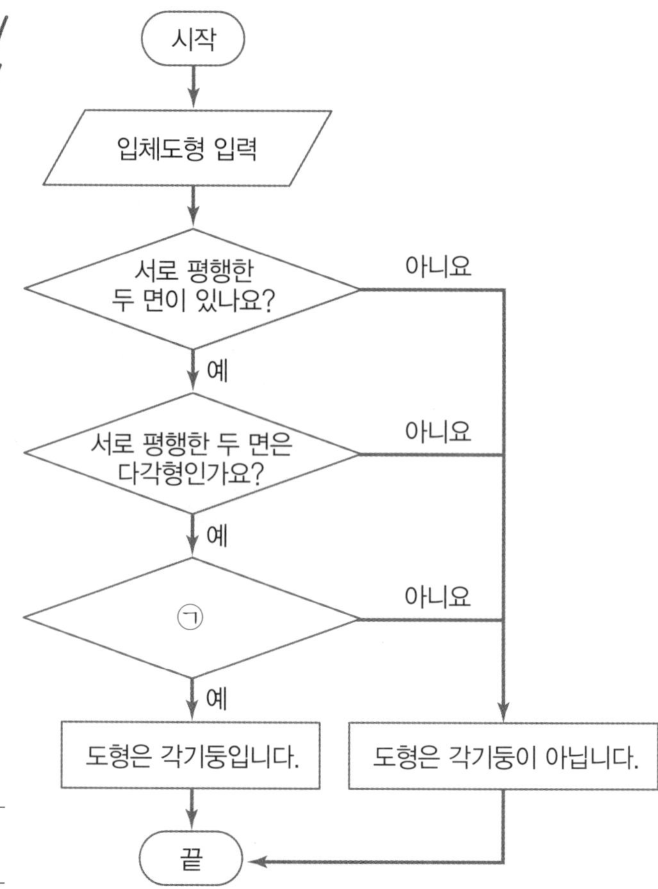

답

 [창의 7 ~ 8] 반짝 광산에서는 희귀한 보석을 채취할 수 있습니다./
보석은 모양에 따라 가격이 결정된다고 합니다./
물음에 답하세요.

(출처: Albert Russ / shutterstock)

창의 7 각기둥 모양의 보석은 면의 수에 따라/ [보기]와 같이 가격이 결정된다고 합니다.

[보기]

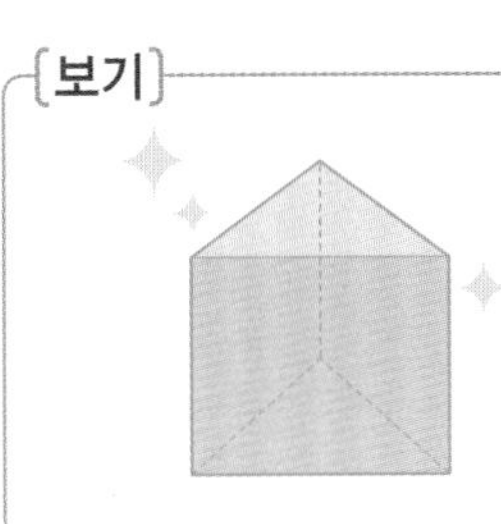

각기둥 모양 보석의 가격은 면 1개당 5000원이다.
➔ (각기둥 모양 보석의 가격)$=5000\times$(면의 수)
$=5000\times5=25000$(원)

이 광산에서 다음과 같은 모양의 보석을 채취하였다고 합니다./
이 보석의 가격은 얼마인가요?

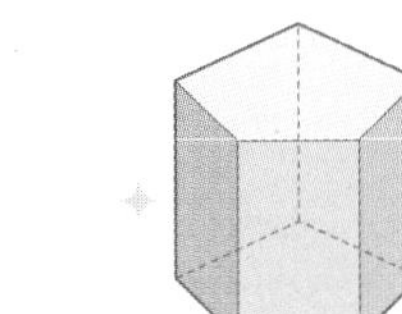

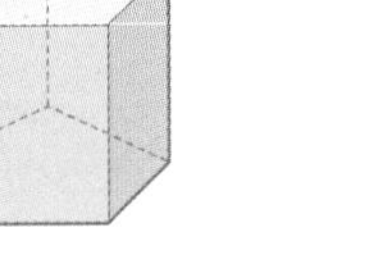

답 ____________________

창의 8 각뿔 모양의 보석은 모서리의 수에 따라/ [보기]와 같이 가격이 결정된다고 합니다.

[보기]

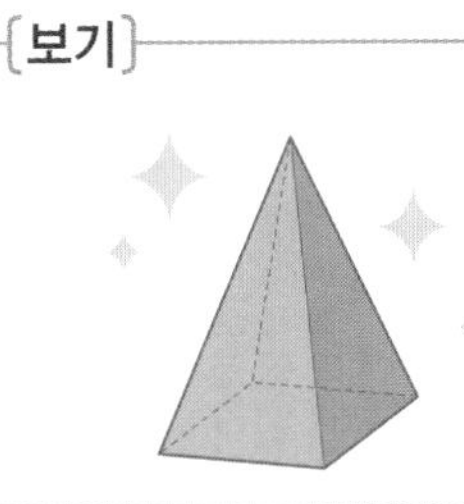

각뿔 모양 보석의 가격은 모서리 1개당 3000원이다.
➔ (각뿔 모양 보석의 가격)$=3000\times$(모서리의 수)
$=3000\times8=24000$(원)

이 광산에서 다음과 같은 모양의 보석을 채취하였다고 합니다./
이 보석의 가격은 얼마인가요?

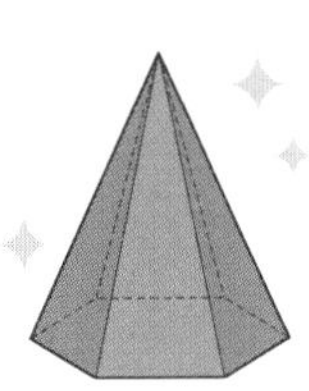

 답 ____________________

실전 마무리 하기

맞힌 문제 수

개 /10개

입체도형의 이름

1 밑면의 모양이 오른쪽과 같은 각기둥과 각뿔의 이름을 각각 써 보세요.

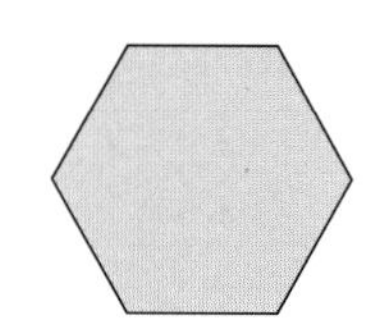

풀이

답 각기둥: ____________, 각뿔: ____________

각기둥의 면, 모서리, 꼭짓점의 수 038쪽

2 전개도를 접었을 때 만들어지는 각기둥의 모서리, 꼭짓점은 각각 몇 개인가요?

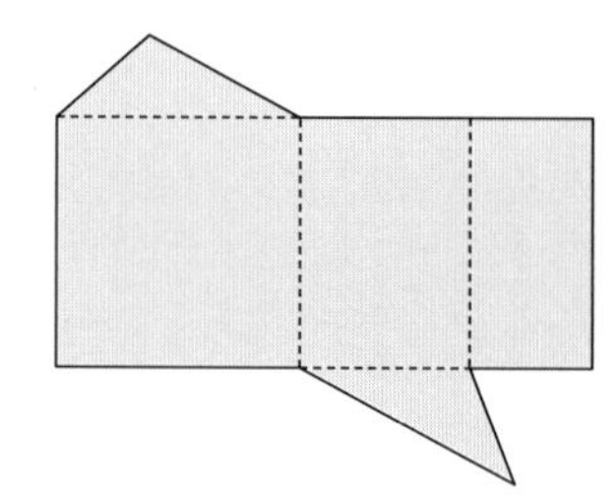

풀이

답 모서리: ____________, 꼭짓점: ____________

각기둥의 전개도가 아닌 이유 쓰기 044쪽

3 오른쪽은 육각기둥의 전개도가 아닙니다. 그 이유를 써 보세요.

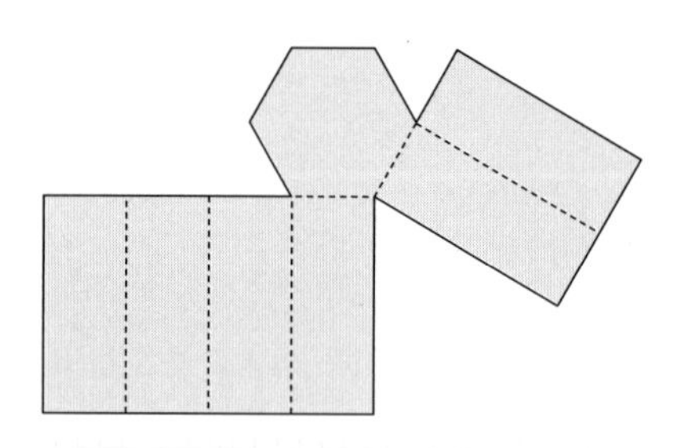

이유

각기둥 전개도의 일부분을 보고 구성 요소의 수 구하기 044쪽

4 어떤 각기둥의 옆면만 그린 전개도의 일부분입니다. 이 각기둥의 모서리는 몇 개인가요?

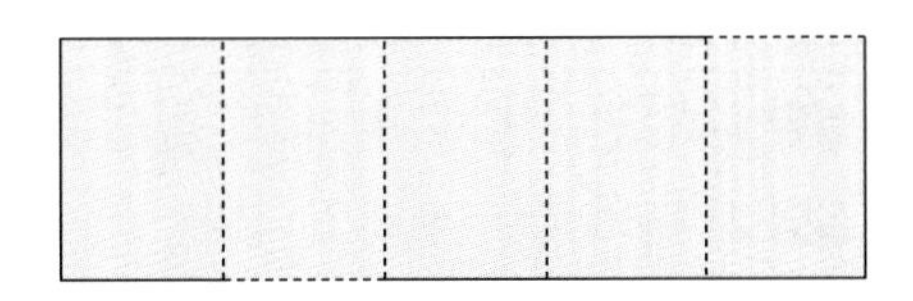

풀이

답 ____________

각뿔의 면, 모서리, 꼭짓점의 수 039쪽

5 다음에서 설명하는 입체도형의 면, 모서리, 꼭짓점은 각각 몇 개인가요?

- 밑면은 팔각형입니다.
- 옆면은 모두 삼각형입니다.

풀이

답 면: ____________, 모서리: ____________, 꼭짓점: ____________

입체도형의 이름 040쪽

6 다음에서 설명하는 입체도형의 꼭짓점은 몇 개인가요?

〔설명 1〕 밑면은 다각형이고, 옆면은 모두 직사각형입니다.
〔설명 2〕 면의 수는 8개입니다.

풀이

답

각기둥의 전개도에서 길이 구하기 041쪽

7 오른쪽 전개도를 접어 만든 각기둥의 높이는 11 cm입니다. 밑면의 모양이 정사각형일 때 직사각형 ㄱㄴㄷㄹ의 둘레는 몇 cm인가요?

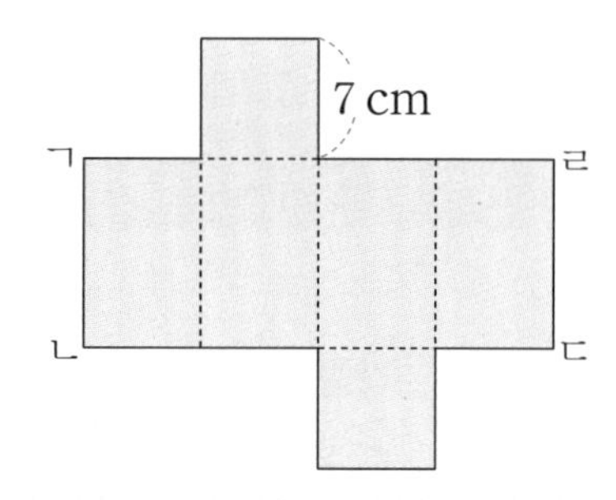

풀이

답

구성 요소의 수를 이용하여 입체도형의 이름 구하기 045쪽

8 사각기둥과 모서리의 수가 같은 각뿔의 이름을 써 보세요.

풀이

답

각뿔의 모서리 길이 구하기 042쪽

9 옆면이 다음과 같은 삼각형 3개로 이루어진 각뿔이 있습니다. 이 각뿔의 모든 모서리 길이의 합은 몇 cm인가요?

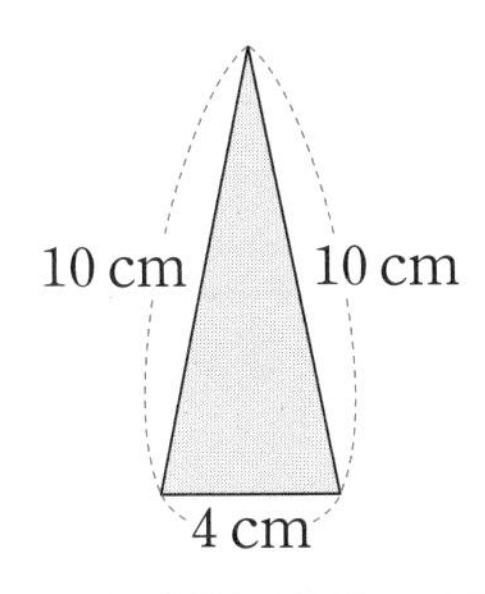

풀이

답 ______________

각기둥의 모서리 길이 구하기 043쪽

10 오른쪽 전개도를 접었을 때 만들어지는 각기둥의 모든 모서리 길이의 합은 몇 cm인가요? (단, 옆면은 모두 합동입니다.)

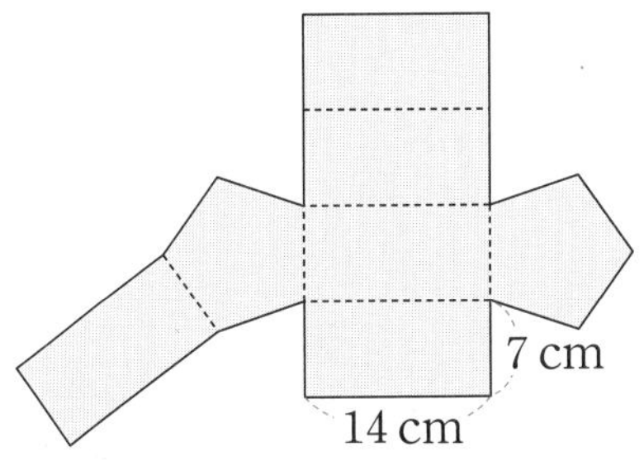

답 ______________

3 소수의 나눗셈

FUN 한 이야기

매쓰 FUN 생활 속 수학 이야기

태형이와 친구들이 도자기 체험을 하려고 해요./

각자 모양을 만들기 위해 찰흙 2 kg을/ 4명이 똑같이 나누어 가졌어요./

한 사람이 가진 찰흙은 몇 kg인지 소수로 나타내어 볼까요?

한 사람이 가진 찰흙의 무게는
전체 찰흙의 무게인 2 kg을 4로 나누어 구하자.

식 ______________________

답 ____________ kg

문제 해결력 기르기

1 똑같이 나누기

선행 문제 해결 전략

문제에 '똑같이 나누었다'는 말이 있으면
똑같이 나눈 수로 나누자.

예 넓이가 **10** m^2인 직사각형 모양의 밭을 **4**칸으로 똑같이 나누었을 때 밭 한 칸의 넓이 구하기

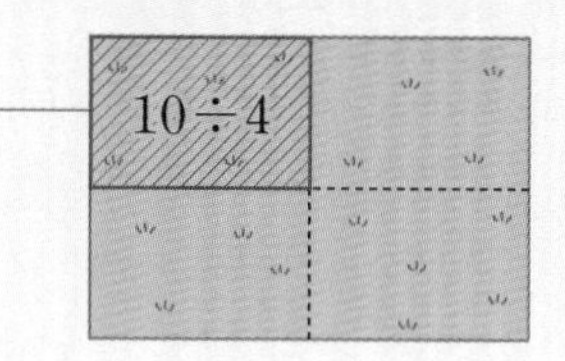

(밭 한 칸의 넓이)
=(전체 밭의 넓이)÷(칸수)
=10÷4=2.5 (m^2)

선행 문제 1

물 13.8 L를 물통 6개에 똑같이 나누어 담았습니다. 물통 한 개에 담은 물은 몇 L인가요?

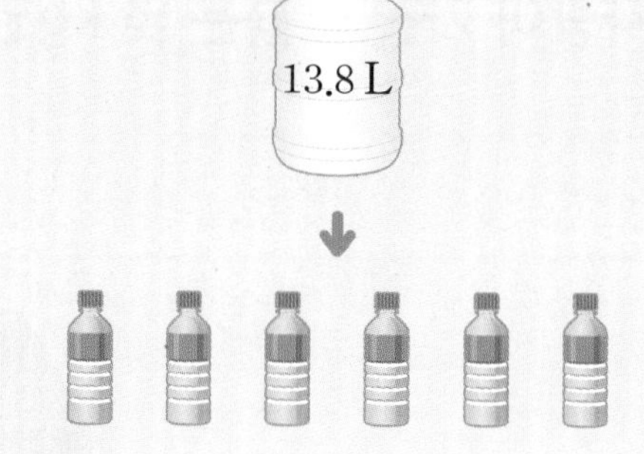

풀이 (물통 한 개에 담은 물의 양)
=(전체 물의 양)÷(물통의 수)
=☐÷☐=☐ (L)

실행 문제 1

주스 7.4 L를 병 4개에 똑같이 나누어 담고/
그중 병 한 개에 담은 주스를
5일 동안 똑같이 나누어 마셨습니다./
하루에 마신 주스는 몇 L인가요?

전략 (전체 주스의 양)÷(병의 수)

❶ (병 한 개에 담은 주스의 양)
=7.4÷☐=☐ (L)

전략 (병 한 개에 담은 주스의 양)÷(마신 날수)

❷ (하루에 마신 주스의 양)
=☐÷5=☐ (L)

답 ________

쌍둥이 문제 1-1

쌀 21.63 kg을 통 3개에 똑같이 나누어 담고/
그중 통 한 개에 담은 쌀을
7일 동안 똑같이 나누어 먹었습니다./
하루에 먹은 쌀은 몇 kg인가요?

실행 문제 따라 풀기

❶

❷

답 ________

2 벽을 칠하는 데 사용한 페인트의 양 구하기

선행 문제 해결 전략

예 페인트 5 L를 일정하게 사용하여 벽 $4\ m^2$를 칠했을 때, 벽 $1\ m^2$를 칠하는 데 사용한 페인트의 양 구하기

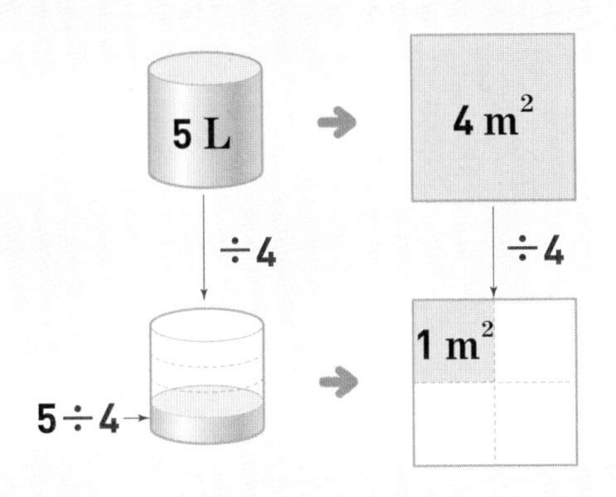

(벽 $1\ m^2$를 칠하는 데 사용한 페인트의 양)

=(사용한 페인트의 양) ÷(칠한 벽의 넓이)

$4\ m^2$로 나눠요.

$=5 \div 4=1.25$ (L)

선행 문제 2

페인트 18.9 L를 일정하게 사용하여 벽 $7\ m^2$를 칠했습니다. 벽 $1\ m^2$를 칠하는 데 사용한 페인트는 몇 L인가요?

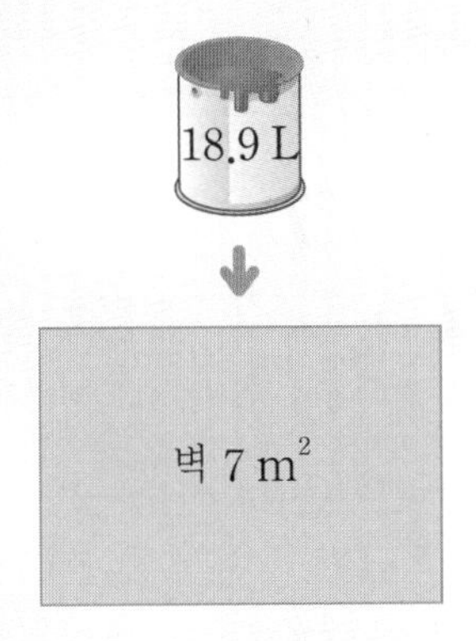

풀이 (벽 $1\ m^2$를 칠하는 데 사용한 페인트의 양)

=(사용한 페인트의 양)÷(칠한 벽의 넓이)

$= \square \div \square = \square$ (L)

실행 문제 2

페인트 34.5 L를 일정하게 사용하여/
다음과 같은 직사각형 모양의 벽을 칠했습니다./
벽 $1\ m^2$를 칠하는 데 사용한 페인트는 몇 L인가요?

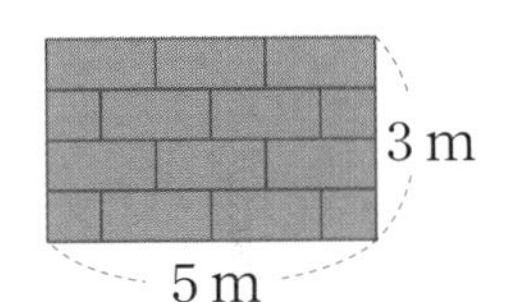

전략 (직사각형의 넓이)=(가로)×(세로)

❶ (칠한 벽의 넓이)

$= \square \times \square = \square$ (m^2)

전략 (사용한 페인트의 양)÷(칠한 벽의 넓이)

❷ (벽 $1\ m^2$를 칠하는 데 사용한 페인트의 양)

$=34.5 \div \square = \square$ (L)

답 

쌍둥이 문제 2-1

페인트 17.64 L를 일정하게 사용하여/
다음과 같은 정사각형 모양의 벽을 칠했습니다./
벽 $1\ m^2$를 칠하는 데 사용한 페인트는 몇 L인가요?

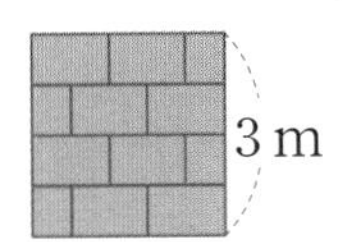

실행 문제 따라 풀기

❶

❷

답 ____________

③ □ 안에 들어갈 수 있는 수 구하기

선행 문제 해결 전략

• 소수의 크기 비교에서 □ 구하기

□의 바로 다음 자리 숫자를 비교하여 부등호(>, <)의 방향에 따라 □ 안에 들어갈 수 있는 수를 구하자.

예

4<7

5.□4 > 5.67 → 부등호 방향이 다름

□는 6보다 커야 한다.

→ □ 안에 들어갈 수 있는 수: **7, 8, 9**

예

3>2

7.□3 > 7.82 → 부등호 방향이 같음

□는 8과 같거나 커야 한다.

→ □ 안에 들어갈 수 있는 수: **8, 9**

선행 문제 3

0부터 9까지의 수 중에서 □ 안에 들어갈 수 있는 수를 모두 구해 보세요.

(1) 1.□2 > 1.58

풀이 2 ◯ 8

1.□2 > 1.58

→ □= ______

(2) 3.□5 < 3.27

풀이 5 ◯ 7

3.□5 < 3.27

→ □= ______

실행 문제 3

0부터 9까지의 수 중에서/
□ 안에 들어갈 수 있는 수를 모두 구해 보세요.

3.□5 < 27.28 ÷ 8

전략 먼저 27.28÷8의 계산 결과를 구하자.

❶ 27.28÷8= □

전략 3.□5와 ❶의 계산 결과를 같은 자리 수끼리 비교하자.

❷ 3.□5 < □

→ □ 안에 들어갈 수 있는 수는 □보다 작은 수이므로 모두 구하면 ______ 이다.

답 ______

쌍둥이 문제 3-1

0부터 9까지의 수 중에서/
□ 안에 들어갈 수 있는 수를 모두 구해 보세요.

1.□8 > 10.5 ÷ 6

실행 문제 따라 풀기

❶

❷

답 ______

4 사이의 간격 구하기

선행 문제 해결 전략

나무를 한 줄로 심을 때
(나무 사이의 간격 수) = (나무의 수) − 1

예 길이가 12 m인 도로에 나무 4그루를 같은 간격으로 심을 때 나무 사이의 간격 구하기

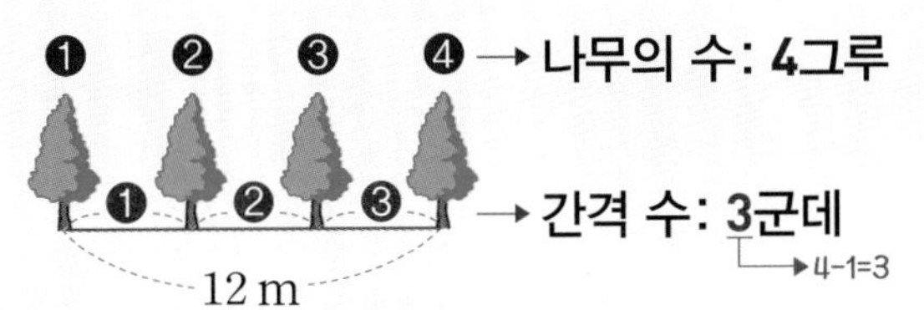

(나무 사이의 간격)
= (도로의 길이) ÷ (나무 사이의 간격 수)
= 12 ÷ 3 = 4 (m)

선행 문제 4

도로에 나무 22그루를 같은 간격으로 그림과 같이 한 줄로 심으려고 합니다. 나무 사이의 간격 수는 몇 군데인가요?

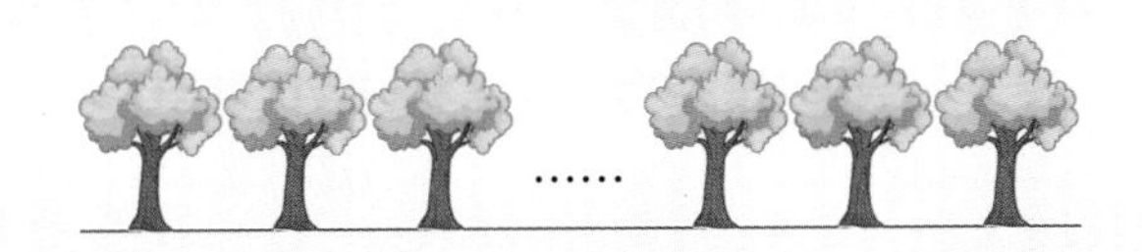

풀이 (나무 사이의 간격 수)
= (나무의 수) − 1
= □ − 1
= □ (군데)

실행 문제 4

가로가 4.68 m인 텃밭에/
고추 모종 10개를 같은 간격으로 그림과 같이 심었습니다./
모종 사이의 간격은 몇 m인가요?/
(단, 모종의 두께는 생각하지 않습니다.)

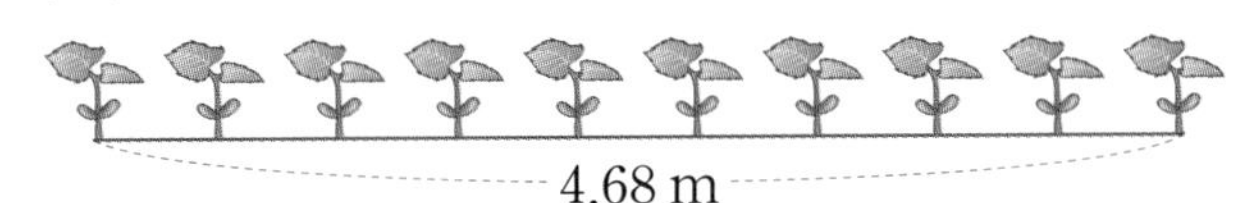

전략 (간격 수) = (모종의 수) − 1

❶ (모종 사이의 간격 수)
= 10 − □ = □ (군데)

전략 (텃밭의 가로 길이) ÷ (모종 사이의 간격 수)

❷ (모종 사이의 간격)
= 4.68 ÷ □ = □ (m)

답 ____________

쌍둥이 문제 4-1

가로가 72.5 cm인 화단의 한 가로 변을 따라/
처음부터 끝까지 같은 간격으로 꽃 6송이를 심으려고 합니다./
꽃 사이의 간격을 몇 cm로 해야 하나요?/
(단, 꽃의 두께는 생각하지 않습니다.)

실행 문제 따라 풀기

❶

❷

답 ____________

5 무게의 평균 구하기

선행 문제 해결 전략

• 한 개 무게의 평균 구하기

(평균)=(자료 값의 합)÷(자료의 수)

(무게의 평균)
=(전체의 무게)÷(전체의 개수)

예 토마토 한 개 무게의 평균 구하기

토마토 **6**개의 무게: **4.8** kg

➔ (토마토 한 개 무게의 평균)
=(토마토 6개의 무게)÷**6**
=**4.8÷6**=0.8 (kg)

선행 문제 5

바나나가 한 송이에 8개 달려 있습니다. 바나나 한 송이의 무게가 1.2 kg일 때 바나나 한 개 무게의 평균은 몇 kg인가요?

풀이 (바나나 한 개 무게의 평균)
=(바나나 한 송이의 무게)
÷(달려 있는 바나나의 수)
=1.2÷☐
=☐ (kg)

실행 문제 5

수박 4개를 담은 상자의 무게는 22.9 kg입니다./
빈 상자의 무게가 0.3 kg일 때/
수박 한 개 무게의 평균은 몇 kg인가요?

전략 22.9 kg은 (수박 4개+빈 상자)의 무게이므로 22.9 kg에서 빈 상자의 무게를 빼자.

❶ (수박 4개의 무게)
=22.9−☐=☐ (kg)

전략 (수박 4개의 무게)÷4

❷ (수박 한 개 무게의 평균)
=☐÷4=☐ (kg)

답 ________

쌍둥이 문제 5-1

농구공 7개를 담은 상자의 무게는 3.92 kg입니다./
빈 상자의 무게가 0.7 kg일 때/
농구공 한 개 무게의 평균은 몇 kg인가요?

실행 문제 따라 풀기

❶

❷

답 ________

수 카드로 나눗셈식 만들기

선행 문제 해결 전략

예 3장의 수 카드 중 2장을 골라 한 번씩만 사용하여 나눗셈식 만들기

 → □÷□

(1) **몫이 가장 큰 나눗셈식:**

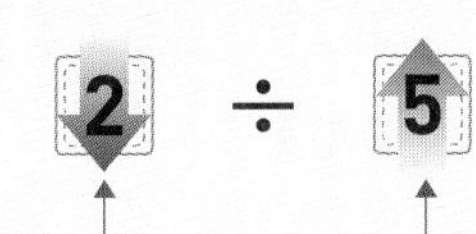

가장 큰 수 가장 작은 수

(2) **몫이 가장 작은 나눗셈식:**

2 ÷ 5

가장 작은 수 가장 큰 수

선행 문제 6

3장의 수 카드 중 2장을 골라 한 번씩만 사용하여 나눗셈식을 만들어 보세요.

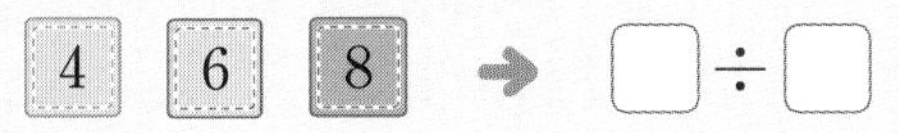

(1) 몫이 가장 큰 나눗셈식을 만들어 보세요.

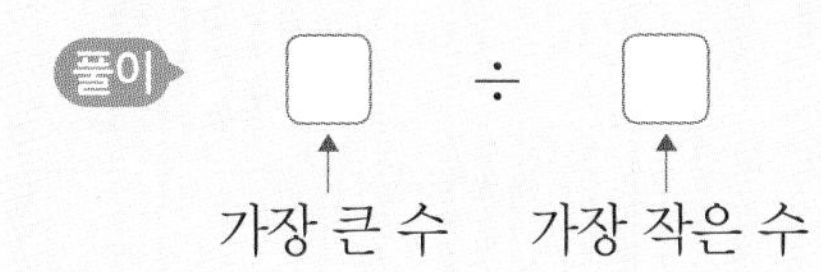

(2) 몫이 가장 작은 나눗셈식을 만들어 보세요.

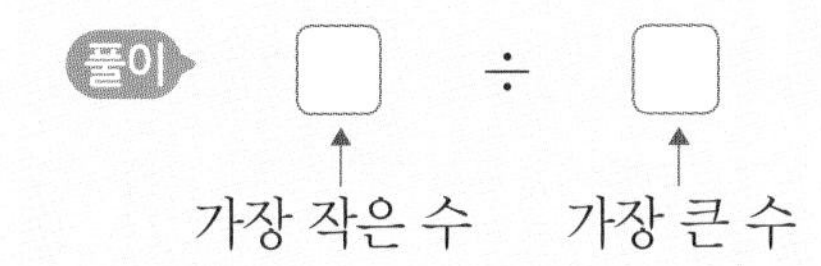

실행 문제 6

4장의 수 카드 중 2장을 골라 한 번씩만 사용하여/ 몫이 가장 큰 나눗셈식을 만들고/ 계산하여 몫을 소수로 나타내어 보세요.

전략 수 카드의 수를 큰 순서대로 나열하자.

❶ 수 카드의 수의 크기 비교하기:

전략 (가장 큰 수)÷(가장 작은 수)

❷ 몫이 가장 큰 나눗셈식:

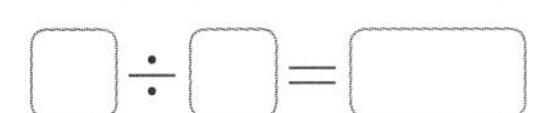

식 □÷□

답

쌍둥이 문제 6-1

4장의 수 카드 중 2장을 골라 한 번씩만 사용하여/ 몫이 가장 작은 나눗셈식을 만들고/ 계산하여 몫을 소수로 나타내어 보세요.

실행 문제 따라 풀기

❶

❷

식 □÷□

답

수학 사고력 키우기

똑같이 나누기

연계학습 058쪽

대표 문제 1 색 테이프 13.5 m를 5도막으로 똑같이 잘랐습니다./
그중 한 도막을 세 사람이 똑같이 나누어 가졌습니다./
한 사람이 가진 색 테이프의 길이를 구해 보세요.

구하려는 것은? 한 사람이 가진 색 테이프의 길이

주어진 것은?
- 전체 색 테이프의 길이: ☐ m
- 자른 색 테이프의 도막 수: 5도막
- 색 테이프 한 도막을 나누어 가진 사람 수: ☐ 명

해결해 볼까?

❶ 자른 색 테이프 한 도막은 몇 m?

전략 전체 색 테이프의 길이를 도막 수로 나누자.

답 ____________

❷ 한 사람이 가진 색 테이프는 몇 m?

전략 ❶에서 구한 길이를 나누어 가진 사람 수로 나누자.

답 ____________

쌍둥이 문제 1-1

리본 4.48 m를 2도막으로 똑같이 잘랐습니다./
그중 한 도막으로 똑같은 선물 상자 4개를 포장하였습니다./
선물 상자 한 개를 포장하는 데 사용한 리본은 몇 m인가요?

대표 문제 따라 풀기

❶

❷

답 ____________

3 소수의 나눗셈

벽을 칠하는 데 사용한 페인트의 양 구하기

연계학습 059쪽

대표 문제 2

페인트 27.3 L를 일정하게 사용하여/
넓이가 13 m^2인 벽을 칠했습니다./
벽 5 m^2를 칠하는 데 사용한 페인트의 양을 구해 보세요.

구하려는 것은? 벽 ☐ m^2를 칠하는 데 사용한 페인트의 양

주어진 것은? 벽 13 m^2를 칠하는 데 사용한 페인트의 양: ☐ L

해결해 볼까?

❶ 벽 1 m^2를 칠하는 데 사용한 페인트는 몇 L?

전략 > 사용한 페인트의 양을 칠한 벽의 넓이로 나누자.

답 ____________

❷ 벽 5 m^2를 칠하는 데 사용한 페인트는 몇 L?

전략 > ❶에서 구한 페인트 양에 5를 곱하자.

답 ____________

쌍둥이 문제 2-1

페인트 51.75 L를 일정하게 사용하여/
넓이가 25 m^2인 벽을 칠했습니다./
벽 30 m^2를 칠하는 데 필요한 페인트는 몇 L인가요?

대표 문제 따라 풀기

❶

❷

답 ____________

□ 안에 들어갈 수 있는 수 구하기

연계학습 060쪽

대표 문제 3

1부터 9까지의 수 중에서/
□ 안에 들어갈 수 있는 수를 모두 구해 보세요.

$$73.8 \div 9 < 8.\square < 42.8 \div 5$$

구하려는 것은? □ 안에 들어갈 수 있는 수

어떻게 풀까?

1 73.8÷9와 42.8÷5의 계산 결과를 구한 다음,

2 문제에 주어진 식에서 □ 안에 들어갈 수 있는 수를 찾자.

해결해 볼까?

❶ 73.8÷9의 계산 결과는 얼마?

답 ____________________

❷ 42.8÷5의 계산 결과는 얼마?

답 ____________________

❸ 1부터 9까지의 수 중에서 □ 안에 들어갈 수 있는 수를 모두 쓰면?

전략 (❶의 계산 결과) < 8.□ < (❷의 계산 결과)에서 □ 안에 들어갈 수 있는 수를 구하자.

답 ____________________

쌍둥이 문제 3-1

1부터 9까지의 수 중에서/
□ 안에 들어갈 수 있는 수를 모두 구해 보세요.

$$17.8 \div 4 < 4.\square < 29.4 \div 6$$

대표 문제 따라 풀기

❶

❷

❸

답 ____________________

사이의 간격 구하기

연계학습 061쪽

대표 문제 4

둘레가 42.4 m인 원 모양의 연못에/
둘레를 따라 나무 8그루를 같은 간격으로 그림과 같이 심었습니다./
나무 사이의 간격은 몇 m인지 구해 보세요./
(단, 나무의 두께는 생각하지 않습니다.)

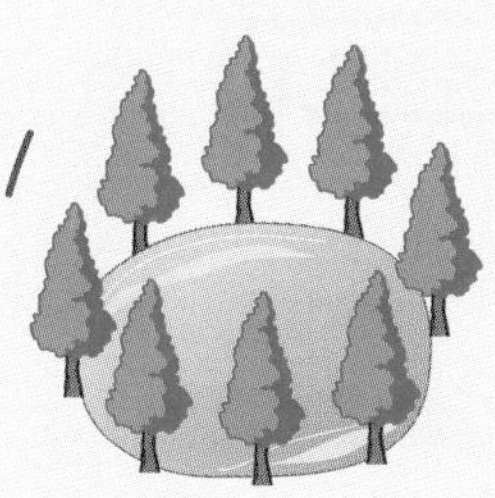

구하려는 것은?

나무 사이의 간격

어떻게 풀까?

나무를 원 모양의 둘레에 심을 때
(나무 사이의 간격 수)=(나무의 수)이다.

주의 나무를 한 줄로 심는 경우와 헷갈리지 않도록 하자.
나무를 한 줄로 심을 때 ➔ (나무 사이의 간격 수)=(나무의 수)−1

해결해 볼까?

❶ 나무 사이의 간격 수는 몇 군데?

전략 (나무 사이의 간격 수)=(나무의 수)

답 ______

❷ 나무 사이의 간격은 몇 m?

전략 연못의 둘레를 나무 사이의 간격 수로 나누자.

답 ______

쌍둥이 문제 4-1

둘레가 3.84 km인 원 모양의 호수 공원에/
둘레를 따라 가로등 16개를 같은 간격으로 세웠습니다./
가로등 사이의 간격은 몇 km인가요?/
(단, 가로등의 두께는 생각하지 않습니다.)

대표 문제 따라 풀기

❶

❷

답 ______

STEP 2 {수학 사고력 키우기}

무게의 평균 구하기

연계학습 062쪽

대표 문제 5

무게가 0.5 kg인 빈 바구니 한 개에 귤을 10개씩 담았습니다./
귤이 담긴 바구니 2개의 무게가 15.4 kg일 때/
귤 한 개 무게의 평균을 구해 보세요.

구하려는 것은?
귤 한 개 무게의 평균

주어진 것은?
- 빈 바구니 한 개의 무게: ☐ kg
- 바구니 한 개에 담은 귤의 수: ☐개
- 귤이 담긴 바구니 2개의 무게: 15.4 kg

해결해 볼까?

❶ 전체 귤의 무게는 몇 kg?

전략 귤이 담긴 바구니 2개의 무게에서
빈 바구니 한 개의 무게를 2번 빼자.

답 ________________

❷ 귤은 모두 몇 개?

답 ________________

❸ 귤 한 개 무게의 평균은 몇 kg?

전략 전체 귤의 무게를 전체 귤의 수로 나누자.

답 ________________

쌍둥이 문제 5-1

무게가 0.4 kg인 빈 상자 한 개에 책을 4권씩 담았습니다./
책이 담긴 상자 3개의 무게가 14.04 kg일 때/
책 한 권 무게의 평균은 몇 kg인가요?

대표 문제 따라 풀기

❶

❷

❸

답 ________________

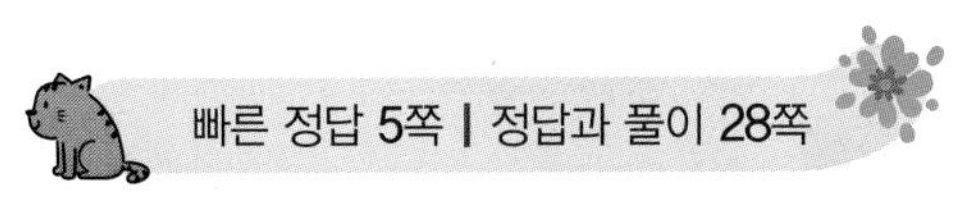

수 카드로 나눗셈식 만들기

연계학습 063쪽

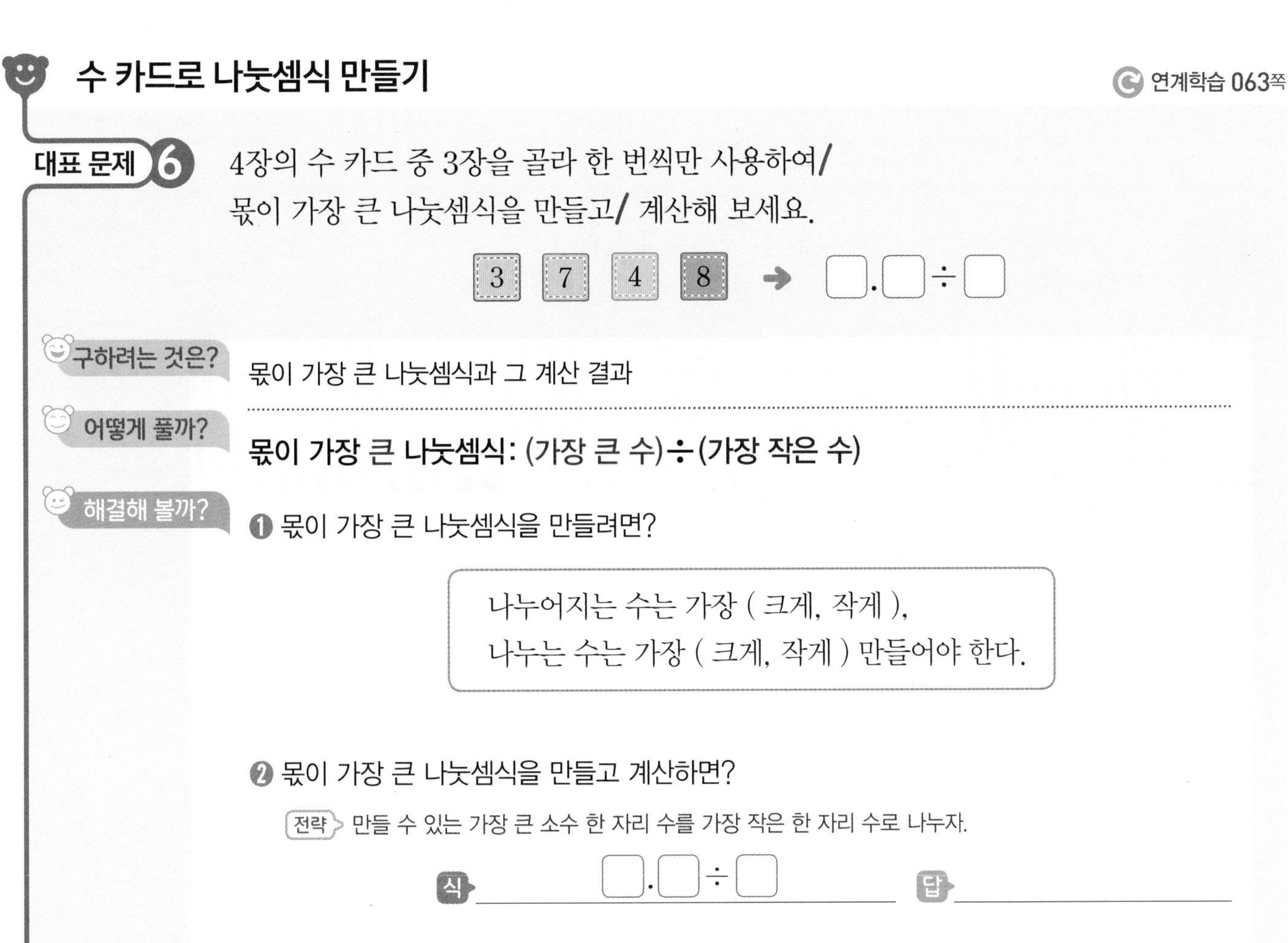

대표 문제 6

4장의 수 카드 중 3장을 골라 한 번씩만 사용하여/
몫이 가장 큰 나눗셈식을 만들고/ 계산해 보세요.

3 7 4 8 → □.□÷□

구하려는 것은? 몫이 가장 큰 나눗셈식과 그 계산 결과

어떻게 풀까? **몫이 가장 큰 나눗셈식: (가장 큰 수)÷(가장 작은 수)**

해결해 볼까?

❶ 몫이 가장 큰 나눗셈식을 만들려면?

나누어지는 수는 가장 (크게, 작게),
나누는 수는 가장 (크게, 작게) 만들어야 한다.

❷ 몫이 가장 큰 나눗셈식을 만들고 계산하면?

전략 만들 수 있는 가장 큰 소수 한 자리 수를 가장 작은 한 자리 수로 나누자.

식 □.□÷□ 답 ____________

쌍둥이 문제 6-1

5장의 수 카드 중 4장을 골라 한 번씩만 사용하여/
몫이 가장 작은 나눗셈식을 만들고/ 계산해 보세요.

8 2 7 5 6 → □.□□÷□

대표 문제 따라 풀기

❶

❷

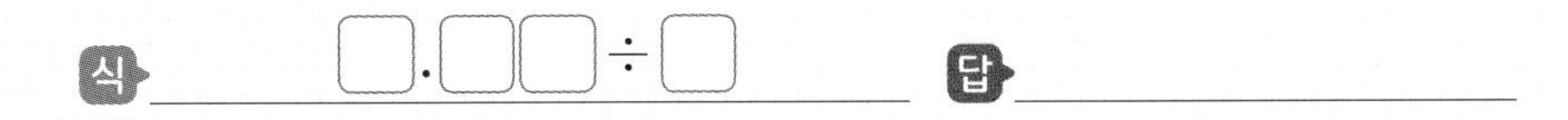

식 □.□□÷□ 답 ____________

수학 독해력 완성하기

□원으로 살 수 있는 양 구하기

독해 문제 1

4천 원으로 리본 6.6 m를 살 수 있습니다./
만 원으로 살 수 있는 리본의 길이를 구해 보세요.

해결해 볼까?

❶ 천 원으로 살 수 있는 리본은 몇 m?

답 ______________

❷ 만 원으로 살 수 있는 리본은 몇 m?

전략 만 원은 천 원의 10배이다.

답 ______________

같은 시간 동안 나오는 물의 양 비교하기

독해 문제 2

수도 ㉮에서는 6분 동안 15 L의 물이 나오고,/
수도 ㉯에서는 11분 동안 29.04 L의 물이 나옵니다./
두 수도를 동시에 틀어 똑같은 수조를 각각 채울 때,/
먼저 수조를 가득 채우는 수도는 어느 것인지 구해 보세요./
(단, 수도에서 나오는 물의 양은 일정합니다.)

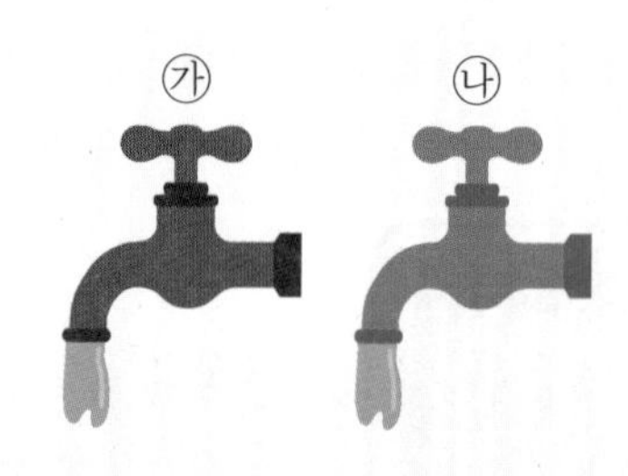

해결해 볼까?

❶ 먼저 수조를 가득 채우려면?

수도에서 1분 동안 나오는 물의 양이
더 (많아야 , 적어야) 한다.

❷ 수도 ㉮와 ㉯에서 1분 동안 나오는 물의 양은 각각 몇 L인지 소수로 나타내면?

전략 수도에서 나오는 물의 양을 나오는 시간으로 나누자.

답 ㉮: ______________, ㉯: ______________

❸ 수도 ㉮와 ㉯ 중 먼저 수조를 가득 채우는 것은?

답 

바르게 계산한 값 구하기

어떤 수를 13으로 나누어야 할 것을/
잘못하여 12로 나누었더니 5.2가 되었습니다./
바르게 계산한 값을 구해 보세요.

❶ 어떤 수를 □라 하여 잘못 계산한 식을 써 보면?

❷ 어떤 수는 얼마?

전략 ❶에서 쓴 식을 곱셈식으로 바꾸어 □를 구하자.

❸ 바르게 계산한 값은?

빨라지는 시계의 시각 구하기

일주일에 16.8분씩 일정하게 빨라지는 시계가 있습니다./
이 시계를 오늘 오후 3시에 정확히 맞추고 나서 하루가 지났을 때/
이 시계가 가리키는 시각을 구해 보세요.

❶ 이 시계가 하루에 빨라지는 시간은 몇 분?

❷ ❶에서 구한 시간은 몇 분 몇 초?

전략 0.1분$=\frac{1}{10}$분$=\frac{6}{60}$분$=6$초임을 이용하자.

❸ 하루가 지났을 때 이 시계가 가리키는 시각은 오후 몇 시 몇 분 몇 초?

수 카드로 나눗셈식 만들기

연계학습 069쪽

독해 문제 5

5장의 수 카드 중 4장을 골라 한 번씩만 사용하여/ 몫이 가장 작은 나눗셈식을 만들고/ 계산해 보세요.

7 9 6 3 0 → □□.□÷□

구하려는 것은? 몫이 가장 작은 나눗셈식과 그 계산 결과

주어진 것은?
- 수 카드: 7, 9, 6, 3, 0
- 5장의 수 카드 중 4장을 골라 한 번씩만 사용하기

어떻게 풀까?
1 자연수 부분이 두 자리 수인 가장 작은 소수 한 자리 수를 만들고,
2 만든 수를 가장 큰 한 자리 수로 나누어 몫을 구하자.

주의 자연수 부분이 두 자리 수인 가장 작은 소수 한 자리 수를 만들 때 **0은 십의 자리에 올 수 없다.**

해결해 볼까?

❶ 몫이 가장 작은 나눗셈식을 만들려면?

나누어지는 수는 가장 (크게 , 작게),
나누는 수는 가장 (크게 , 작게) 만들어야 한다.

❷ ❶의 답에 알맞게 나누어지는 수와 나누는 수를 만들면?

답 나누어지는 수: □□.□, 나누는 수: □

❸ 몫이 가장 작은 나눗셈식을 만들고 계산하면?

식 □□.□÷□ 답

사이의 간격 구하기

연계학습 061쪽

길이가 472.4 m인 산책로에/
의자 25개를 같은 간격으로 그림과 같이 설치하였습니다./
의자 한 개의 가로 길이가 2 m일 때/ 의자 사이의 간격은 몇 m인지 구해 보세요.

2 m 2 m ...... 2 m 2 m
472.4 m

구하려는 것은? 의자 사이의 간격

주어진 것은?
- 산책로의 길이: ☐ m
- 설치한 의자의 수: ☐ 개
- 의자 한 개의 가로 길이: 2 m

어떻게 풀까?
1 의자 25개의 가로 길이의 합을 구하고,
2 산책로의 길이에서 1에서 구한 값을 빼어 의자 사이 간격의 합을 구한 후,
3 그 값을 의자 사이의 간격 수로 나누자.

해결해 볼까?

❶ 의자 25개의 가로 길이를 모두 더하면 몇 m?

답 ________________

❷ 의자 사이의 간격을 모두 더한 값은 몇 m?

전략 산책로의 길이에서 ❶에서 구한 길이를 빼자.

답 ________________

❸ 의자 사이의 간격 수는 몇 군데?

전략 의자 사이의 간격 수는 의자의 수보다 1 작다.

답 ________________

❹ 의자 사이의 간격은 몇 m?

답 ________________

STEP 4

창의·융합·코딩 체험하기

창의 1

학교, 도서관, 마트, 병원이 순서대로 일직선상에 있습니다./
마트는 학교와 병원 사이의 중간에 위치하고 있고,/
도서관은 학교와 마트 사이의 중간에 위치하고 있습니다./
학교와 병원 사이의 거리가 2.4 km일 때/
학교와 도서관 사이의 거리는 몇 km인가요?/
(단, 건물의 폭은 생각하지 않습니다.)

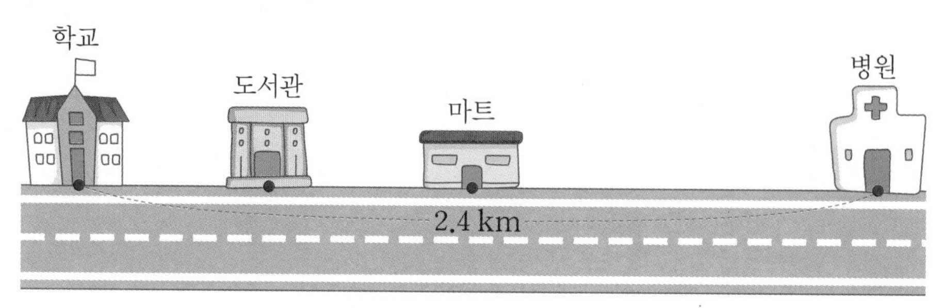

답 ____________

창의 2

큰 직사각형을 똑같이 나눈 후 숫자 규칙에 따라 줄별로 색칠한 것입니다./
숫자 규칙에 따라 마지막 줄을 색칠하여 그림을 완성하면/
색칠된 부분의 넓이는 $70.6\,cm^2$가 됩니다./
작은 직사각형 한 개의 넓이는 몇 cm^2인가요?

1000100 →
0101010 →
0010001 →
0101010 →

답 ____________

[코딩 3 ~ 4] 작물 수확 로봇에 다음의 명령을 실행하였습니다. 로봇이 수확한 작물 한 개의 무게는 몇 kg인지 구해 보세요. (단, 작물의 무게는 모두 같습니다.)

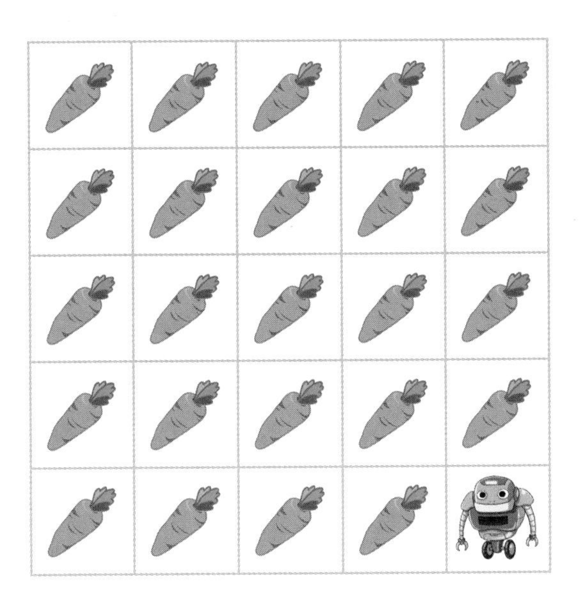

2 번 반복하기

왼쪽으로 한 칸 이동하고 수확하기

위쪽으로 한 칸 이동하고 수확하기

내가 수확한 작물의 무게는 모두 0.72 kg이야.

답 ______________________

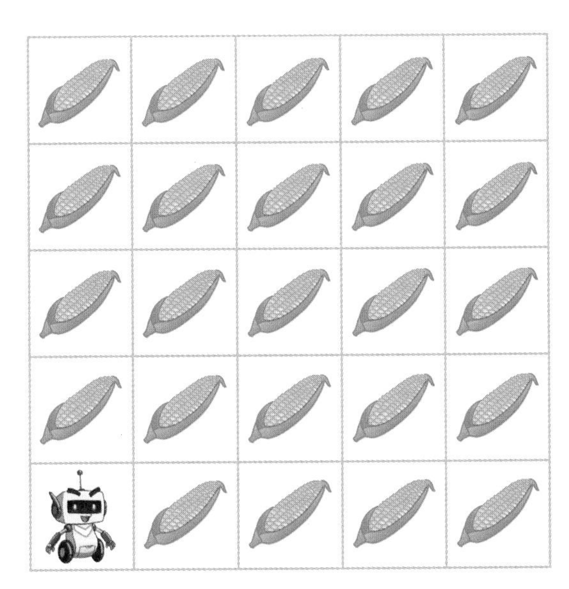

4 번 반복하기

위쪽으로 한 칸 이동하고 수확하기

오른쪽으로 한 칸 이동하고 수확하기

내가 수확한 작물의 무게는 모두 1.6 kg이야.

____

창의·융합·코딩 체험하기

창의 5 탐험가가 정사각형 모양의 투명 비밀 지도 두 장을 얻게 되었는데/
9칸으로 똑같이 나누어져 있고/ 몇 칸은 초록색으로 칠해져 있습니다./
보물을 찾기 위해서는 두 지도를 이용하여 〔규칙〕에 따라 새로운 지도를 그려야 합니다./
물음에 답하세요.

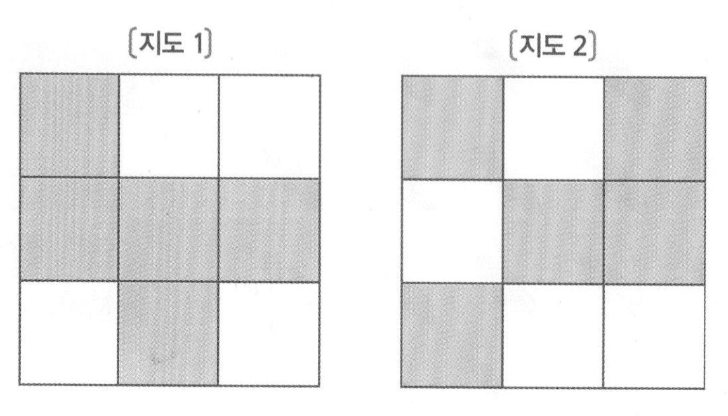

〔규칙〕

〔지도 1〕을 오른쪽으로 밀기 하여 두 장의 지도를 겹쳤을 때

❶ 한 장만 초록색인 칸에는 초록색을 칠합니다.

❷ 두 장이 모두 초록색인 칸에는 색을 칠하지 않습니다.

❸ 두 장이 모두 초록색이 아닌 칸에는 색을 칠하지 않습니다.

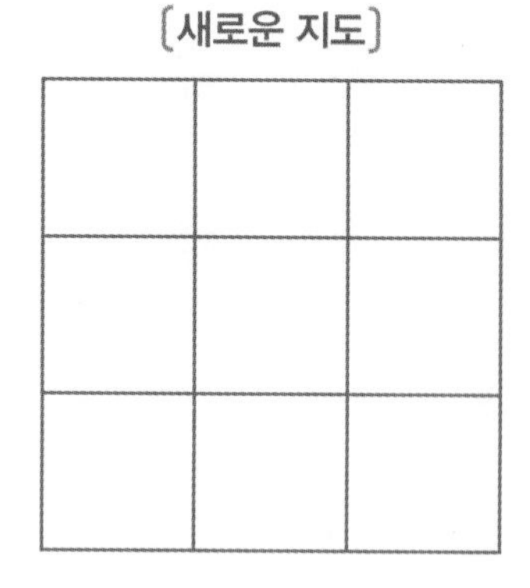

(1) 규칙에 따라 새로운 지도를 완성해 보세요.

〔새로운 지도〕

(2) 지도 한 장의 넓이가 $36.9\,cm^2$일 때/
새로운 지도에서 초록색으로 칠해진 부분의 넓이는 몇 cm^2인가요?

 답 ____________

자동차 회사에서 적은 연료로도 먼 거리를 갈 수 있는 친환경 자동차를 만들었습니다./ 세 자동차 중 같은 양의 연료로/ 가장 먼 거리를 갈 수 있는 것은 어느 자동차인가요?

자동차	A 자동차	B 자동차	C 자동차
연료의 양 (L)	3	4	5
갈 수 있는 거리 (km)	82.2	114	132.5

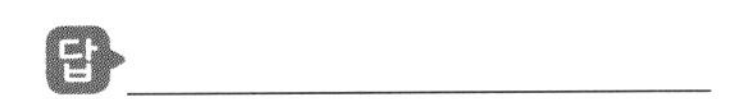

답

지나가는 방향의 연산 명령에 따라 계산하여 그 값을 나타내는 로봇이 있습니다./ 로봇은 지금 25를 나타내고 있고/ 로봇이 지나가는 방향은 그림과 같습니다./ 이 로봇이 마지막에 나타내는 값은 얼마인가요?

로봇이 지나가는 방향	연산 명령
오른쪽으로 1칸 이동	$+0.5$
왼쪽으로 1칸 이동	$\div 3$
위쪽으로 1칸 이동	-1
아래쪽으로 1칸 이동	$\div 5$

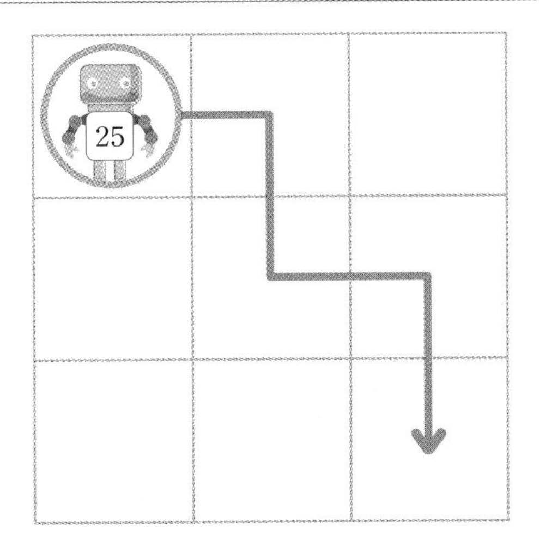

답

실전 마무리 하기

맞힌 문제 수
개 /10개

똑같이 나누기 058쪽

1 그림과 같이 넓이가 14.7 m^2인 직사각형 모양의 화단을 똑같이 6칸으로 나누었습니다. 화단 한 칸의 넓이는 몇 m^2인가요?

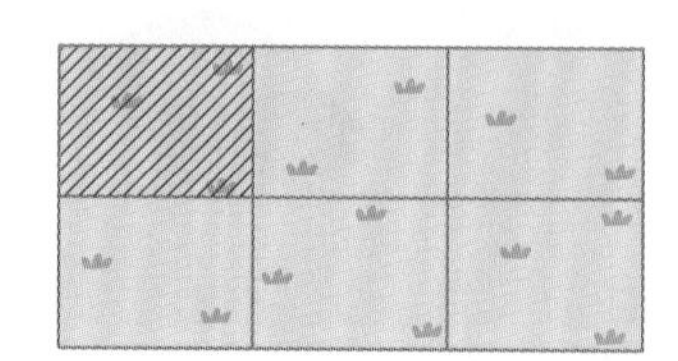

풀이

답

무게의 평균 구하기 062쪽

2 책 5권의 무게가 9.25 kg입니다. 책 한 권 무게의 평균은 몇 kg인가요?

답

똑같이 나누기 058쪽

3 어느 식당에서 식용유 39.6 L를 병 6개에 똑같이 나누어 담고 그중 병 한 개를 3일 동안 똑같이 나누어 사용했습니다. 하루에 사용한 식용유는 몇 L인가요?

답

벽을 칠하는 데 사용한 페인트의 양 구하기 065쪽

4 페인트 49.2 L를 일정하게 사용하여 넓이가 24 m^2인 벽을 칠했습니다. 벽 4 m^2를 칠하는 데 사용한 페인트는 몇 L인가요?

답 ________________

□원으로 살 수 있는 양 구하기 070쪽

5 색 테이프 2.4 m를 5천 원에 팔고 있습니다. 8천 원으로 살 수 있는 색 테이프는 몇 m인가요?

답 ________________

□ 안에 들어갈 수 있는 수 구하기 066쪽

6 1부터 9까지의 수 중에서 □ 안에 들어갈 수 있는 수를 모두 구해 보세요.

$$41.2 \div 8 < 5.\square < 66 \div 12$$

풀이

답 ________________

사이의 간격 구하기 061쪽

7 길이가 82.4 m인 모래사장에 깃발 9개를 같은 간격으로 그림과 같이 꽂았습니다. 깃발 사이의 간격은 몇 m인가요? (단, 깃발의 두께는 생각하지 않습니다.)

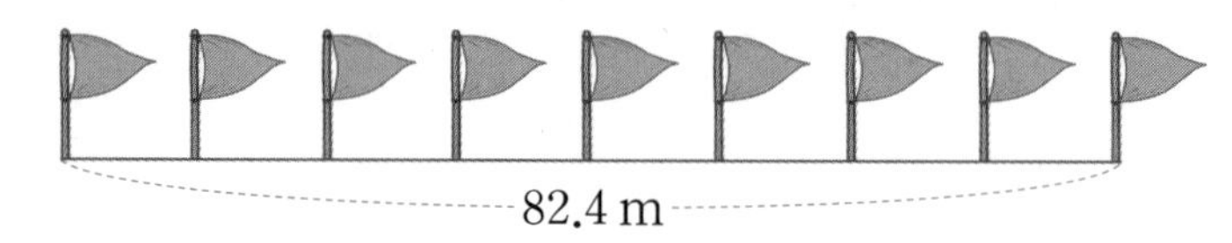

풀이

답

무게의 평균 구하기 068쪽

8 무게가 50 g인 빈 상자 한 개에 구슬을 15개씩 담았습니다. 구슬이 담긴 상자 2개의 무게가 325 g일 때 구슬 한 개 무게의 평균은 몇 g인지 소수로 나타내어 보세요.

풀이

답

수 카드로 나눗셈식 만들기 069쪽

9 4장의 수 카드를 모두 한 번씩만 사용하여 몫이 가장 큰 나눗셈식을 만들고 계산해 보세요.

풀이

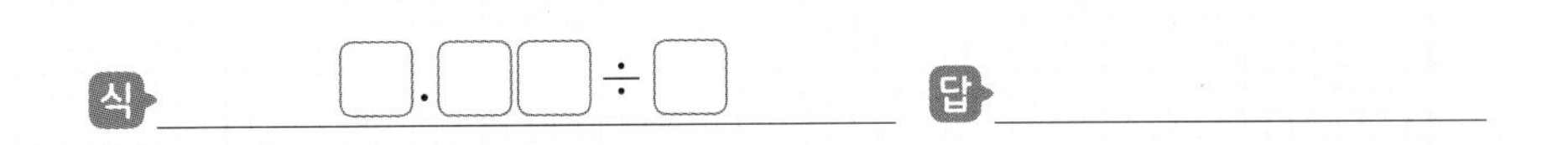

식 답

바르게 계산한 값 구하기 071쪽

10 어떤 수를 9로 나누어야 할 것을 잘못하여 곱했더니 364.5가 되었습니다. 바르게 계산한 값을 구해 보세요.

풀이

답

4 비와 비율

FUN 한 이야기

농구 연습을 하는 데 / 태형이는 공을 20번 던져서 14번 넣었고, /

승재는 공을 30번 던져서 18번 넣었어요. /

태형이와 승재 중 누가 성공률이 더 높은가요?

(태형이의 성공률)

$= \frac{(\text{공을 넣은 횟수})}{(\text{공을 던진 횟수})}$

$= \frac{14}{20} = \frac{\square}{10}$

(승재의 성공률)

$= \frac{(\text{공을 넣은 횟수})}{(\text{공을 던진 횟수})}$

$= \frac{\square}{30} = \frac{\square}{10}$

___

문제 해결력 기르기

① 비율로 나타내기

선행 문제 해결 전략

비율: 기준량에 대한 비교하는 양의 크기

$$(\text{비율})=\frac{(\text{비교하는 양})}{(\text{기준량})}$$

예 비율이 사용되는 예

- 야구의 타율: 전체 타수에 대한 안타 수의 비율

  ➔ $\frac{(\text{안타 수})}{(\text{전체 타수})}$ — 비교하는 양 / 기준량

- 주스의 진하기: 주스 양에 대한 원액 양의 비율

  ➔ $\frac{(\text{원액 양})}{(\text{주스 양})}$ — 비교하는 양 / 기준량

- 지도의 축척: 실제 거리에 대한 지도에서의 거리의 비율

  ➔ $\frac{(\text{지도에서의 거리})}{(\text{실제 거리})}$ — 비교하는 양 / 기준량

선행 문제 1

다음의 비율을 구하려고 합니다. 기준량에 ○표 하고 비교하는 양에 △표 하세요.

(1)

타율
15타수 중에서 안타를 6개 친 타자

(2)

배주스 양에 대한 배 원액 양의 비율
배 원액 30 mL를 넣은 배주스 100 mL

(3)

실제 거리에 대한 지도에서의 거리의 비율
실제 거리는 500 m인데 지도에서의 거리가 2 cm인 지도

실행 문제 1

현수가 야구 연습을 하고 있습니다./ 25타수 중에서/ 안타를 9개 쳤을 때/ 현수의 타율을 소수로 나타내어 보세요.

전략 기준량과 비교하는 양을 각각 찾자.

❶ 기준량: 전체 타수 ☐타수

비교하는 양: 안타 ☐개

전략 $(\text{타율})=\frac{(\text{안타 수})}{(\text{전체 타수})}$

❷ (현수의 타율)

$=\frac{☐}{25}=\frac{☐}{100}=☐$

답 ______________

쌍둥이 문제 1-1

신혜는 물에 석류 원액 120 mL를 넣어/ 석류주스 300 mL를 만들었습니다./ 석류주스 양에 대한 석류 원액 양의 비율을/ 소수로 나타내어 보세요.

실행 문제 따라 풀기

❶

❷

답 ______________

② 인구 밀도 비교하기

선행 문제 해결 전략

예 넓이가 10 km²인 땅에 360명이 살고 있을 때 넓이에 대한 인구의 비율 구하기

(넓이에 대한 인구의 비율)
(넓이: 기준량, 인구: 비교하는 양)

$$=\frac{(\text{인구})}{(\text{넓이})}=\frac{360}{10}=36$$

넓이에 대한 인구의 비율은 같은 넓이에 사는 인구를 나타내므로 비율이 높을수록 인구가 더 밀집하다고 할 수 있어.

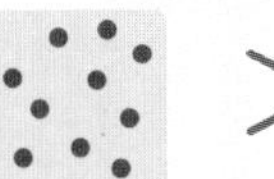
>

인구가 더 밀집하다.

선행 문제 2

넓이와 인구가 다음과 같은 지역이 있습니다. 이 지역의 넓이에 대한 인구의 비율을 구해 보세요.

넓이 : 150 km²　　인구 : 3750명

풀이 기준량: 넓이 ☐ km²

비교하는 양: 인구 ☐명

➔ (넓이에 대한 인구의 비율)

$$=\frac{(\text{인구})}{(\text{넓이})}=\frac{\square}{\square}=\square$$

실행 문제 2

두 지역의 넓이에 대한 인구의 비율을 각각 구하여/ 인구가 더 밀집한 곳은 어느 지역인지 구해 보세요.

지역	가 지역	나 지역
인구(명)	1750	1080
넓이(km^2)	50	27

전략 두 지역의 넓이에 대한 인구의 비율을 각각 구하자.

❶ 가 지역: $\frac{\square}{50}=\square$

나 지역: $\frac{1080}{\square}=\square$

전략 넓이에 대한 인구의 비율이 높을수록 인구가 더 밀집하다.

❷ 인구가 더 밀집한 곳: ☐ 지역

답 ________

쌍둥이 문제 2-1

두 마을의 넓이에 대한 인구의 비율을 각각 구하여/ 인구가 더 밀집한 곳은 어느 마을인지 구해 보세요.

마을	가 마을	나 마을
인구(명)	300	550
넓이(km^2)	12	25

실행 문제 따라 풀기

❶

❷

답 ________

③ 빠르기 비교하기

선행 문제 해결 전략

예 버스가 120 km를 가는 데 2시간이 걸렸을 때 걸린 시간에 대한 간 거리의 비율 구하기

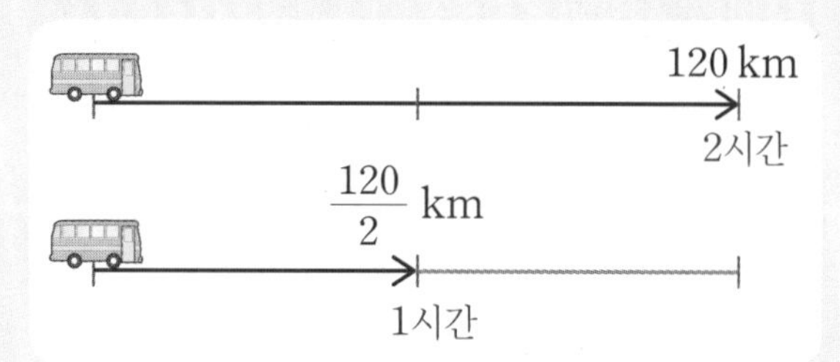

(걸린 시간에 대한 간 거리의 비율)
기준량 비교하는 양

$$=\frac{(\text{간 거리})}{(\text{걸린 시간})}=\frac{120}{2}=60$$

걸린 시간에 대한 간 거리의 비율은 같은 시간 동안 간 거리를 나타내므로 비율이 높을수록 더 빠르다고 할 수 있어.

선행 문제 3

다영이가 걸어서 700 m를 가는 데 10분이 걸렸습니다. 걸린 시간에 대한 간 거리의 비율을 구해 보세요.

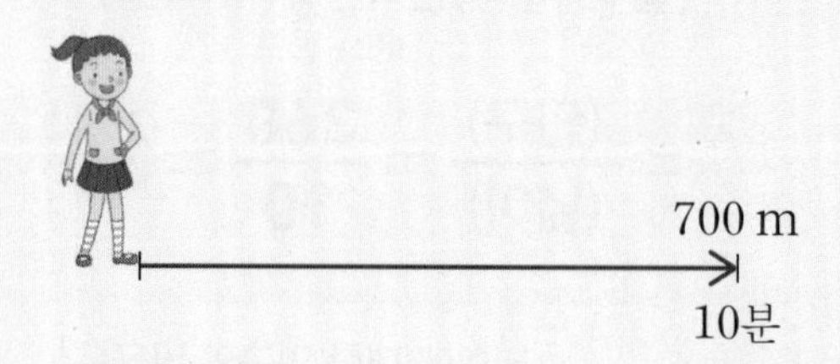

풀이 기준량: 걸린 시간 ☐분

비교하는 양: 간 거리 ☐ m

➔ (걸린 시간에 대한 간 거리의 비율)

$$=\frac{(\text{간 거리})}{(\text{걸린 시간})}=\frac{\square}{\square}=\square$$

실행 문제 3

윤아는 100 m를 달리는 데 20초가 걸렸고,/ 연우는 120 m를 달리는 데 25초가 걸렸습니다./ 걸린 시간에 대한 달린 거리의 비율을 각각 구하여/ 누가 더 빨리 달렸는지 구해 보세요./ (단, 윤아와 연우의 빠르기는 일정합니다.)

전략 걸린 시간에 대한 달린 거리의 비율을 각각 구한다.

❶ 윤아: $\frac{\square}{20}=\square$

연우: $\frac{120}{\square}=\square$

전략 걸린 시간에 대한 달린 거리의 비율이 높을수록 더 빠르다.

❷ 더 빨리 달린 사람: ☐

답 ______________

쌍둥이 문제 3-1

오토바이는 270 km를 가는 데 3시간이 걸렸고,/ 승용차는 160 km를 가는 데 2시간이 걸렸습니다./ 걸린 시간에 대한 간 거리의 비율을 각각 구하여/ 어느 것이 더 빠른지 구해 보세요./ (단, 오토바이와 승용차의 빠르기는 일정합니다.)

실행 문제 따라 풀기

❶

❷

답 ______________

4 비율로 비교하는 양 구하기

선행 문제 해결 전략

$$(\text{비율})=\frac{(\text{비교하는 양})}{(\text{기준량})}$$

➜ (비교하는 양)＝(기준량)×(비율)

예 전체 학생 50명(기준량) 중에서 남학생의 비율이 60 % 일 때 남학생 수(비교하는 양) 구하기

(남학생 수)
＝(전체 학생 수)×(남학생의 비율)
$=50\times\frac{60}{100}=30$(명)

참고 **백분율을 비율로 나타내기**
백분율에서 기호 %를 빼고 100으로 나눕니다.
예 60 % ➜ $60\div100=\frac{60}{100}=0.6$

선행 문제 4

(1) 공연장의 관객 120명 중에서 어린이의 비율이 70 %일 때 어린이는 몇 명인가요?

풀이 (어린이 수)
＝(전체 관객 수)×(어린이의 비율)
$=\square\times\frac{70}{100}=\square$(명)

(2) 전교 학생 회장 선거 투표에 400명이 참여했습니다. 민수의 득표율이 25 %일 때 민수는 몇 표를 얻었나요?

풀이 (민수가 얻은 표의 수)
＝(전체 투표 수)×(민수의 득표율)
$=\square\times\frac{\square}{100}=\square$(표)

실행 문제 4

영화관의 관객 200명 중/
여성 관객의 비율이 55 %라고 합니다./
남성 관객은 몇 명인가요?

전략 100 %－(여성 관객의 비율)

❶ (남성 관객의 비율)
$=100-\square=\square$(%)

전략 (전체 관객 수)×(남성 관객의 비율)

❷ (남성 관객 수)
$=\square\times\frac{\square}{100}=\square$(명)

답 ____________

쌍둥이 문제 4-1

공장에서 만든 인형 500개 중/
10 %가 불량품이라고 합니다./
불량품은 판매할 수 없을 때
판매할 수 있는 인형은 몇 개인가요?

실행 문제 따라 풀기

❶

❷

답 ____________

5 할인율 구하기

선행 문제 해결 전략

할인율(%):
원래 가격에 대한 할인 금액의 비율

예 정가가 5만 원(기준량)인 가방을 만 원(비교하는 양) 할인받았을 때

가방의 할인율 구하기

(할인율)

$$=\frac{(\text{할인 금액})}{(\text{원래 가격})}\times 100$$

$$=\frac{10000}{50000}\times 100=20(\%)$$

(할인 금액)=(원래 가격)−(판매 가격)

선행 문제 5

빵집에서 3000원짜리 식빵을 450원 할인받았습니다. 식빵의 할인율은 몇 %인가요?

풀이 기준량: 원래 가격 ☐원

비교하는 양: 할인 금액 ☐원

(식빵의 할인율)

$$=\frac{(\text{할인 금액})}{(\text{원래 가격})}\times 100$$

$$=\frac{\square}{\square}\times 100=\square(\%)$$

실행 문제 5

가격이 12000원인 장난감을/
할인하여 9000원에 판매하고 있습니다./
장난감의 할인율은 몇 %인가요?

전략 (원래 가격)−(판매 가격)

❶ (할인 금액)

$=12000-\square=\square$(원)

전략 $\frac{(\text{할인 금액})}{(\text{원래 가격})}\times 100$

❷ (장난감의 할인율)

$$=\frac{\square}{\square}\times 100=\square(\%)$$

답 ________

쌍둥이 문제 5-1

미술관의 원래 입장료는 20000원인데/
할인권을 이용하여 입장권을 14000원에 샀습니다./
입장권의 할인율은 몇 %인가요?

실행 문제 따라 풀기

❶

❷

답 ________

6 용액의 진하기 구하기

선행 문제 해결 전략

예 소금 10 g을 녹여 소금물 100 g을 만들었을 때 소금물 양에 대한 소금 양의 비율을 백분율로 구하기

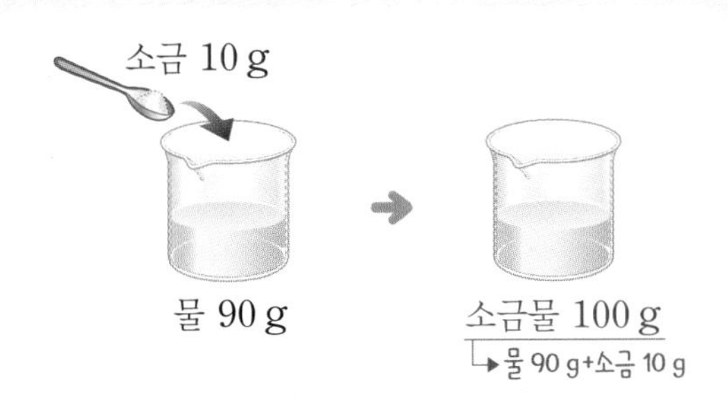

(소금물 양에 대한 소금 양의 비율)
기준량 비교하는 양

$=\frac{(소금\ 양)}{(소금물\ 양)}\times 100$

$=\frac{10}{100}\times 100=10\,(\%)$

선행 문제 6

소금 30 g을 녹여 소금물 200 g을 만들었습니다. 소금물 양에 대한 소금 양의 비율은 몇 %인가요?

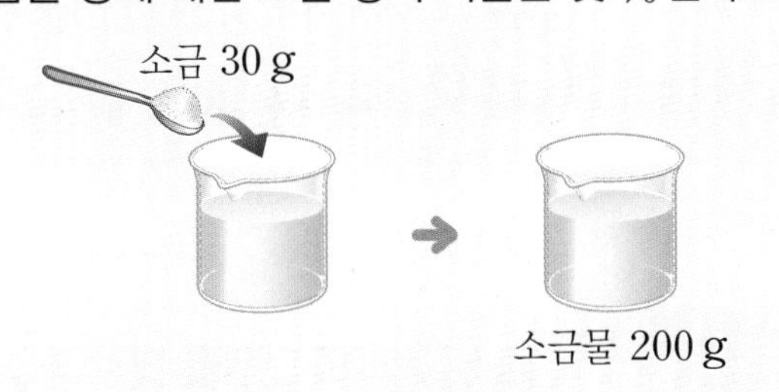

풀이 기준량: 소금물 양 ☐ g

비교하는 양: 소금 양 ☐ g

(소금물 양에 대한 소금 양의 비율)

$=\frac{(소금\ 양)}{(소금물\ 양)}\times 100$

$=\frac{☐}{☐}\times 100=☐\,(\%)$

실행 문제 6

물 120 g에 소금 30 g을 녹여/
소금물을 만들었습니다./
소금물 양에 대한 소금 양의 비율은 몇 %인가요?

전략 (물의 양)+(소금 양)

❶ (소금물 양)

$=☐+☐=☐\,(g)$

전략 $\frac{(소금\ 양)}{(소금물\ 양)}\times 100$

❷ (소금물 양에 대한 소금 양의 비율)

$=\frac{☐}{☐}\times 100=☐\,(\%)$

답 ____________

쌍둥이 문제 6-1

물 340 g에 설탕 60 g을 녹여/
설탕물을 만들었습니다./
설탕물 양에 대한 설탕 양의 비율은 몇 %인가요?

실행 문제 따라 풀기

❶

❷

답 ____________

STEP 2

수학 사고력 키우기

비율로 나타내기

연계학습 084쪽

대표 문제 1

실제 거리가 400 m일 때/
지도에서 거리가 2 cm인 지도가 있습니다./
실제 거리에 대한 지도에서의 거리의 비율을 기약분수로 나타내어 보세요.

구하려는 것은? 실제 거리에 대한 지도에서의 거리의 비율

어떻게 풀까?
1 **두 거리의 단위를 맞춘 후,**
2 기준량과 비교하는 양을 각각 찾아 비율을 구하자.

해결해 볼까?

❶ 실제 거리 400 m는 몇 cm?

전략 400 m와 2 cm의 단위를 맞추자.

답 ______________

❷ 실제 거리에 대한 지도에서의 거리의 비율을 기약분수로 나타내면?

전략 기준량 : 실제 거리
비교하는 양 : 지도에서의 거리

답 ______________

쌍둥이 문제 1-1

연아는 실제 거리가 600 m인 거리를/
지도에서 4 cm로 그렸습니다./
실제 거리에 대한 지도에서의 거리의 비율을 기약분수로 나타내어 보세요.

대표 문제 따라 풀기

❶

❷

답 ______________

인구 밀도 비교하기

연계학습 085쪽

대표 문제 2

인호네 마을의 넓이는 5 km^2이고 인구는 190명입니다./
성재네 마을의 넓이는 8 km^2이고 인구는 280명입니다./
두 마을 중 인구가 더 밀집한 곳은 누구네 마을인지 구해 보세요.

구하려는 것은? 인구가 더 밀집한 마을

주어진 것은?

- 인호네 마을 → 넓이: 5 km^2, 인구: ☐명
- 성재네 마을 → 넓이: ☐ km^2, 인구: 280명

해결해 볼까?

❶ 인호네 마을의 넓이에 대한 인구의 비율은?

답 ________________

❷ 성재네 마을의 넓이에 대한 인구의 비율은?

답 ________________

❸ 인구가 더 밀집한 곳은 누구네 마을?

전략 넓이에 대한 인구 비율이 높을수록 인구가 더 밀집하다.

답 ________________

쌍둥이 문제 2-1

A 도시의 넓이는 80 km^2이고 인구는 3600명입니다./
B 도시의 넓이는 120 km^2이고 인구는 6000명입니다./
두 도시 중 인구가 더 밀집한 곳은 어느 도시인가요?

대표 문제 따라 풀기

❶

❷

❸

 ________________

빠르기 비교하기

연계학습 086쪽

대표 문제 3

일정한 빠르기로 자전거를 타고/ 수진이는 40분 동안 10 km를 갔고,/
민정이는 1시간 동안 18 km를 갔습니다./
걸린 시간에 대한 간 거리의 비율을 각각 구하여/
누가 더 빠른지 구해 보세요.

구하려는 것은? 더 빠른 사람

주어진 것은?
- 수진 ➔ 걸린 시간: ☐분, 간 거리: 10 km
- 민정 ➔ 걸린 시간: ☐시간, 간 거리: 18 km

해결해 볼까?

❶ 민정이가 걸린 시간인 1시간은 몇 분?

전략 40분과 1시간의 단위를 맞추자.

답 ____________

❷ 두 사람의 걸린 시간에 대한 간 거리의 비율은 각각 얼마?

답 수진: ____________, 민정: ____________

❸ 더 빠른 사람의 이름은?

전략 걸린 시간에 대한 간 거리의 비율이 높을수록 더 빠르다.

답 ____________

쌍둥이 문제 3-1

일정한 빠르기로 킥보드를 타고/ 성민이는 45분 동안 9 km를 갔고,/
태훈이는 1시간 20분 동안 12 km를 갔습니다./
걸린 시간에 대한 간 거리의 비율을 각각 구하여/
누가 더 빠른지 구해 보세요.

대표 문제 따라 풀기

❶

❷

❸

답 ____________

비율로 비교하는 양 구하기

연계학습 087쪽

대표 문제 4 넓이가 300 m^2인 밭의 40 %에는 배추를 심고,/ 남은 밭의 35 %에는 양파를 심었습니다./ 양파를 심은 밭의 넓이를 구해 보세요.

구하려는 것은? 양파를 심은 밭의 넓이

주어진 것은?

- 전체 밭의 넓이: 300 m^2
- 배추를 심은 밭 : 전체 밭의 ☐ %
- 양파를 심은 밭 : 배추를 심고 남은 밭의 ☐ %

해결해 볼까?

❶ 배추를 심고 남은 밭은 전체 밭의 몇 %?

전략 100 %에서 배추를 심은 밭의 비율을 빼자.

답 ______________

❷ 배추를 심고 남은 밭의 넓이는 몇 m^2?

전략 전체 밭의 넓이에 ❶에서 구한 비율을 곱하자.

답 ______________

❸ 양파를 심은 밭의 넓이는 몇 m^2?

전략 ❷에서 구한 넓이에 양파를 심은 비율을 곱하자.

답 ______________

쌍둥이 문제 4-1

수호네 학교 학생들이 운동회를 하고 있는데/ 학생 800명 중에서 25 %는 분홍색 옷을 입었고,/ 나머지 학생의 30 %는 노란색 옷을 입었습니다./ 노란색 옷을 입은 학생은 몇 명인가요?

대표 문제 따라 풀기

❶

❷

❸

수학 사고력 키우기

할인율 구하기

연계학습 088쪽

대표 문제 5 시장에서 한 켤레의 가격이 2000원인 양말을/
할인 행사를 하여 5켤레에 8000원에 판매하고 있습니다./
양말 한 켤레의 할인율은 몇 %인지 구해 보세요.

구하려는 것은? 양말 한 켤레의 할인율

주어진 것은?
- 원래 가격: 양말 한 켤레에 ☐원
- 할인 행사 가격: 양말 5켤레에 ☐원

해결해 볼까?

❶ 양말 한 켤레의 할인 행사 가격은 얼마?

답 ______________

❷ 양말 한 켤레의 할인 금액은 얼마?

전략 양말 한 켤레의 원래 가격에서 할인 행사 가격을 빼자.

답 ______________

❸ 양말 한 켤레의 할인율은 몇 %?

답 ______________

쌍둥이 문제 5-1

마트에서 한 개의 가격이 1000원인 오렌지를/
마감 할인을 하여 8개에 6800원에 판매하고 있습니다./
오렌지 한 개의 할인율은 몇 %인가요?

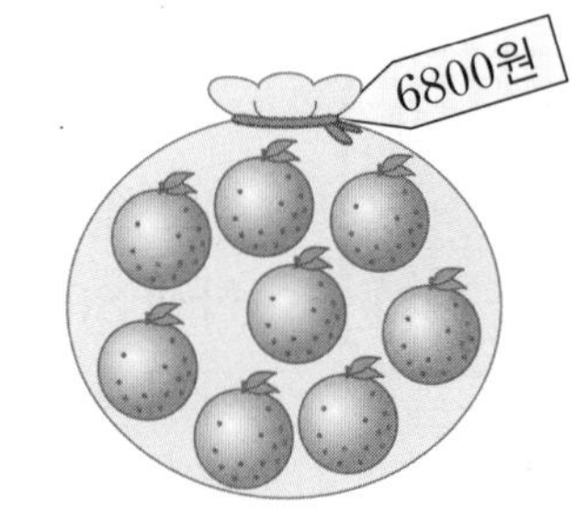

대표 문제 따라 풀기

❶

❷

❸

답 ______________

용액의 진하기 구하기

연계학습 089쪽

대표 문제 6 물에 소금 30 g을 넣어 소금물 180 g을 만들었습니다./
이 소금물에 소금 20 g을 더 넣었을 때/
새로 만든 소금물 양에 대한 소금 양의 비율은 몇 %인지 구해 보세요.

구하려는 것은? 새로 만든 소금물 양에 대한 소금 양의 비율

주어진 것은?
- 소금 ☐ g을 넣어 소금물 180 g을 만듦.
- 새로 더 넣은 소금 양 : ☐ g

해결해 볼까?

❶ 새로 만든 소금물 양은 몇 g?

전략 처음 소금물 양에 더 넣은 소금 양을 더하자.

답 ____________

❷ 새로 만든 소금물에 들어 있는 소금 양은 모두 몇 g?

전략 처음 소금 양에 더 넣은 소금 양을 더하자.

답 ____________

❸ 새로 만든 소금물 양에 대한 소금 양의 비율은 몇 %?

답 ____________

쌍둥이 문제 6-1

물에 소금 75 g을 넣어 소금물 450 g을 만들었습니다./
이 소금물에 물 50 g을 더 넣었다면/
새로 만든 소금물 양에 대한 소금 양의 비율은 몇 %인가요?

대표 문제 따라 풀기

❶

❷

❸

답 ____________

4 비와 비율

수학 독해력 완성하기

할인된 판매 가격 구하기

서점에서 원래 가격이 15000원인 책을/
20 % 할인하여 판매하고 있습니다./
이 책의 할인된 판매 가격을 구해 보세요.

해결해 볼까? ❶ 책의 할인 금액은 얼마?

전략 원래 가격에 할인율을 곱하자.

답 ____________

❷ 책의 할인된 판매 가격은 얼마?

답 ____________

더 넓다고 느껴지는 방 찾기

독해 문제 2

설아네 학교에서 수학여행을 갔습니다./
설아네 모둠 4명은 8인실을 사용했고,/
지수네 모둠 7명은 10인실을 사용했습니다./
어느 모둠이 방을 더 넓다고 느꼈을지 구해 보세요.

해결해 볼까? ❶ 방을 더 넓다고 느끼려면?

방의 정원에 대한 방을 사용한 사람 수의 비율이
더 (높아야 , 낮아야) 합니다.

❷ 방의 정원에 대한 방을 사용한 사람 수의 비율을 각각 소수로 나타내면?

답 설아네 모둠: ____________, 지수네 모둠: ____________

❸ 방을 더 넓다고 느꼈을 모둠은 어느 모둠?

전략 ❶에서 구한 답을 이용하여
❷에서 구한 비율을 비교하자.

이자율 구하기

독해 문제 3

어느 은행에 50만 원을 예금해서/
1년 후에 51만 원을 받았습니다./
이 은행의 1년 동안의 이자율은 몇 %인지 구해 보세요.

→ (예금한 돈에 대한 이자의 비율) $= \frac{(\text{이자})}{(\text{예금한 돈})} \times 100$

해결해 볼까?

❶ 1년 동안 생긴 이자는 얼마?

전략 1년 후에 받은 돈에서 예금한 돈을 빼자.

❷ 1년 동안의 이자율은 몇 %?

축소·확대한 직사각형의 넓이 구하기

독해 문제 4

오른쪽 직사각형의 가로는 70 %로 축소하고,/
세로는 120 %로 확대하여/ 직사각형을 새로 만들려고 합니다./
새로 만들 직사각형의 넓이를 구해 보세요.

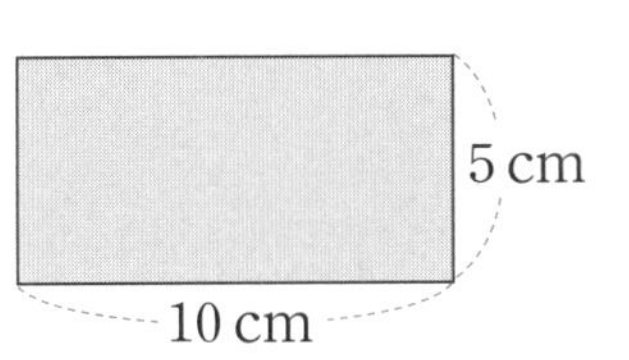

해결해 볼까?

❶ 새로 만들 직사각형의 가로는 몇 cm?

전략 가로의 길이에 축소 비율을 곱하자.

❷ 새로 만들 직사각형의 세로는 몇 cm?

전략 세로의 길이에 확대 비율을 곱하자.

❸ 새로 만들 직사각형의 넓이는 몇 cm^2?

{ 수학 독해력 완성하기 }

비율로 비교하는 양 구하기

연계학습 093쪽

독해 문제 5

전교 학생 회장 선거에서 학생 500명이 투표에 참여했습니다./
무효표가 4 %이고,/ 나 후보의 득표율이 가 후보 득표율의 2배일 때/
가 후보의 득표수를 구해 보세요.

후보	가 후보	나 후보	무효표
득표율(%)			4

구하려는 것은? 가 후보의 득표수

주어진 것은?
- 투표에 참여한 학생 수: 500명
- 무효표 득표율: ☐ %
- 나 후보의 득표율: 가 후보 득표율의 ☐배

어떻게 풀까?
1 가 후보의 득표율을 ☐라 하고 나 후보의 득표율을 ☐를 사용한 식으로 나타낸 후,
2 **득표율의 합이 100 %**임을 이용하여 가 후보의 득표율을 구한 다음,
3 가 후보의 득표수를 구하자.

해결해 볼까?

❶ 가 후보의 득표율을 ☐라 할 때 나 후보의 득표율을 ☐를 사용한 식으로 나타내면?

식 ______________________

❷ 가 후보의 득표율은 몇 %?

전략 (가 후보의 득표율)+(나 후보의 득표율)+(무효표 득표율)=100 %

답 ______________________

❸ 가 후보의 득표수는 몇 표?

전략 투표에 참여한 학생 수에 ❷에서 구한 득표율을 곱하자.

답 ______________________

할인율 구하기

연계학습 094쪽

독해 문제 6

신발 가게에서 60000원짜리 운동화를/
할인하여 45000원에 판매하고 있습니다./
같은 할인율로 72000원짜리 구두를 판매할 때,/
이 구두의 할인된 판매 가격을 구해 보세요.

할인 ~~60000원~~ → 45000원

구하려는 것은? 구두의 할인된 판매 가격

주어진 것은?
- 60000원짜리 운동화의 할인된 판매 가격: ☐ 원
- 운동화와 구두의 할인율이 같음.

어떻게 풀까?
1. 60000원짜리 운동화의 할인 금액을 구하여
2. 운동화의 할인율을 구한 다음,
3. 72000원짜리 구두의 할인 금액을 구한 후,
4. 구두의 할인된 판매 가격을 구하자.

해결해 볼까?

❶ 60000원짜리 운동화의 할인 금액은 얼마?

답 ________

❷ 60000원짜리 운동화의 할인율은 몇 %?

전략 $\frac{\text{(할인 금액)}}{\text{(원래 가격)}} \times 100$

답 ________

❸ 같은 할인율로 판매하는 72000원짜리 구두의 할인 금액은 얼마?

전략 원래 가격에 ❷에서 구한 할인율을 곱하자.

답 ________

❹ 72000원짜리 구두의 할인된 판매 가격은 얼마?

답 ________

4 비와 비율

창의·융합·코딩 체험하기

야구에서 타율을 소수로 나타낼 때/
소수 첫째 자리를 '할', 소수 둘째 자리를 '푼', 소수 셋째 자리를 '리'라고 읽습니다./
준수의 타율을 구하여 [보기]와 같이 할푼리로 나타내어 보세요.

[보기]

32타수 12안타

$(타율)=\frac{12}{32}$

$=0.375$

→ 3할 7푼 5리

40타수 9안타

준수

 답 ____________________

다영이는 인터넷 쇼핑몰에서 다음 원피스를 한 벌 사려고 합니다./
인터넷 쇼핑몰에서는 원피스를 30 % 할인하여 판매하는 대신/
배송비를 3000원 내야 합니다./
다영이는 원피스를 정가보다 얼마 더 싸게 살 수 있나요?

정가	60000원
할인율	30 %
배송비	3000원

 답 ____________________

[보기]와 같이 입의 모양으로 웃는 얼굴과 우는 얼굴을 구분하는/
인공지능 프로그램을 만들었습니다./
입꼬리의 양끝이 위쪽 기준선에 닿으면 웃는 얼굴로 판단하고,/
입꼬리의 양끝이 아래쪽 기준선에 닿으면 우는 얼굴로 판단합니다./

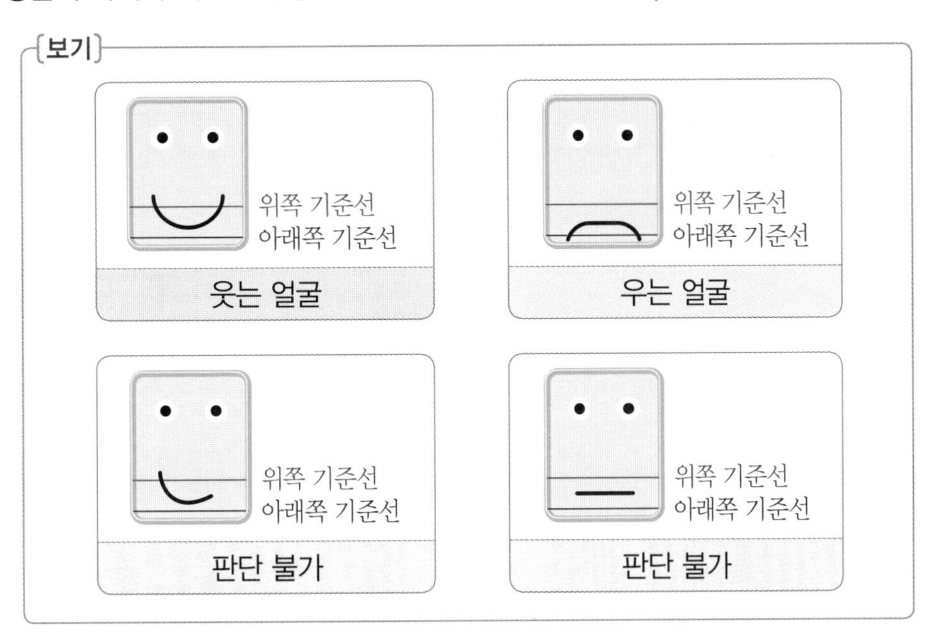

다음 얼굴 데이터에서 전체 얼굴 수에 대한 웃는 얼굴 수의 비율을 기약분수로 나타내어 보세요.

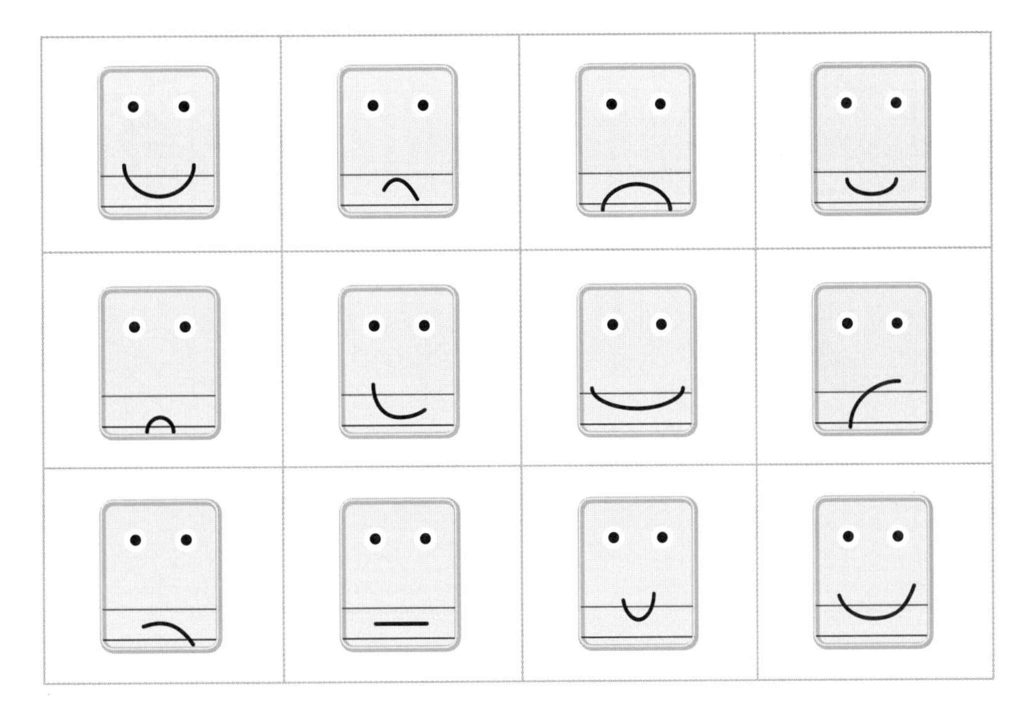

창의·융합·코딩 체험하기

융합 **4** 왼쪽은 1일 영양성분 기준치를 나타내는 표이고/
오른쪽은 우유 200 mL의 영양정보를 나타내는 영양성분표입니다./
영양정보에는 1일 영양성분 기준치에 대한
우유 200 mL에 들어 있는 영양성분의 비율이 표시되어 있습니다./
1일 영양성분 기준치를 보고 우유 200 mL에 들어 있는 단백질의 양은 몇 g인지 구해 보세요.

1일 영양성분 기준치

영양성분(단위)	기준치
탄수화물(g)	324
단백질(g)	55
지방(g)	54
나트륨(mg)	2000

영양정보	총 내용량(200 mL) 130 kcal
총 내용량(200 ml)	1일 영양성분 기준치에 대한 비율
탄수화물 9.72 g	3 %
단백질 ☐g	10 %
지방 8.64 g	16 %
나트륨 120 mg	6 %

답

로봇에게 다음 [명령]을 실행시켰습니다./
전체에 대한 색칠한 부분의 비율을 백분율로 나타내어 보세요.

[명령]

❶ 앞으로 4칸 이동하기
❷ 도착한 칸을 색칠하기
❸ 만약 앞에 더 이상 칸이 없다면
시계 반대 방향으로 90° 만큼 돌기

시작 위치로 다시 돌아와서
칸을 색칠할 때까지
❶ → ❷ → ❸ → ❶ → ❷ → ❸ ······
의 순서로 명령을 반복해.

답

재영이는 축구 감독 게임을 하고 있습니다./
축구 선수를 영입하기 위해서는 게임 포인트를 내야 하는데/
선수를 영입하기 위해 필요한 게임 포인트는 다음 〔규칙〕에 따라 정해집니다./
축구 선수별 기록을 나타낸 표를 보고 물음에 답하세요.

〔규칙〕
10000포인트×(해당 선수의 전체 슈팅 수에 대한 골 수의 비율)

축구 선수별 기록

선수 이름	기성	홍민	지환
전체 슈팅 수(개)	20	30	50
골 수(개)	5	12	16

(1) 각 선수의 전체 슈팅 수에 대한 골 수의 비율을 소수로 나타내어 보세요.

답 기성: ____________

홍민: ____________

지환: ____________

(2) 각 선수를 영입하기 위해 필요한 게임 포인트는 몇 포인트인가요?

답 기성: ____________

홍민: ____________

지환: ____________

(3) 재영이가 게임 포인트를 3000포인트 가지고 있을 때/
영입할 수 있는 선수를 써 보세요.

답 

종합평가

실전 마무리 하기

맞힌 문제 수 개 /10개

백분율로 나타내기

1 승재는 농구 연습을 했습니다. 공을 25번 던져서 15번 넣었을 때 승재의 성공률은 몇 %인가요?

풀이

답 ____________

비율로 나타내기 090쪽

2 실제 거리가 1000 m일 때 지도에서 거리가 4 cm인 지도가 있습니다. 실제 거리에 대한 지도에서의 거리의 비율을 기약분수로 나타내어 보세요.

답 ____________

비율로 비교하는 양 구하기 087쪽

3 준영이네 학교의 6학년 학생은 모두 150명입니다. 그중 안경을 쓴 학생이 30 %일 때 안경을 쓰지 않은 학생은 몇 명인가요?

답 ____________

인구 밀도 비교하기 091쪽

4 진수네 마을은 28 km^2에 980명이 살고, 동우네 마을은 17 km^2에 510명이 살고 있습니다. 두 마을 중 인구가 더 밀집한 곳은 누구네 마을인가요?

빠르기 비교하기 092쪽

5 하율이는 집에서부터 도서관까지 걸어가는 데 12분이 걸렸고, 동생은 집에서부터 편의점까지 걸어가는 데 8분이 걸렸습니다. 두 사람이 일정한 빠르기로 걸었을 때 걸음이 더 빠른 사람은 누구인가요?

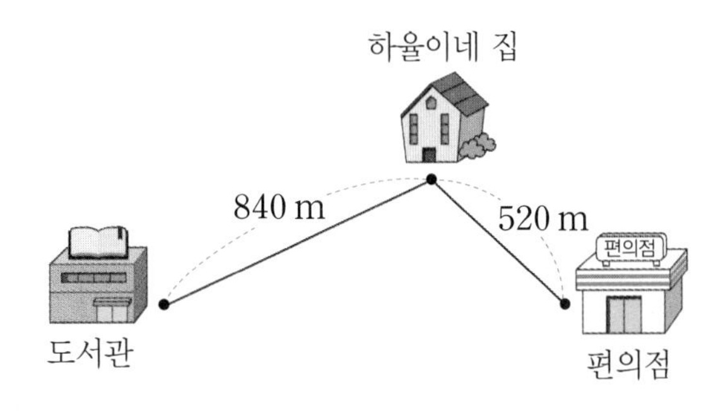

할인된 판매 가격 구하기 096쪽

6 소희가 한 판에 20000원인 피자를 주문하려고 합니다. 30 % 할인 쿠폰을 사용한다면 얼마를 내야 하나요?

답

이자율 구하기 097쪽

7 다솔이가 행복 은행에 15만 원을 예금해서 1년 후에 154500원을 받았습니다. 행복 은행의 1년 동안의 이자율은 몇 %인가요?

답

용액의 진하기 구하기 095쪽

8 물에 설탕 20 g을 넣어 설탕물 170 g을 만들었습니다. 이 설탕물에 설탕 30 g을 더 넣었다면 새로 만든 설탕물 양에 대한 설탕 양의 비율은 몇 %인가요?

풀이

답

할인율 구하기 094쪽

9 정육점에서 100 g의 가격이 2500원인 돼지고기를 할인하여 600 g에 12000원에 판매하고 있습니다. 돼지고기 100 g의 할인율은 몇 %인가요?

풀이

답

축소·확대한 직사각형의 넓이 구하기 097쪽

10 다음 직사각형의 가로를 140 %로 확대하여 직사각형을 새로 만들었습니다. 새로 만든 직사각형의 넓이는 몇 cm^2인가요?

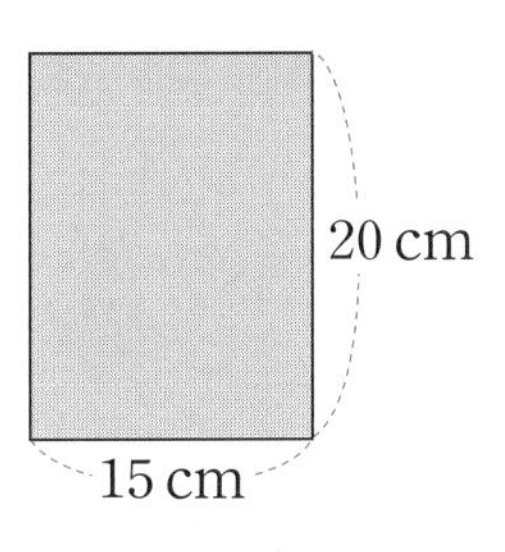

풀이

답

5 여러 가지 그래프

FUN한 기억 노트

띠그래프에 대해 써 보자.

띠그래프 : 전체에 대한 각 부분의 비율을 ☐ 모양에 나타낸 그래프

전체 학생의 25 %가 좋아하는 바다 동물은 ☐ 야.

좋아하는 학생 수가 바다표범은 바다코끼리의 ☐ 배야.

좋아하는 바다 동물별 학생 수

고래 (40 %)	바다사자 (25 %)	바다표범 (20 %)	바다 코끼리 (10 %)	기타 (5 %)

띠그래프를 보고 더 알 수 있는 것들을 찾아 써 보자.

❶

❷

쓸 줄 알아야 **진짜 실력!**

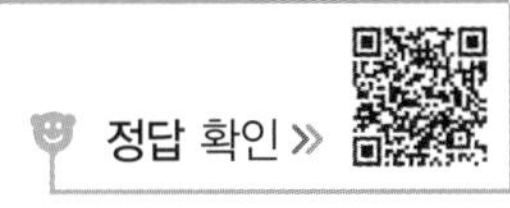

원그래프에 대해 써 보자.

원그래프 : 전체에 대한 각 부분의 [   ]을 [ ] 모양에 나타낸 그래프

예서의 하루 일과별 시간

기타(5 %)
식사 시간(10 %)
수면 시간(35 %)
운동 시간(20 %)
학습 시간(30 %)

예서의 수면 시간은 하루 시간의 [   ] %야.

하루 시간의 20 %를 차지하는 시간은 [   ] 시간이야.

원그래프를 보고 더 알 수 있는 것들을 찾아 써 보자.

❶ ______________________________

____

❷ ______________________________

____

문제 해결력 기르기

1 한 항목의 수량을 알 때 다른 항목의 수량 구하기

선행 문제 해결 전략

• 비율이 몇 배인지 구하기

좋아하는 과일별 학생 수

딸기 (40 %)	사과 (25 %)	배 (20 %)	감 (10 %)	기타 (5 %)

딸기를 좋아하는 학생: 40 %

2배 ↕ $\frac{1}{2}$배

배를 좋아하는 학생: 20 %

딸기는 배의 $40 \div 20 = 2$(배)

배는 딸기의 $20 \div 40 = \frac{1}{2}$(배)

선행 문제 1

학생들의 등교 방법을 나타낸 띠그래프입니다.

등교 방법별 학생 수

도보 (45 %)	자전거 (30 %)	버스 (15 %)	기타 (10 %)

(1) 도보의 비율은 버스 비율의 몇 배?

풀이 (도보의 비율)÷(버스의 비율)

$=45 \div \square = \square$(배)

(2) 버스의 비율은 자전거 비율의 몇 배?

풀이 (버스의 비율)÷(자전거의 비율)

$= \square \div \square = \square$(배)

실행 문제 1

다현이네 반 학생들이 존경하는 위인을 나타낸 띠그래프입니다./ 안중근을 존경하는 학생이 6명일 때/ 이순신을 존경하는 학생은 몇 명인가요?

존경하는 위인별 학생 수

0 10 20 30 40 50 60 70 80 90 100 (%)

세종대왕 (50 %)	이순신 (30 %)	안중근 (15 %)	기타 (5 %)

전략 이순신의 비율은 안중근의 비율의 몇 배인지 구하자.

❶ (이순신의 비율)÷(안중근의 비율)

$=30 \div \square = \square$(배)

전략 (안중근을 존경하는 학생 수)×(❶에서 구한 값)

❷ (이순신을 존경하는 학생 수)

$= \square \times \square = \square$(명)

답 ____________

쌍둥이 문제 1-1

지수네 학교 학생들이 좋아하는 연예인의 분야를 나타낸 띠그래프입니다./ 개그맨을 좋아하는 학생이 21명일 때/ 가수를 좋아하는 학생은 몇 명인가요?

좋아하는 연예인 분야별 학생 수

0 10 20 30 40 50 60 70 80 90 100 (%)

가수 (60 %)	배우 (20 %)	개그맨 (15 %)	기타 (5 %)

실행 문제 따라 풀기

❶

❷

답 ____________

한 항목의 수량을 알 때 전체 수량 구하기

선행 문제 해결 전략

예 전체 비율은 취미가 운동인 비율의 몇 배인지 구하기

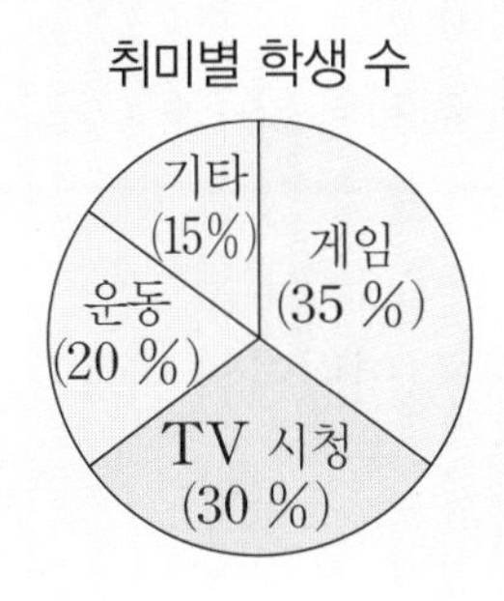

비율 그래프에서 전체의 비율은 100 %야.

취미가 운동인 학생 　　　 전체 학생

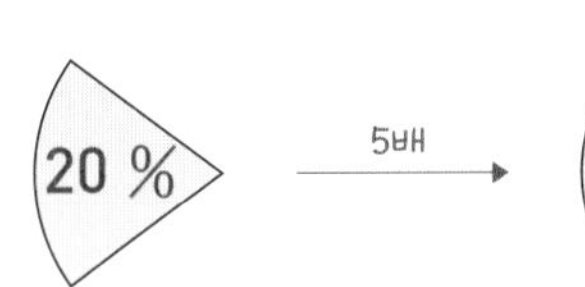

5배 → 100 %

전체는 운동의 100÷20=5(배)

선행 문제 2

농장에서 키우는 가축을 나타낸 원그래프입니다. 전체 비율은 돼지 비율의 몇 배인가요?

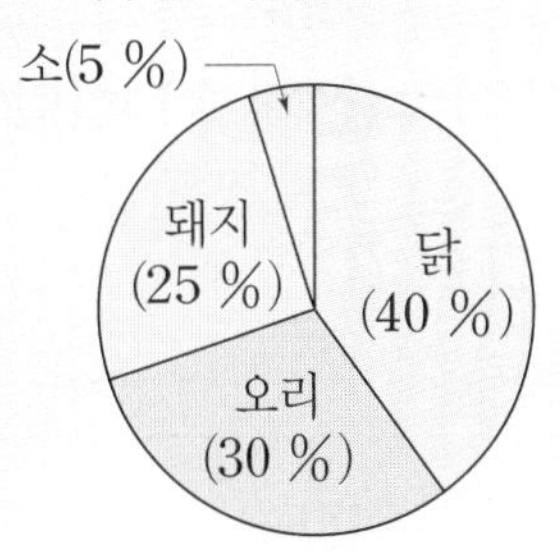

풀이 (전체 가축의 비율)=100 %

(돼지의 비율)=☐ %

➔ (전체 가축의 비율)÷(돼지의 비율)

=100÷☐=☐(배)

실행 문제 2

태희네 반 학생들이 지난 주에 라면을 먹은 횟수를 나타낸 원그래프입니다./ 라면을 3번 이상 먹은 학생이 4명이라면/ 태희네 반 학생은 모두 몇 명인가요?

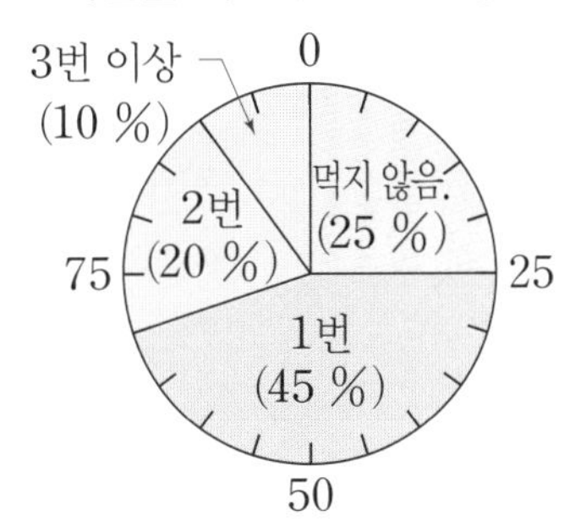

전략 전체의 비율은 3번 이상 먹은 비율의 몇 배인지 구하자.

❶ (전체의 비율)÷(3번 이상 먹은 비율)

=☐÷10=☐(배)

전략 (3번 이상 먹은 학생 수)×(❶에서 구한 값)

❷ (태희네 반 학생 수)=4×☐=☐(명)

답 ________________

문제 해결력 기르기

③ 항목의 수량 비교하기

선행 문제 해결 전략

• 항목의 수량 구하기

$(\text{항목의 비율})=\frac{(\text{항목의 수})}{(\text{전체 수})}$

➔ **(항목의 수)=(전체 수)×(항목의 비율)**

예 전체 학생 수: 500명
남학생의 비율: 전체의 40 % → $\frac{40}{100}$

(남학생 수)
=(전체 학생 수)×(남학생 비율)
$$=500\times\frac{40}{100}=200(\text{명})$$

선행 문제 ③

다음을 보고 어린이는 몇 명인지 구해 보세요.

(1) 전체 사람 수: 200명
어린이의 비율: 전체의 30 %

풀이 (어린이 수)
=(전체 사람 수)×(어린이의 비율)
$=\square\times\frac{30}{100}=\square$(명)

(2) 전체 사람 수: 300명
어린이의 비율: 전체의 25 %

풀이 (어린이 수)
$=\square\times\frac{25}{100}=\square$(명)

실행 문제 ③

오른쪽은 교내 영어 말하기 대회에 참가한 학생 240명의 학년을 나타낸 띠그래프입니다./ 6학년은 4학년보다 몇 명 더 많이 참가했나요?

학년별 참가한 학생 수

0 10 20 30 40 50 60 70 80 90 100(%)

3학년	4학년	5학년	6학년

전략 (참가한 전체 학생 수)×(6학년의 비율)

❶ (6학년 학생 수)
$=240\times\frac{\square}{100}=\square$(명)

전략 (참가한 전체 학생 수)×(4학년의 비율)

❷ (4학년 학생 수)
$=\square\times\frac{\square}{100}=\square$(명)

❸ (6학년 학생 수)−(4학년 학생 수)
$=\square-\square=\square$(명)

답 ____________

초간단 풀이

❶ (6학년의 비율)−(4학년의 비율)
$=35-\square=\square$(%)

전략 (참가한 전체 학생 수)×(❶에서 구한 비율)

❷ 6학년은 4학년보다
$240\times\frac{\square}{100}=\square$(명) 더 많이 참가했다.

띠그래프의 길이 구하기

선행 문제 해결 전략

예 전체 길이가 10 cm인 띠그래프에서 A형이 차지하는 부분의 길이 구하기

혈액형별 학생 수

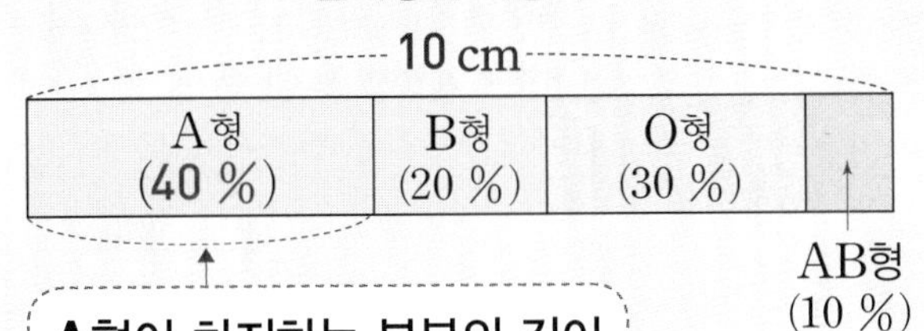

A형이 차지하는 부분의 길이
➔ 10 cm의 40 %

(A형이 차지하는 부분의 길이)
=(전체 길이)×(A형의 비율)

$$=10\times\frac{40}{100}=4\,(\text{cm})$$

선행 문제 4

학생들의 성씨를 나타낸 띠그래프입니다. 띠그래프의 전체 길이가 20 cm일 때 이씨가 차지하는 부분의 길이는 몇 cm인가요?

성씨별 학생 수

20 cm

김씨 (20 %)	이씨 (15 %)	박씨 (10 %)	최씨 (5 %)	기타 (50 %)

□ cm

풀이 (이씨가 차지하는 부분의 길이)
=(전체 길이)×(이씨의 비율)

$$=\square\times\frac{\square}{100}=\square\,(\text{cm})$$

실행 문제 4

잡곡밥에 넣은 곡물을 나타낸 원그래프입니다./ 이것을 전체 길이가 40 cm인 띠그래프로 나타낼 때/ 현미가 차지하는 부분의 길이는 몇 cm인가요?

잡곡밥에 넣은 곡물별 양

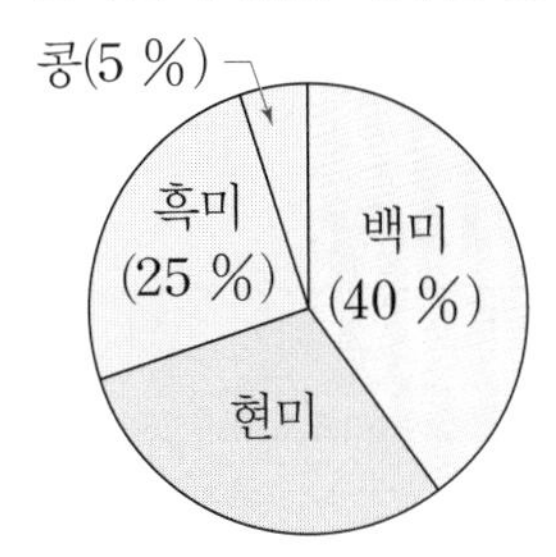

전략 전체의 비율에서 나머지 곡물의 비율을 빼자.

❶ (현미의 비율)
$=\square-(40+25+5)=\square\,(\%)$

전략 (띠그래프의 전체 길이)×(현미의 비율)

❷ (현미가 차지하는 부분의 길이)

$$=\square\times\frac{\square}{100}=\square\,(\text{cm})$$

답 

쌍둥이 문제 4-1

어느 지역의 4월 날씨를 나타낸 원그래프입니다./ 이것을 전체 길이가 50 cm인 띠그래프로 나타낼 때/ 비가 차지하는 부분의 길이는 몇 cm인가요?

4월 날씨별 날수

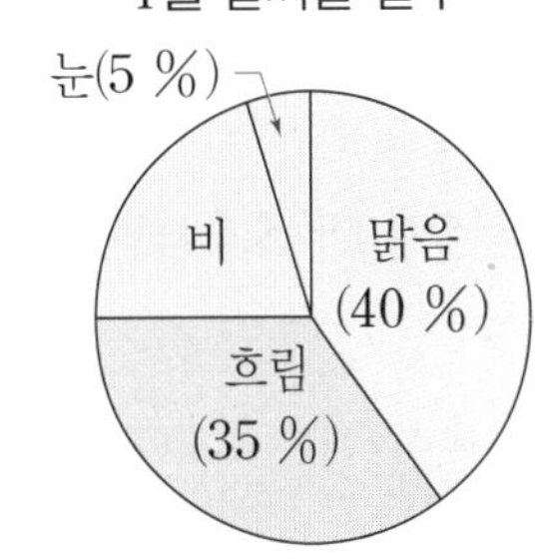

실행 문제 따라 풀기

❶

❷

답 

문제 해결력 기르기

5 한 항목이 전체가 되는 그래프를 보고 수량 구하기

선행 문제 해결 전략

예 빨간색 티셔츠를 입은 남학생 수 구하기

입은 티셔츠의 색깔별 학생 수

500명

흰색 (35 %)	빨간색 (30 %)	노란색 (20 %)	기타 (15 %)

$$500\times\frac{30}{100}=150(\text{명})$$

빨간색 티셔츠를 입은 학생 수

남학생 (60 %)	여학생 (40 %)

$$150\times\frac{60}{100}=90(\text{명})$$

➜ 빨간색 티셔츠를 입은 남학생 수: 90명

선행 문제 5

400명의 학생들이 좋아하는 계절과 여름을 좋아하는 학생 수를 나타낸 띠그래프입니다. 여름을 좋아하는 남학생은 몇 명인가요?

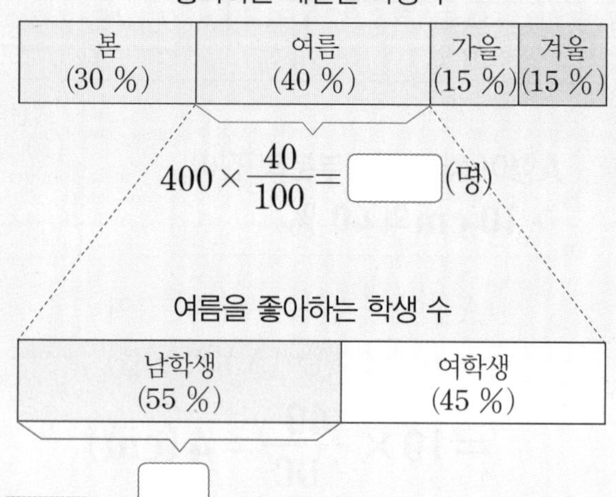

$$\square\times\frac{\square}{100}=\square(\text{명})$$

➜ 여름을 좋아하는 남학생 수: □명

실행 문제 5

재희네 마을의 폐기물 처리 공장 건립에 대한 의견과/ 반대 이유를 나타낸 띠그래프입니다./ 재희네 마을 사람이 800명일 때/ 대기 오염을 이유로 반대하는 사람은 몇 명인가요?

공장 건립에 대한 의견별 사람 수

찬성 (30 %)	반대 (70 %)

반대 이유별 사람 수

수질 오염 (35 %)	대기 오염 (50 %)	소음 (10 %)	기타 (5 %)

전략 (재희네 마을의 사람 수)×(반대의 비율)

❶ (공장 건립을 반대하는 사람 수)

$$=800\times\frac{\square}{100}=\square(\text{명})$$

전략 (❶에서 구한 사람 수)×(대기 오염의 비율)

❷ (대기 오염을 이유로 반대하는 사람 수)

$$=\square\times\frac{\square}{100}=\square(\text{명})$$

답 ________________

항목 사이의 관계를 이용하여 비율 구하기

선행 문제 해결 전략

예 B는 A의 4배이고, A와 B의 합이 50일 때 A의 값 구하기

> **모르는 수가 2개인 식은**
> 주어진 것을 이용하여
> **모르는 수가 1개인 식으로 만들자.**

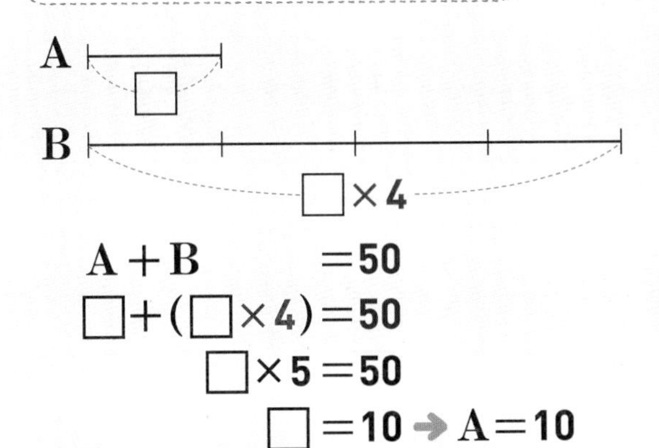

선행 문제 6

㉠의 값을 구해 보세요.

- ㉡은 ㉠의 2배
- ㉠과 ㉡의 합은 48

풀이 ㉠을 □라 하면 ㉡은 □×□이다.

㉠+㉡=48

□+(□×□)=48

□×□=48

□=□ → ㉠=□

실행 문제 6

현아네 학교 학생들이 배우고 싶은 외국어를 나타낸 원그래프입니다./ 영어가 독일어의 2배라면/ 독일어의 비율은 전체의 몇 %인가요?

배우고 싶은 외국어별 학생 수

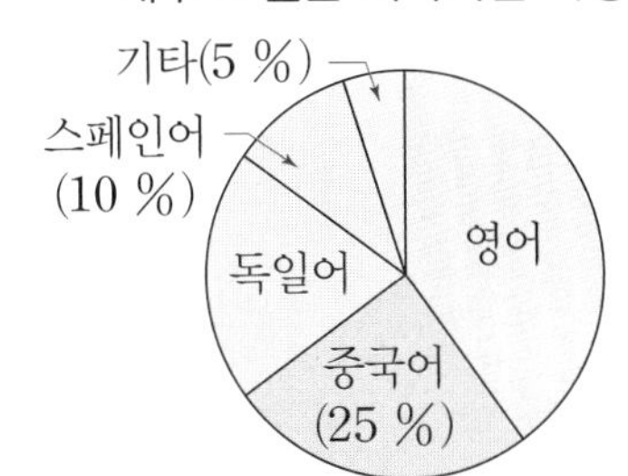

❶ (독일어와 영어의 비율의 합)

$=\square-(25+10+5)=\square\ (\%)$

전략 영어가 독일어의 2배이다.

❷ 독일어 비율을 □라 하면 영어 비율은 □×□

전략 ❶과 ❷에서 구한 것을 이용하여 식을 세우자.

❸ $\square+(\square\times 2)=\square\ \%$, $\square=\square\ \%$

→ (독일어의 비율)=□ %

답 

쌍둥이 문제 6-1

여름철 물놀이 안전사고의 원인을 나타낸 원그래프입니다./ 수영 미숙이 튜브 전복의 3배라면/ 튜브 전복의 비율은 전체의 몇 %인가요?

물놀이 안전사고 원인별 발생 수

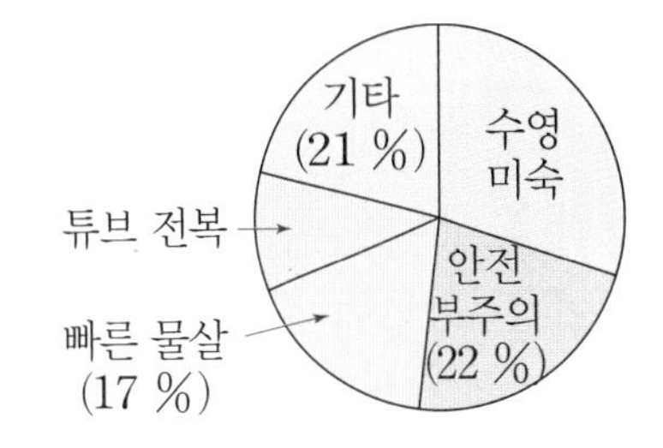

실행 문제 따라 풀기

❶

❷

❸

답 

수학 사고력 키우기

한 항목의 수량을 알 때 다른 항목의 수량 구하기

연계학습 110쪽

대표 문제 1

지수네 학교 학생 회장 선거에서 후보자별 득표율을 나타낸 원그래프입니다./ 우태가 얻은 표가 180표일 때/ 지수가 얻은 표의 수를 구해 보세요.

후보자별 득표율

(원그래프: 0, 25, 50, 75 눈금 / 현우, 지수, 우태, 진아)

구하려는 것은? ☐가 얻은 표의 수

주어진 것은? 우태가 얻은 표의 수: ☐표

해결해 볼까?

❶ 지수의 득표율과 우태의 득표율은 각각 몇 %?

답 지수: ______, 우태: ______

❷ 지수의 득표율은 우태의 득표율의 몇 배?

답 ______

❸ 지수가 얻은 표는 몇 표?

전략 우태가 얻은 표의 수에 ❷에서 구한 값을 곱하자.

답 ______

쌍둥이 문제 1-1

현서네 텃밭의 채소별 심은 넓이를 나타낸 원그래프입니다./ 호박을 심은 넓이가 32 m^2일 때/ 깻잎을 심은 넓이는 몇 m^2인가요?

채소별 심은 넓이

(원그래프: 0, 25, 50, 75 눈금 / 깻잎, 오이, 상추, 호박, 고추)

대표 문제 따라 풀기

❶

❷

❸

답 ______

빠른 정답 7쪽 | 정답과 풀이 42쪽

한 항목의 수량을 알 때 전체 수량 구하기

연계학습 111쪽

대표 문제 2 수민이네 학교 학생들이 한 달 동안 읽은 책의 수를 나타낸 띠그래프입니다./ 4권 이상 읽은 학생이 84명일 때/ 수민이네 학교 학생 수를 구해 보세요.

읽은 책의 수별 학생 수

1권 이하 (30 %)	2권 이상 3권 이하 (50 %)	4권 이상 5권 이하 (15 %)	6권 이상 (5 %)

구하려는 것은? 수민이네 학교 학생 수

해결해 볼까?

❶ 4권 이상 읽은 학생의 비율은 전체의 몇 %?

전략 4권 이상 5권 이하, 6권 이상 읽은 학생의 비율을 더하자.

답 ______________

❷ 전체 학생의 비율은 4권 이상 읽은 학생 비율의 몇 배?

답 ______________

❸ 수민이네 학교 학생은 모두 몇 명?

전략 4권 이상 읽은 학생 수에 ❷에서 구한 값을 곱하자.

답 ______________

쌍둥이 문제 2-1

하루 평균 스마트폰을 사용하는 시간을 설문 조사하여 나타낸 띠그래프입니다./ 2시간 이상 사용하는 사람이 90명이라면/ 설문 조사한 사람은 모두 몇 명인가요?

스마트폰 사용 시간별 사람 수

1시간 미만 (30 %)	1시간 이상 2시간 미만 (45 %)	2시간 이상 3시간 미만 (15 %)	3시간 이상 (10 %)

대표 문제 따라 풀기

❶

❷

❸

답 ______________

STEP 2 { 수학 사고력 키우기 }

항목의 수량 비교하기

연계학습 112쪽

대표 문제 3

㉮ 마을과 ㉯ 마을에서 지난해에 수확한 곡물의 양을 나타낸 원그래프입니다./
㉮ 마을과 ㉯ 마을 중에서 보리 수확량이 더 많은 마을을 구해 보세요.

곡물별 수확량

㉮ 마을: 쌀 (36 %), 보리 (35 %), 조 (13 %), 기타 (16 %)

㉮ 마을(총 40 t)

㉯ 마을: 쌀 (35 %), 보리 (30 %), 귀리 (17 %), 기타 (18 %)

㉯ 마을(총 50 t)

구하려는 것은?

[   ] 수확량이 더 많은 마을

주어진 것은?

- ㉮ 마을 ➔ 전체 곡물 수확량: 40 t, 보리의 비율: [   ] %
- ㉯ 마을 ➔ 전체 곡물 수확량: 50 t, 보리의 비율: [   ] %

주의 **두 마을의 전체 곡물 수확량이 다르므로** 보리의 비율을 비교하여 답하지 말자.

해결해 볼까?

❶ ㉮ 마을과 ㉯ 마을의 보리 수확량은 각각 몇 t?

전략 ㉮와 ㉯ 마을의 전체 곡물 수확량에 각각 보리의 비율을 곱하자.

답 ㉮ 마을: ________, ㉯ 마을: ________

❷ ㉮ 마을과 ㉯ 마을 중에서 보리 수확량이 더 많은 마을은?

답 ________

쌍둥이 문제 3-1

민지네 학교 5학년과 6학년 학생들이 좋아하는 고기 종류를 나타낸 원그래프입니다./
돼지고기를 좋아하는 학생은 어느 학년이 더 많은가요?

좋아하는 고기 종류별 학생 수

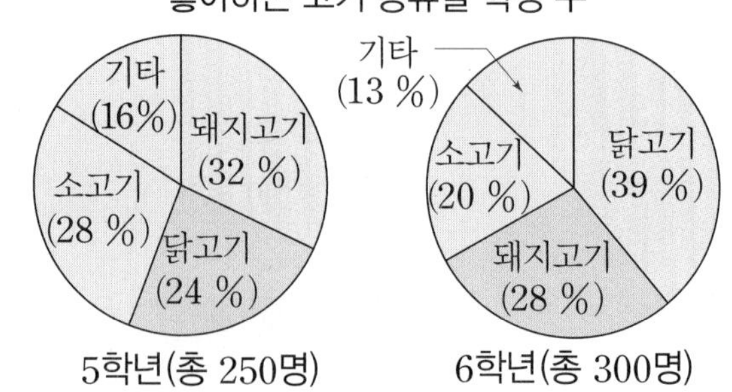

5학년(총 250명)　6학년(총 300명)

대표 문제 따라 풀기

❶

❷

답 ________

띠그래프의 길이 구하기

연계학습 113쪽

대표 문제 4 지아가 용돈의 쓰임새를 조사하여 나타낸 띠그래프입니다./
저금이 차지하는 부분의 길이가 10 cm일 때/ 띠그래프의 전체 길이를 구해 보세요.

용돈의 쓰임새별 금액

학용품 (30 %)	간식 (35 %)	저금	기타 (10 %)

구하려는 것은? 띠그래프의 전체 길이

해결해 볼까?

❶ 저금의 비율은 몇 %?

답 ____________

❷ 전체 용돈의 비율은 저금 비율의 몇 배?

전략 전체 용돈의 비율은 100 %이다.

답 ____________

❸ 띠그래프의 전체 길이는 몇 cm?

전략 저금이 차지하는 부분의 길이에 ❷에서 구한 값을 곱하자.

답 ____________

쌍둥이 문제 4-1

수현이네 학교의 안전사고 발생 장소를 나타낸 띠그래프입니다./
교실이 차지하는 부분의 길이가 12 cm라면/
계단이 차지하는 부분의 길이는 몇 cm인가요?

장소별 안전사고 발생 건수

운동장 (30 %)	계단 (30 %)	교실	통로 (15 %)	기타 (5 %)

대표 문제 따라 풀기

❶

❷

❸

답 ____________

한 항목이 전체가 되는 그래프를 보고 수량 구하기

연계학습 114쪽

대표 문제 5 학생 800명을 대상으로/ 여름 방학 때 가고 싶은 장소와 해수욕장에 가고 싶은 학생 수를 조사하여 나타낸 원그래프입니다./ 해운대 해수욕장에 가고 싶은 학생 수를 구해 보세요.

여름 방학 때 가고 싶은 장소

기타(5 %)
산 (15 %)
해수욕장 (50 %)
워터파크 (30 %)

해수욕장에 가고 싶은 학생 수

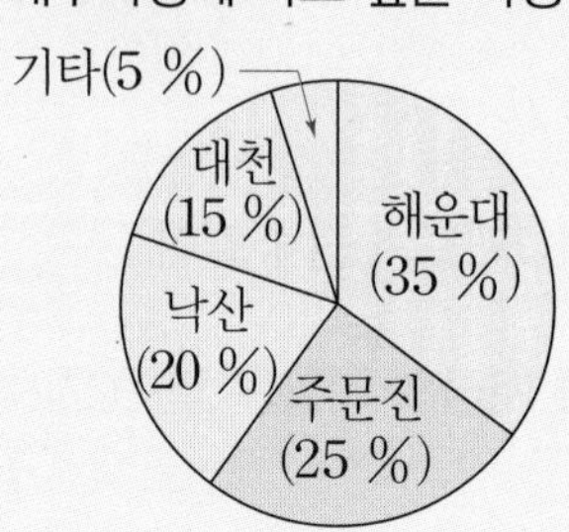

구하려는 것은? ☐ 해수욕장에 가고 싶은 학생 수

주어진 것은?
- 조사한 전체 학생 수: ☐명
- 해수욕장에 가고 싶은 학생의 비율: ☐ %
- 해수욕장에 가고 싶은 학생 중 해운대에 가고 싶은 비율 : ☐ %

해결해 볼까?

❶ 해수욕장에 가고 싶은 학생은 몇 명?

전략 조사한 전체 학생 수에 해수욕장의 비율을 곱하자.

답 ____________

❷ 해운대 해수욕장에 가고 싶은 학생은 몇 명?

전략 ❶에서 구한 학생 수에 해운대의 비율을 곱하자.

답 ____________

쌍둥이 문제 5-1

한 달 동안 헌혈을 한 사람 1000명을 대상으로/ 헌혈한 사람의 성별과/ 헌혈한 남자의 혈액형을 조사하여 나타낸 원그래프와 띠그래프입니다./ 헌혈한 남자 중에서 B형인 사람은 몇 명인가요?

헌혈한 사람의 성별

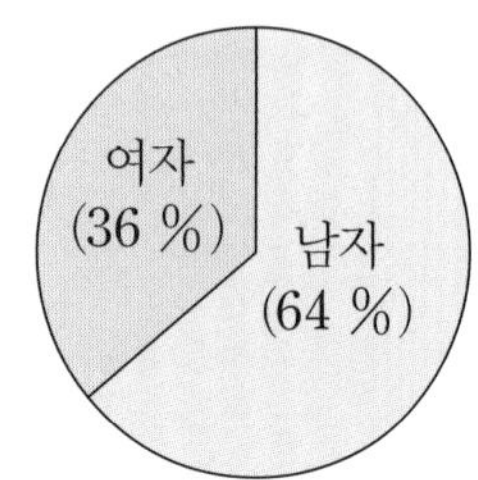

헌혈한 남자의 혈액형별 사람 수

A형 (35 %)	B형 (20 %)	O형 (30 %)	AB형 (15 %)

답 ____________

항목 사이의 관계를 이용하여 비율 구하기

연계학습 115쪽

대표 문제 6 어느 편의점의 음료수별 판매량을 나타낸 띠그래프입니다./
커피 판매량이 탄산음료 판매량의 3배일 때/
커피의 비율은 전체 판매량의 몇 %인지 구해 보세요.

음료수별 판매량

탄산음료	주스 (33 %)	커피	기타 (11 %)

구하려는 것은? ☐ 판매량의 비율

주어진 것은?
- 커피 판매량: 탄산음료 판매량의 ☐배
- 주스의 비율: ☐ %, 기타의 비율: 11 %

해결해 볼까?

❶ 탄산음료와 커피의 비율의 합은 전체 판매량의 몇 %?

전략 음료수 전체 판매량의 비율은 100 %이다.

답 ____________

❷ 탄산음료의 비율을 ☐라 할 때, 커피의 비율을 ☐를 사용한 식으로 쓰면?

식 ____________

❸ 커피의 비율은 전체 판매량의 몇 %?

전략 ❶과 ❷에서 구한 것을 이용하여 식을 세우자.

답 ____________

쌍둥이 문제 6-1

어느 마을의 교육 기관을 나타낸 띠그래프입니다./
유치원 수가 고등학교 수의 5배라면/
유치원의 비율은 전체 교육 기관의 몇 %인가요?

교육 기관별 수

유치원	초등학교 (25 %)	중학교 (20 %)	고등학교	기타 (7 %)

대표 문제 따라 풀기

❶

❷

❸

답 ____________

수학 독해력 완성하기

주어진 부분만큼 차지하는 항목 구하기

독해 문제 1

민서네 반 학생들이 좋아하는 견과류를 나타낸 원그래프입니다./ 전체 학생의 $\frac{1}{5}$이 좋아하는 견과류는 무엇인지 구해 보세요.

좋아하는 견과류별 학생 수

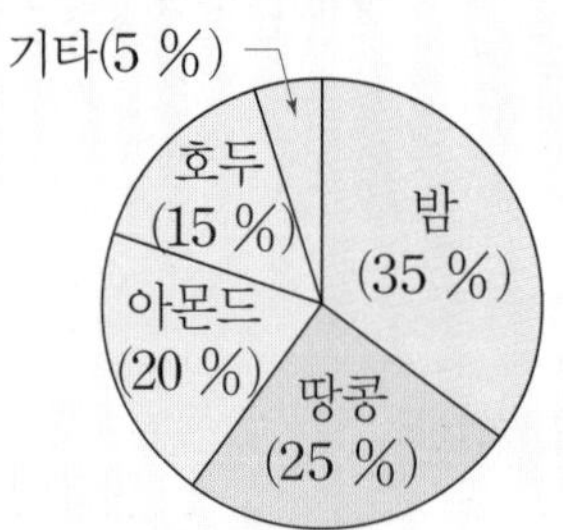

해결해 볼까?

❶ 전체 비율의 $\frac{1}{5}$은 몇 %?

전략 전체의 비율은 100 %이다.

답 ____________

❷ 위 ❶에서 구한 비율만큼 좋아하는 견과류는?

답 ____________

자료를 보고 비율 그래프로 나타내기

독해 문제 2

초록 마을의 재활용품별 배출량을 나타낸 그림그래프입니다./ 띠그래프로 나타내어 보세요.

재활용품별 배출량

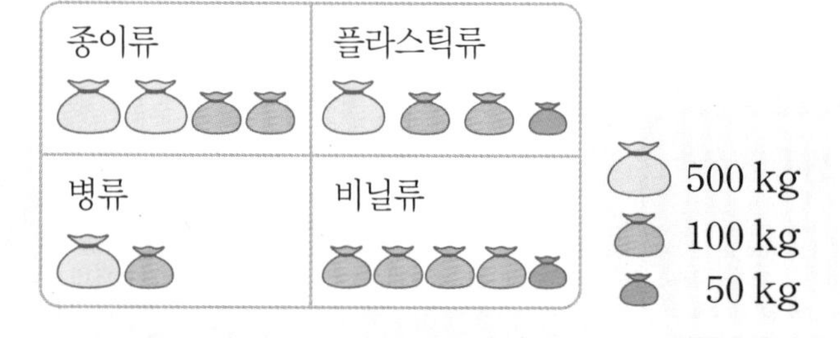

해결해 볼까?

❶ 표를 완성하기

재활용품별 배출량

종류	종이류	플라스틱류	병류	비닐류	합계
배출량(kg)	1200	750			
백분율(%)	40				

❷ 띠그래프로 나타내기

재활용품별 배출량

0 10 20 30 40 50 60 70 80 90 100 (%)

띠그래프의 길이를 이용하여 항목의 수량 구하기

독해 문제 3

세연이네 학교 학생들의 가족 구성원 수를 조사하여/
전체 길이가 20 cm인 띠그래프로 나타내었습니다./
세연이네 학교 학생이 500명일 때/ 가족 구성원이 5명인 학생 수를 구해 보세요.

가족 구성원 수별 학생 수

3명 (35 %)	4명 (40 %)	5명	기타
7 cm	8 cm	3 cm	2 cm

해결해 볼까?

❶ 가족 구성원이 5명인 학생의 비율은 전체의 몇 %?

전략 $\frac{\text{(5명이 차지하는 부분의 길이)}}{\text{(띠그래프의 전체 길이)}}$의 비율을 구하자.

답 ________________

❷ 가족 구성원이 5명인 학생은 몇 명?

답 ________________

비율 그래프에 나타나지 않은 항목의 수량 구하기

독해 문제 4

K-pop 공연의 관객 10000명의 연령을
나타낸 원그래프입니다./
기타 항목의 60 %가 40대 관객일 때/
40대 관객 수를 구해 보세요.

해결해 볼까?

❶ 기타 항목의 비율은 전체 관객의 몇 %?

답 ________________

❷ 40대 관객의 비율은 전체 관객의 몇 %?

전략 ❶에서 구한 비율의 60 %를 구하자.

답 ________________

❸ 40대 관객은 몇 명?

전략 전체 관객 수에 ❷에서 구한 비율을 곱하자.

답 ________________

한 항목의 수량을 알 때 다른 항목의 수량 구하기

연계학습 116쪽

독해 문제 5

은수네 집의 한 달 생활비의 항목별 지출 금액을 나타낸 원그래프입니다./
의류비로 22만 원을 지출할 때/
식품비로 지출하는 금액을 구해 보세요.

생활비의 항목별 지출 금액

구하려는 것은? ☐로 지출하는 금액

주어진 것은?
- 의류비로 지출하는 금액: ☐만 원
- 주거비 비율: 24 %, 교육비 비율: 21 %, 의류비 비율: ☐%, 기타 비율: 12 %

어떻게 풀까?
1. 의류비로 지출하는 금액과 비율을 이용하여 전체 생활비의 1 %의 금액을 구하고,
2. 100 %에서 항목별 비율을 빼어 식품비의 비율을 구한 후,
3. 식품비의 비율은 1 %의 몇 배인지 구하여 식품비로 지출하는 금액을 구하자.

해결해 볼까?

❶ 전체 생활비의 1 %는 얼마?

의류비: 전체 생활비의 11 % ➔ ☐만 원
전체 생활비의 1 % ➔ ☐만 원

❷ 식품비의 비율은 전체 생활비의 몇 %?

답 ____________

❸ 식품비로 지출하는 금액은 얼마?

전략 식품비의 비율은 1 %의 몇 배인지 이용하자.

답 ____________

항목 사이의 관계를 이용하여 비율 구하기

연계학습 121쪽

독해 문제 6

지난 일요일에 문화 활동을 한 사람 300명을 대상으로 조사하여 나타낸 띠그래프입니다./
영화 관람의 비율이 음악회 관람 비율의 2배일 때/
음악회를 관람한 사람 수를 구해 보세요.

문화 활동별 사람 수

영화 관람	연극 관람 (22 %)	음악회 관람	기타 (6 %)

구하려는 것은? ☐를 관람한 사람 수

주어진 것은?
- 조사한 사람 수: ☐명
- 영화 관람의 비율: 음악회 관람 비율의 ☐배
- 연극 관람의 비율: 22 %, 기타의 비율: 6 %

어떻게 풀까?
1. 영화 관람과 음악회 관람의 비율의 합을 구한 후,
2. 영화 관람과 음악회 관람의 비율 사이의 관계를 이용하여 식을 세운 후,
3. 음악회 관람의 비율을 구하여 음악회를 관람한 사람 수를 구하자.

해결해 볼까?

❶ 영화 관람과 음악회 관람의 비율의 합은 전체의 몇 %?

답 ______

❷ 음악회 관람의 비율은 전체의 몇 %?

답 ______

❸ 음악회를 관람한 사람은 몇 명?

전략 조사한 사람 수에 ❷에서 구한 비율을 곱하자.

답 ______

창의·융합·코딩 체험하기

융합 1 다음은 어느 회사의 커피 기계의 판매량을 나타낸 그림그래프입니다./
이 회사에서는 커피 기계 판매량을 늘리기 위해 4개의 지역을 방문하려고 합니다./
방문 지역은 다음의 [규칙]에 따라 정하려고 할 때/
방문하는 순서에 따라 지역을 선으로 이어 보세요.

[규칙]
❶ 판매량이 가장 많은 지역을 첫 번째로 방문합니다.
❷ 다음 방문 순서는 인근 지역(경계가 서로 맞닿아 있는 지역) 중에서 판매량이 가장 많은 곳으로 정합니다.
❸ 한 번 간 지역은 다시 가지 않습니다.
❹ 최대 4개의 지역만 방문합니다.

커피 기계의 판매량

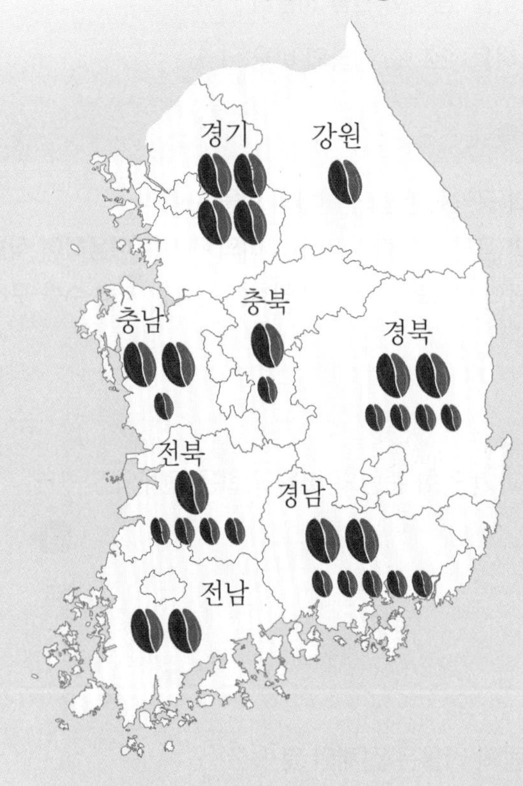

[융합 ②~③] 삶은 달걀, 떡볶이, 햄버거의 식품 성분을 나타낸 원그래프입니다. 물음에 답하세요.

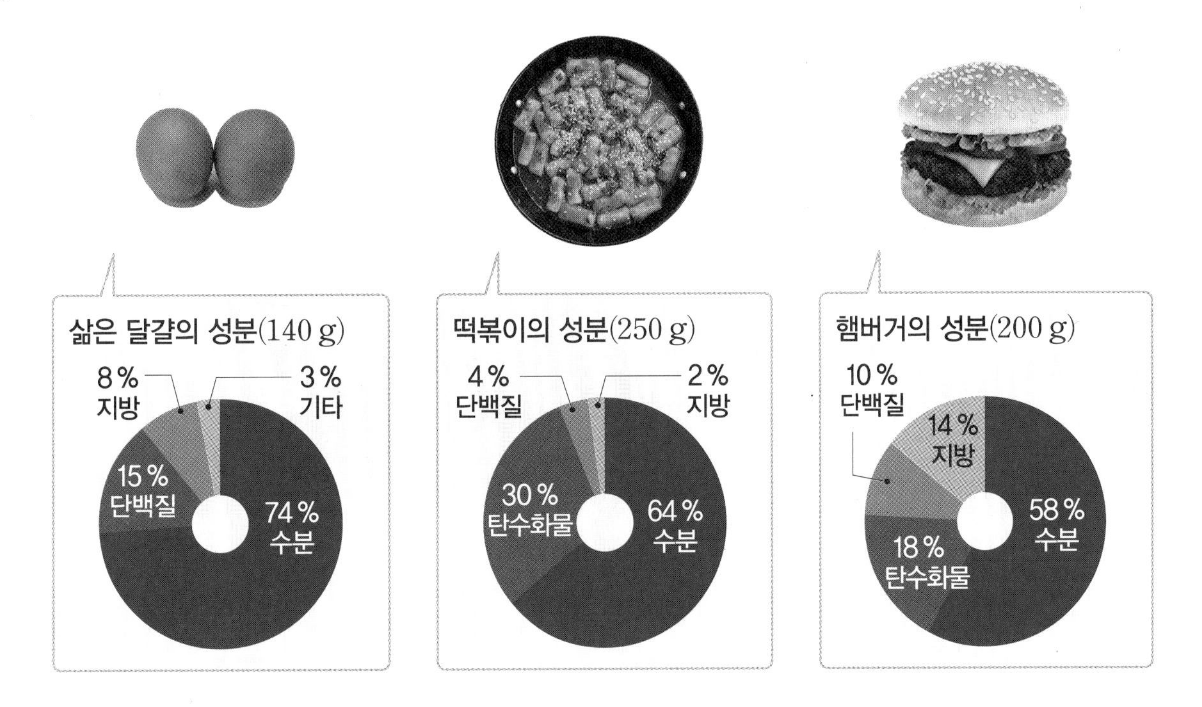

융합 2 지성이는 점심 식사로 삶은 달걀 140 g과/ 떡볶이 250 g을 먹었습니다./
지성이가 섭취한 단백질은 모두 몇 g인가요?

융합 3 도윤이는 한 끼에 섭취하는 지방이 30 g을 넘지 않도록 음식을 먹으려고 합니다./
도윤이가 점심 식사로 햄버거 200 g을 먹어도 되나요?

창의·융합·코딩 체험하기

로봇이 다음 명령에 따라 움직이면서 지나간 칸의 장난감을 얻는다고 합니다. 로봇이 얻게 되는 종류별 장난감 수를 띠그래프로 나타내어 보세요.

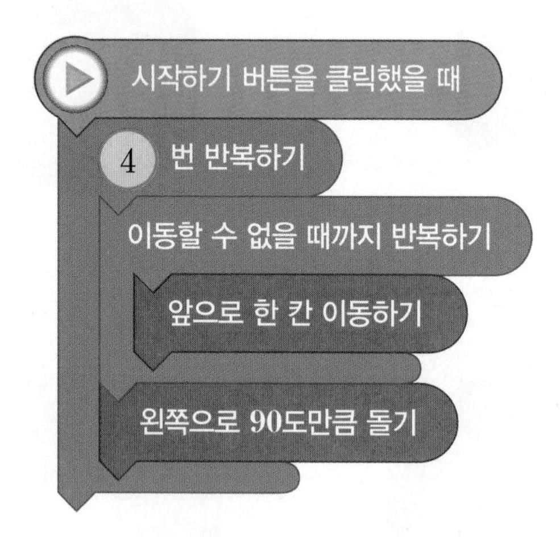

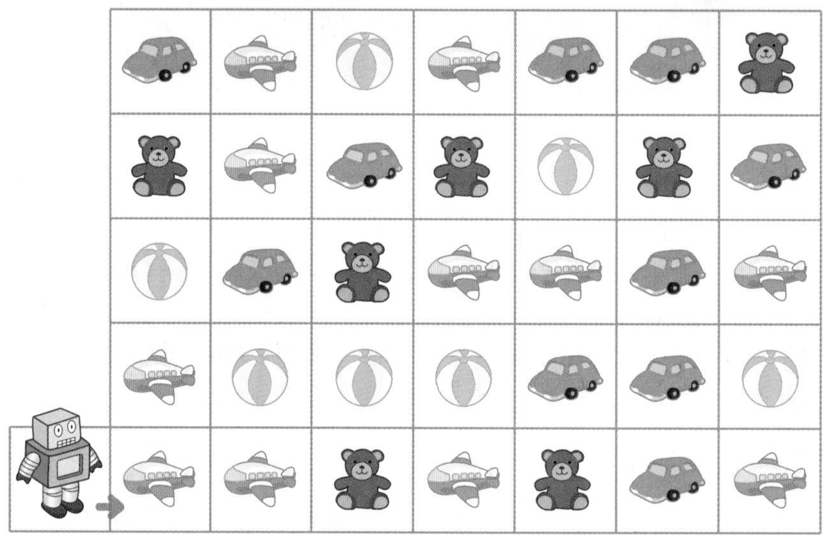

(1) 로봇이 얻게 되는 종류별 장난감 수를 알아보고 표를 완성해 보세요.

얻게 되는 종류별 장난감 수

종류	비행기	곰인형	자동차	공	합계
장난감 수(개)	8	4			
백분율(%)	40				100

(2) 띠그래프로 나타내어 보세요.

얻게 되는 종류별 장난감 수

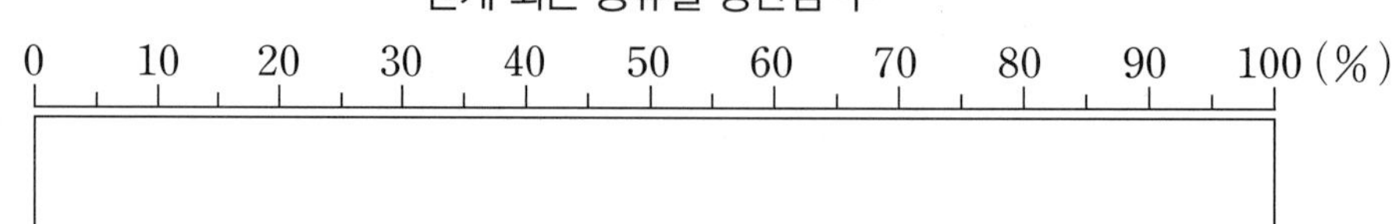

연도별 국산 자동차와 수입 자동차의 등록 대수를 조사하여 나타낸 띠그래프입니다./
띠그래프를 보고 알 수 있는 내용을 1가지 써 보세요.

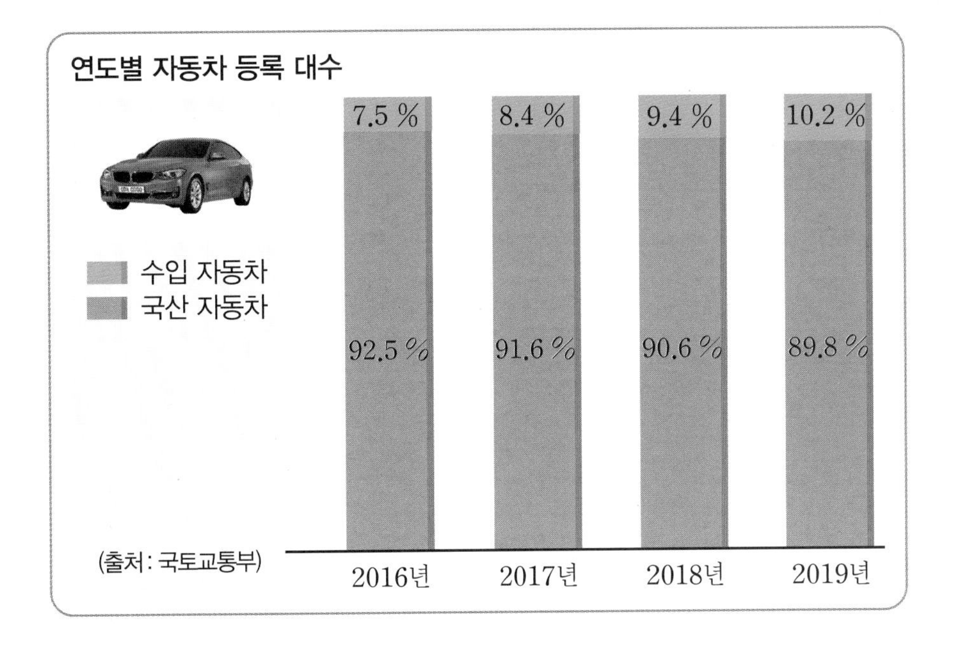

 ________________________________

세은이와 친구들이 모은 게임 포인트를 나타낸 그림그래프입니다./
아이템을 한 개 사려면 400포인트가 필요할 때/
아이템을 가장 많이 살 수 있는 사람은/ 아이템을 몇 개까지 살 수 있나요?

친구들이 모은 게임 포인트

이름	모은 게임 포인트
세은	
현수	
태오	
우민	

500포인트

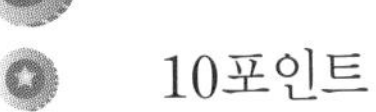
100포인트
10포인트

 ________________

실전 마무리 하기

맞힌 문제 수
개 /10개

항목의 수량 구하기

1 땅콩의 식품 성분을 나타낸 원그래프입니다. 땅콩 500 g에 들어 있는 단백질은 몇 g인가요?

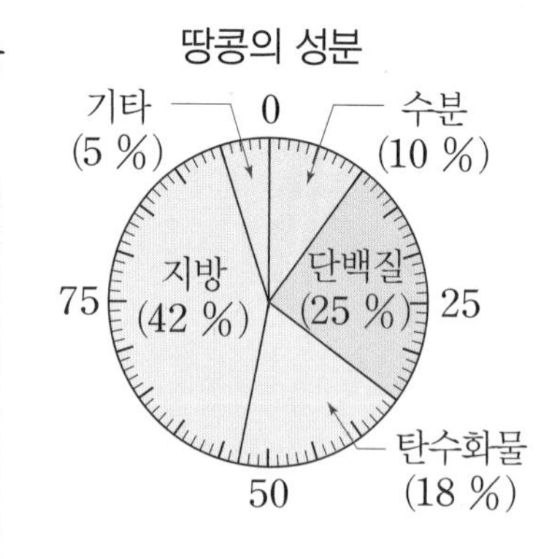

답

주어진 부분만큼 차지하는 항목 구하기 122쪽

2 현민이네 반 학생들이 배우고 싶은 운동을 나타낸 띠그래프입니다. 전체 학생의 $\frac{1}{4}$이 배우고 싶은 운동은 무엇인가요?

배우고 싶은 운동별 학생 수

수영 (30 %)	태권도 (25 %)	발레 (20 %)	검도 (15 %)	기타 (10 %)

풀이

답

한 항목의 수량을 알 때 다른 항목의 수량 구하기 116쪽

3 지수네 학교 6학년 학생들이 태어난 계절을 나타낸 원그래프입니다. 여름에 태어난 학생이 26명일 때 겨울에 태어난 학생은 몇 명인가요?

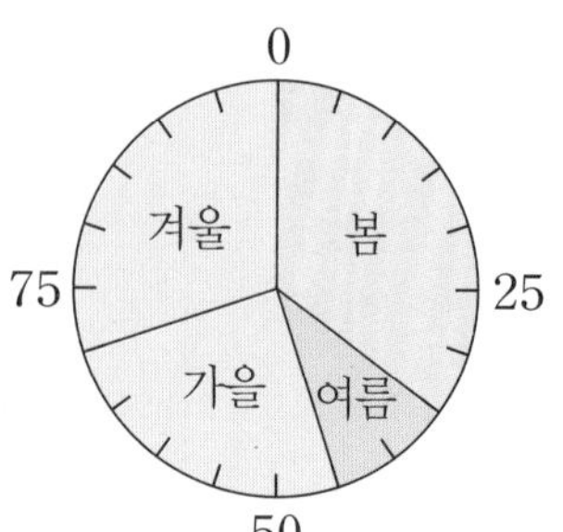

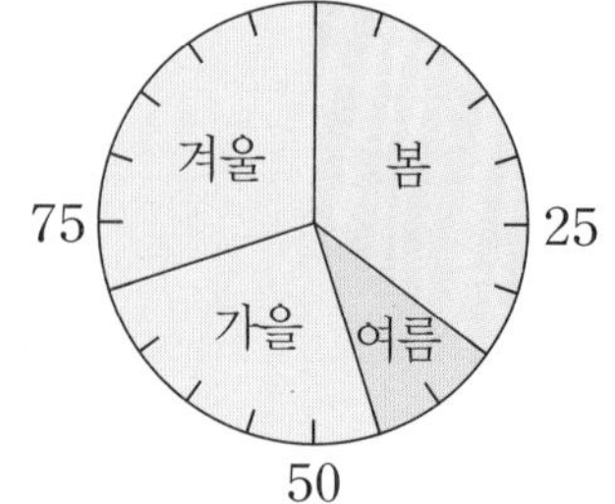

풀이

답

자료를 보고 비율 그래프로 나타내기 122쪽

4 준수가 엄마와 함께 영수증을 보면서 이야기를 한 것입니다. 준수가 산 간식별 금액을 원그래프로 나타내어 보세요.

> 준수: 오늘 동생과 먹을 간식으로 과자, 소시지, 초콜릿, 우유를 샀어요.
> 엄마: 과자는 1200원이고, 소시지는 600원이네.
> 준수: 초콜릿은 1000원이고, 우유는 과자의 값과 같아요.

풀이

답

한 항목의 수량을 알 때 전체 수량 구하기 117쪽

5 윤성이네 반 학생들이 하루에 손을 씻는 횟수를 나타낸 띠그래프입니다. 손을 씻는 횟수가 6회 이상인 사람이 20명이라면 윤성이네 반 학생은 모두 몇 명인가요?

손을 씻는 횟수별 학생 수

2회 이하 (10 %)	3회 이상 5회 이하 (40 %)	6회 이상 8회 이하 (35 %)	9회 이상 (15 %)

답 ______________

실전 마무리 하기

띠그래프의 길이 구하기 113쪽

6 우리나라에 입국한 대륙별 외국인 수를 나타낸 원그래프입니다. 이것을 전체 길이가 40 cm인 띠그래프로 나타낼 때, 아시아가 차지하는 부분의 길이는 몇 cm인지 소수로 나타내어 보세요.

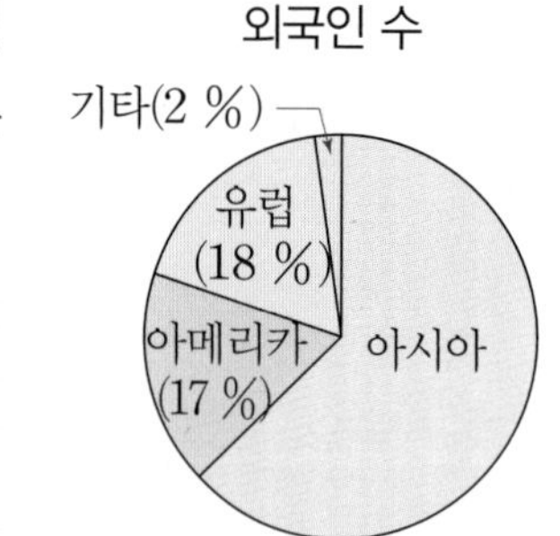

풀이

답 ______________

항목의 수량 비교하기 118쪽

7 어느 과수원의 2015년과 2020년의 과일 생산량을 나타낸 띠그래프입니다. 포도 생산량이 더 많은 해는 몇 년도인가요?

과일별 생산량

2015년 (총 1500 kg)	사과 (30 %)	배 (30 %)	포도 (25 %)	복숭아 (15 %)
2020년 (총 1800 kg)	사과 (42 %)	포도 (20 %)	복숭아 (20 %)	배 (18 %)

풀이

답 ______________

띠그래프의 길이를 이용하여 항목의 수량 구하기 123쪽

8 준하네 학교 학생들이 좋아하는 급식 메뉴를 전체 길이가 25 cm인 띠그래프로 나타내었습니다. 준하네 학교 학생이 400명이라면 떡볶이를 좋아하는 학생은 몇 명인가요?

좋아하는 급식 메뉴별 학생 수

튀김	떡볶이	피자	카레	기타
8 cm	6 cm	5 cm	4 cm	2 cm

풀이

답 ______________

한 항목이 전체가 되는 그래프를 보고 수량 구하기 120쪽

9 600명을 대상으로 애완동물에 대한 설문 조사를 하여 나타낸 원그래프입니다. 고양이를 키우는 사람은 몇 명인가요?

애완동물을 키우는지 여부

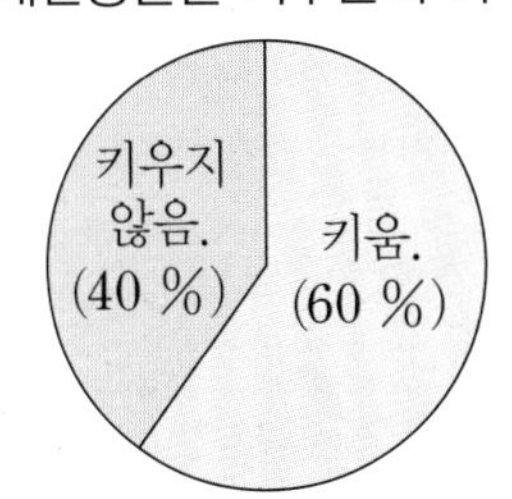

키우는 애완동물별 사람 수

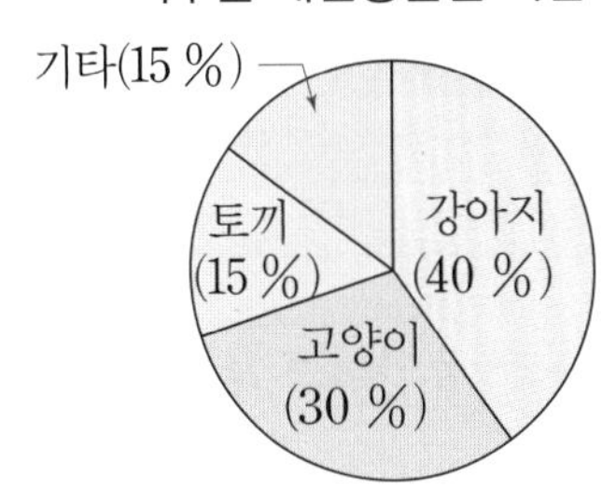

풀이

답

항목 사이의 관계를 이용하여 비율 구하기 121쪽

10 학생 2400명을 대상으로 좋아하는 영화 종류를 조사하여 나타낸 띠그래프입니다. 좋아하는 학생 수가 액션이 공포의 2배라면 액션의 비율은 전체의 몇 %인가요?

좋아하는 영화 종류별 학생 수

액션	드라마 (22 %)	코미디 (15 %)	공포	기타 (24 %)

풀이

답

6 직육면체의 부피와 겉넓이

FUN한 기억 노트

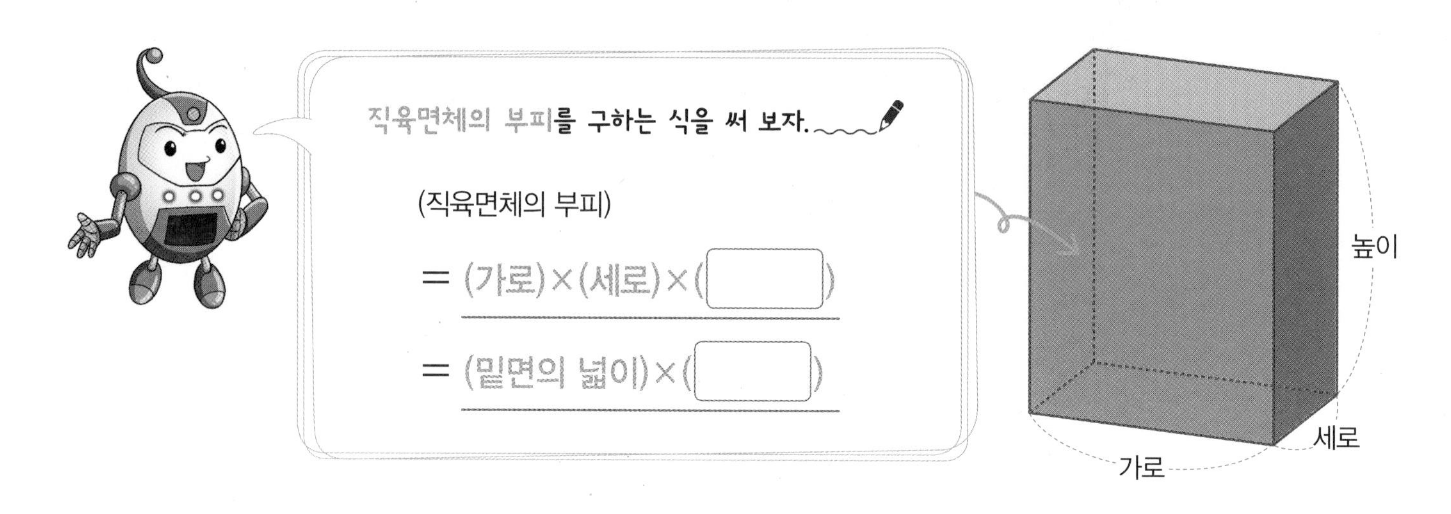

직육면체의 부피를 구하는 식을 써 보자.

(직육면체의 부피)

= (가로)×(세로)×( )

= (밑면의 넓이)×( )

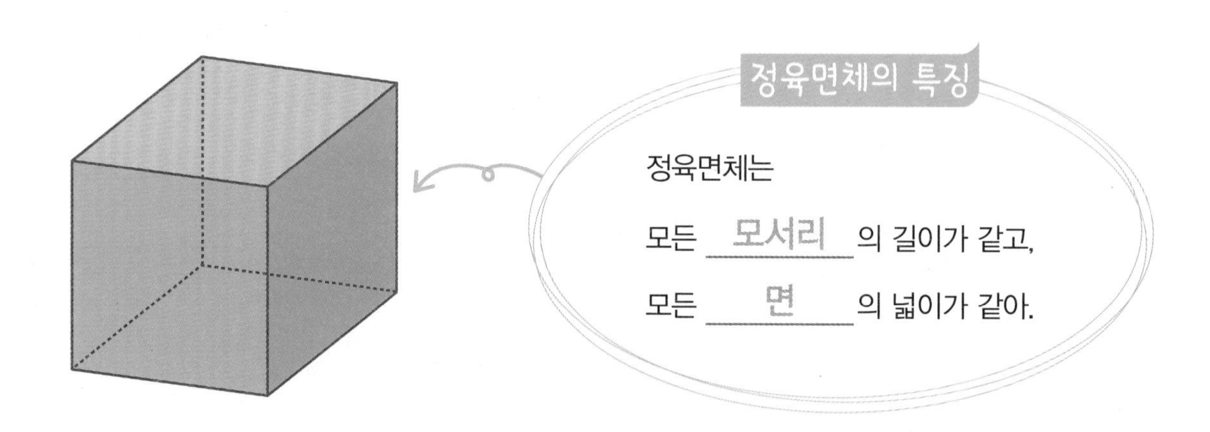

정육면체의 특징

정육면체는

모든 모서리 의 길이가 같고,

모든 면 의 넓이가 같아.

정육면체의 부피를 구하는 식을 써 보자.

(정육면체의 부피)

= (한 모서리의 길이)×(한 모서리의 길이)×(한 [ ]의 길이)

매쓰 FUN 쓸 줄 알아야 진짜 실력!

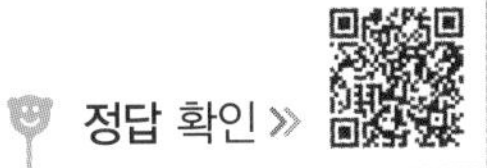

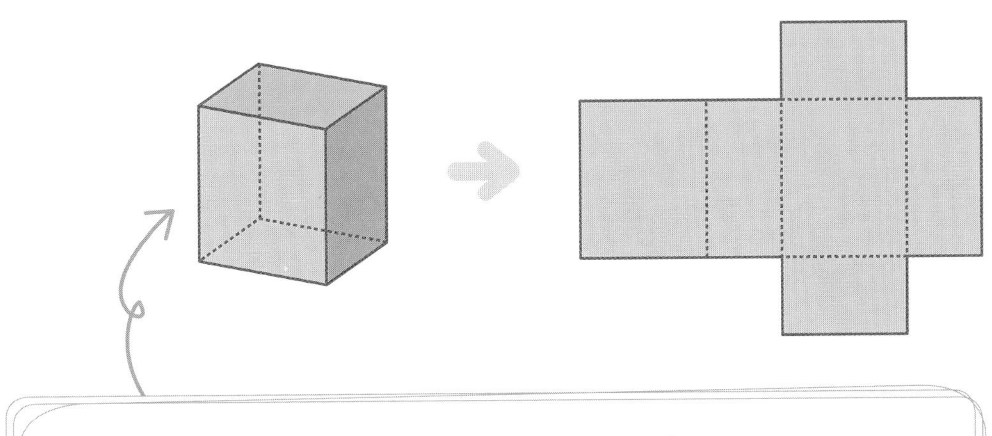

직육면체의 겉넓이를 구하는 식을 써 보자.

(직육면체의 겉넓이)

= (여섯 면의 넓이의 합)

= (한 ☐에서 만나는 세 면의 넓이의 합)×2

= (한 ☐의 넓이)×2+(☐의 넓이)

정육면체의 겉넓이를 구하는 식을 써 보자.

(정육면체의 겉넓이)

= (한 면의 넓이)×☐

= (한 모서리의 길이)×(한 모서리의 길이)×☐

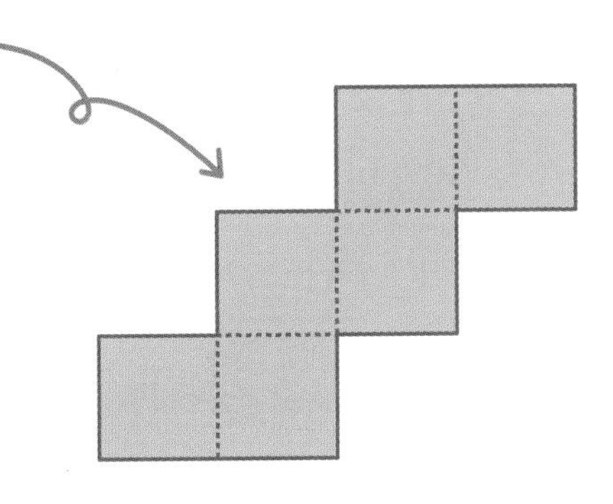

문제 해결력 기르기

① 모서리의 길이를 구하여 정육면체의 부피(겉넓이) 구하기

선행 문제 해결 전략

• 정육면체의 부피, 겉넓이 구하기

모서리 수: 12개
모서리의 길이가 모두 같다.

면의 수: 6개
면의 넓이가 모두 같다.

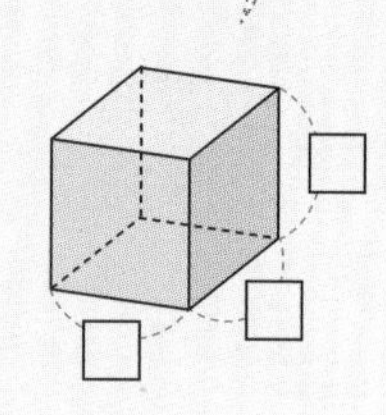

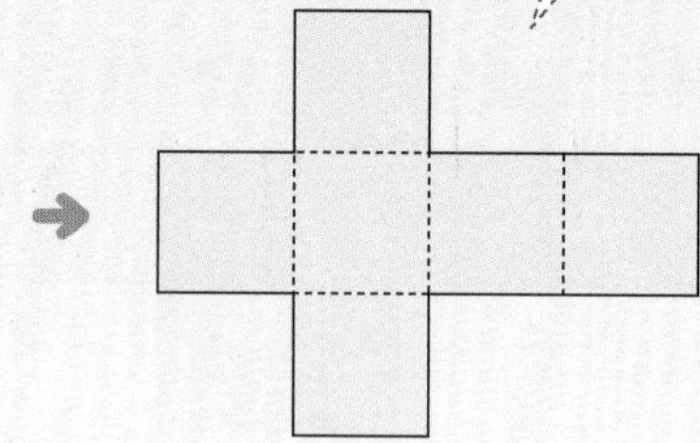

(정육면체의 부피)=□×□×□
→한 모서리의 길이

(정육면체의 겉넓이)=(한 면의 넓이)×6
=□×□×6
→한 모서리의 길이

선행 문제 1

한 모서리의 길이가 5 cm인 정육면체의 부피와 겉넓이를 각각 구해 보세요.

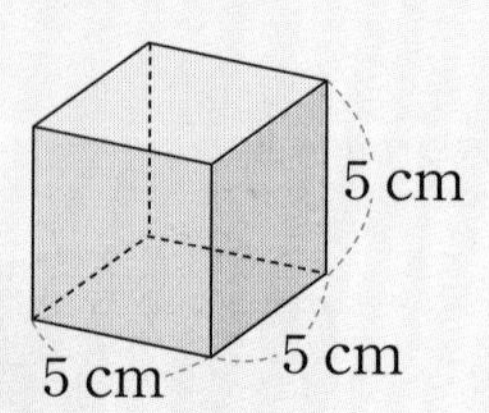

풀이 (정육면체의 부피)
$=5\times\square\times\square=\square$ (cm^3)

(정육면체의 겉넓이)
$=5\times5\times\square=\square$ (cm^2)

실행 문제 1

모든 모서리의 길이의 합이 84 cm인/
정육면체의 겉넓이는 몇 cm^2인가요?

전략 (모든 모서리의 길이의 합)÷(모서리의 수)

❶ (정육면체의 한 모서리의 길이)
$=84\div\square=\square$ (cm)

전략 (한 모서리의 길이)×(한 모서리의 길이)×6

❷ (정육면체의 겉넓이)
$=\square\times\square\times6=\square$ (cm^2)

답 ____________

쌍둥이 문제 1-1

모든 모서리의 길이의 합이 48 cm인/
정육면체의 겉넓이는 몇 cm^2인가요?

실행 문제 따라 풀기

❶

❷

답 ____________

위, 앞, 옆에서 본 모양을 보고 직육면체의 부피(겉넓이) 구하기

선행 문제 해결 전략

• 위, 앞, 옆에서 본 모양을 보고 직육면체 그리기

방법 **공통인 변끼리 맞닿게 겨냥도를 그린다.**

예

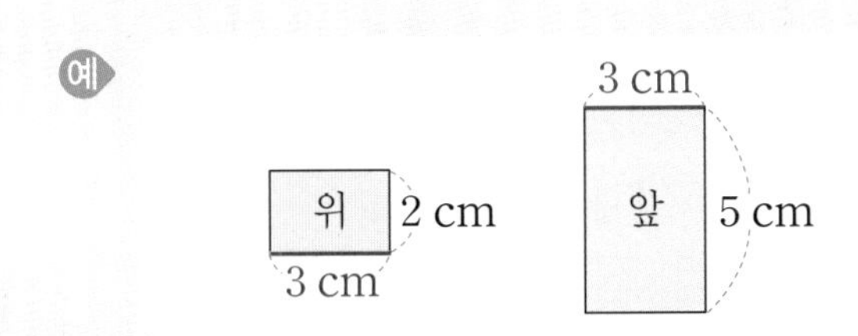

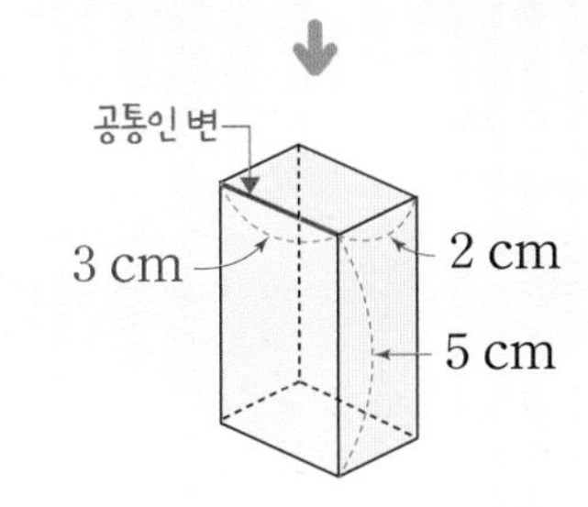

위, 앞, 옆 중에서
두 방향에서 본 모양만 알아도 겨냥도를 그릴 수 있어~

선행 문제 2

앞, 옆에서 본 모양이 다음과 같은 직육면체의 겨냥도입니다. □ 안에 알맞은 수를 써넣으세요.

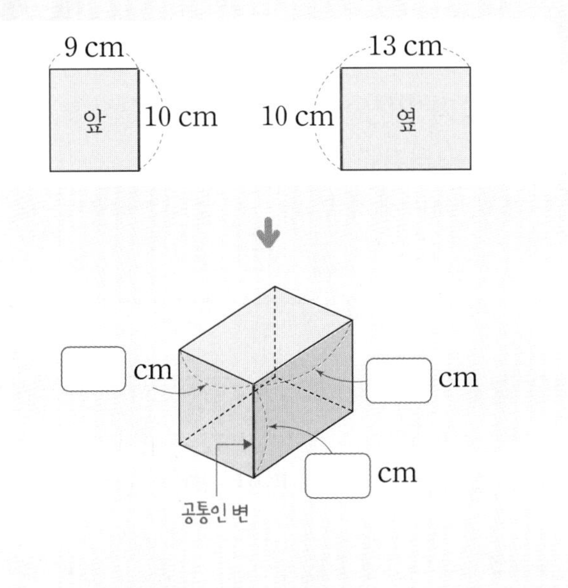

실행 문제 2

직육면체를 앞, 옆에서 본 모양이 다음과 같을 때/ 이 직육면체의 부피는 몇 cm^3인가요?

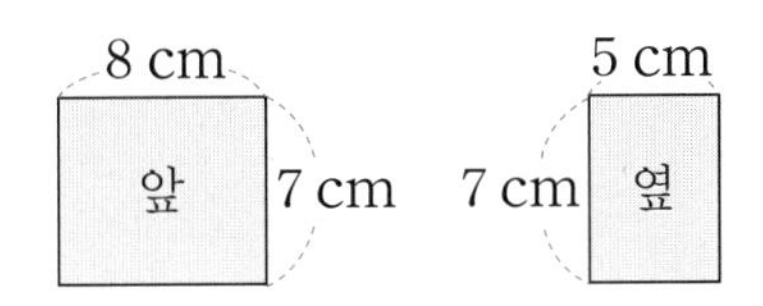

전략 공통인 변을 찾아 겨냥도에서 가로, 세로, 높이를 각각 구하자.

❶

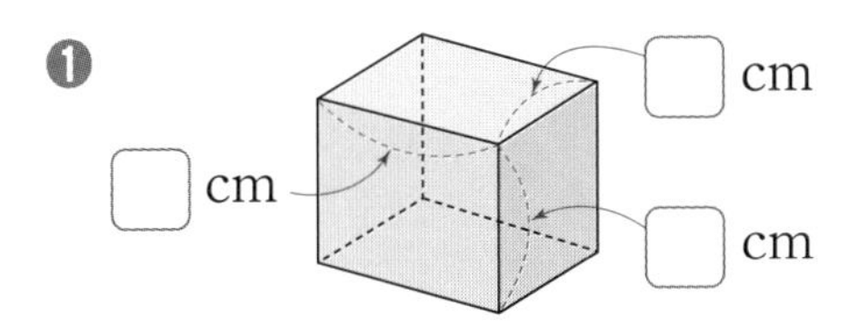

전략 (가로)×(세로)×(높이)

❷ (직육면체의 부피)

=□×□×□=□ (cm^3)

쌍둥이 문제 2-1

직육면체를 위, 옆에서 본 모양이 다음과 같을 때/ 이 직육면체의 부피는 몇 cm^3인가요?

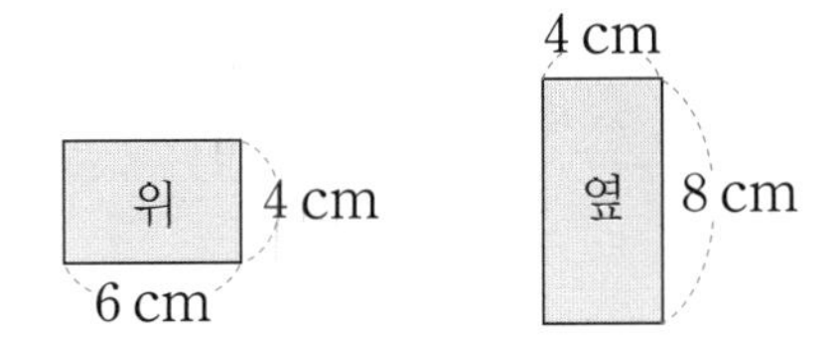

실행 문제 따라 풀기

❶

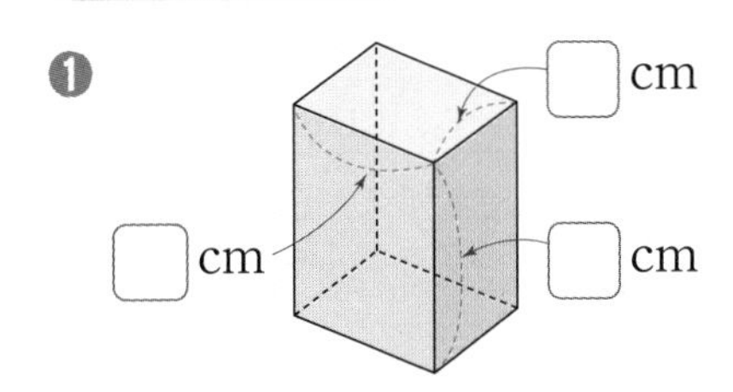

❷

{ 문제 해결력 기르기 }

③ 부피(겉넓이)를 알 때 정육면체의 한 모서리의 길이 구하기

선행 문제 해결 전략

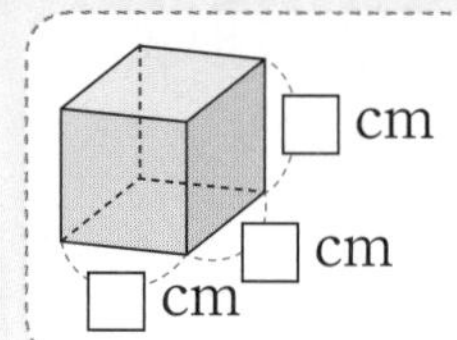

정육면체는 모든 모서리의 길이가 같아.

예 **부피가 27 cm^3**인 정육면체의 한 모서리의 길이 구하기

(정육면체의 부피)

$=\square\times\square\times\square=27\ (cm^3)$

➔ $3\times3\times3=27$이므로 $\square=3$

예 **겉넓이가 24 cm^2**인 정육면체의 한 모서리의 길이 구하기

정육면체는 **여섯 면의 넓이가 같으므로**

(한 면의 넓이)$=24\div6=4\ (cm^2)$

➔ $\square\times\square=4$이므로 $\square=2$

선행 문제 3

정육면체에서 □ 안에 알맞은 수를 구해 보세요.

(1)

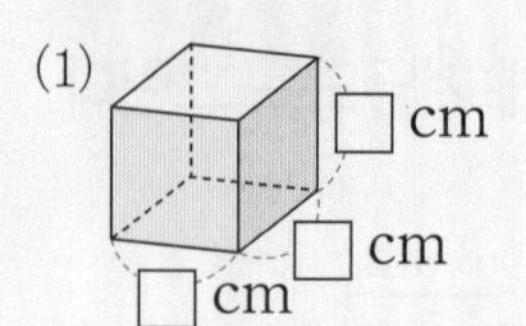

부피: 8 cm^3

풀이 (정육면체의 부피)

$=\square\times\square\times\square=8\ (cm^3)$

➔ $\square=$ □

(2)

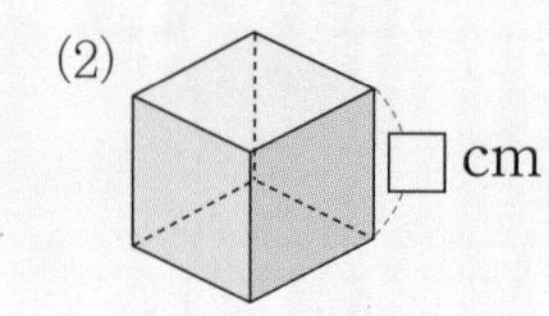

겉넓이: 54 cm^2

풀이 (정육면체의 한 면의 넓이)

$=54\div$ □ $=$ □ (cm^2)

➔ $\square\times\square=$ □, $\square=$ □

실행 문제 3

직육면체 가와 정육면체 나는 부피가 같습니다./ 정육면체 나의 한 모서리의 길이는 몇 cm인가요?

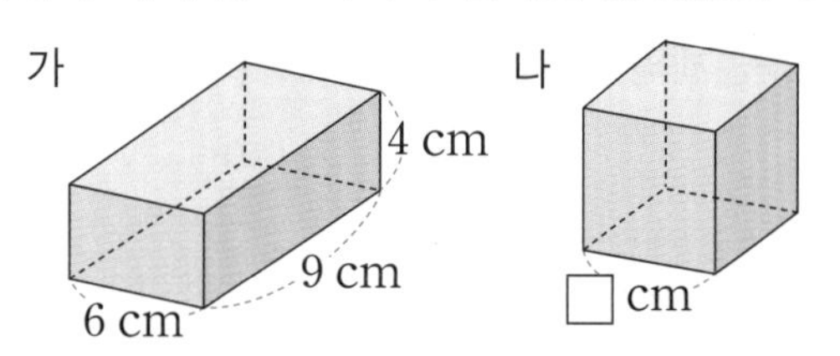

전략 (직육면체의 부피)=(가로)×(세로)×(높이)

❶ (가의 부피)

$=6\times$ □ $\times$ □ $=$ □ (cm^3)

전략 (가의 부피)=(나의 부피)

❷ (나의 부피)

$=\square\times\square\times\square=$ □ (cm^3)

전략 3번 곱해서 ❷에서 구한 값이 되는 수를 찾자.

❸ (나의 한 모서리의 길이)= □ cm

답 ____________

쌍둥이 문제 3-1

직육면체 가와 정육면체 나는 부피가 같습니다./ 정육면체 나의 한 모서리의 길이는 몇 cm인가요?

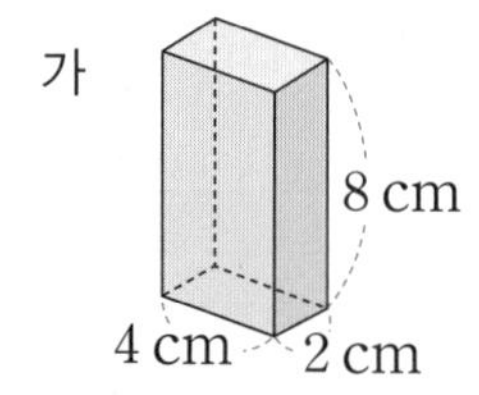

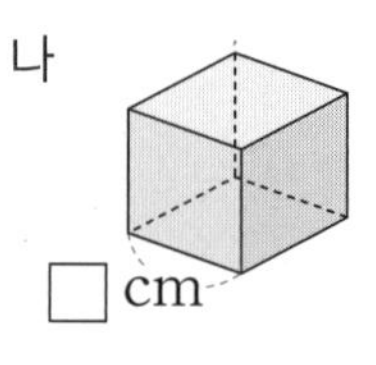

실행 문제 따라 풀기

❶

❷

❸

답 ____________

수조에 넣은 물건의 부피 구하기

선행 문제 해결 전략

예 수조에 넣은 돌의 부피 구하기

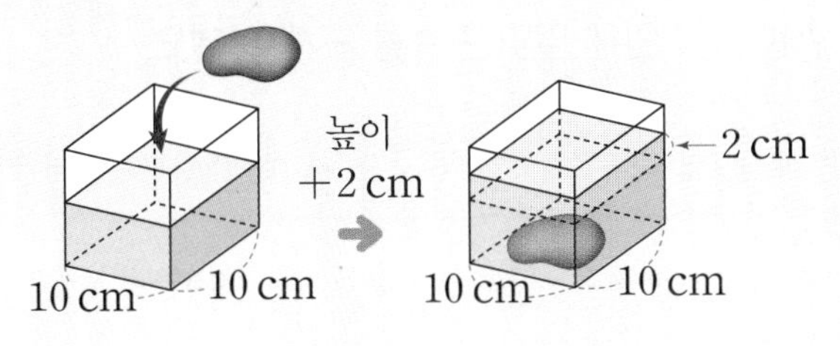

(돌의 부피)=(늘어난 물의 부피)

(돌의 부피)

=(늘어난 물의 부피)

$=10\times10\times2=200\ (\text{cm}^3)$

수조의 밑면의 넓이 / 늘어난 물의 높이

선행 문제 4

직육면체 모양의 수조에 돌을 넣었더니 물의 높이가 3 cm만큼 높아졌습니다. 이 돌의 부피는 몇 cm^3인가요?

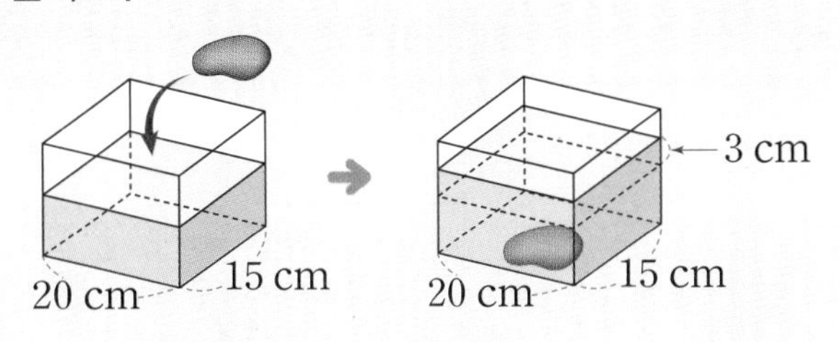

풀이 (돌의 부피)

=(늘어난 물의 부피)

$=\square\times\square\times3$

$=\square\ (\text{cm}^3)$

실행 문제 4

물이 담긴 직육면체 모양의 수조에 돌을 넣었더니/ 3 cm였던 물의 높이가 6 cm가 되었습니다./ 돌의 부피는 몇 cm^3인가요?

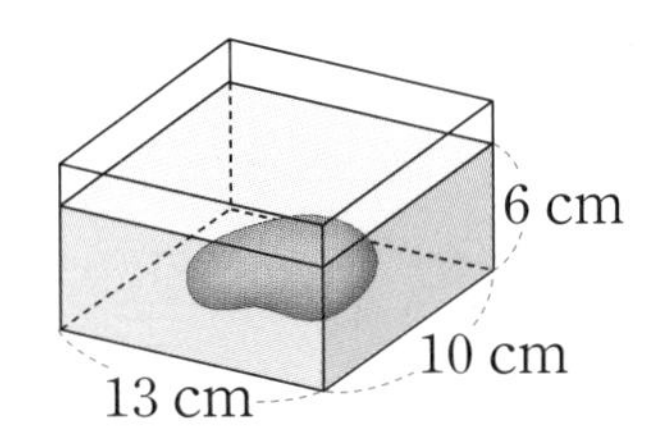

전략 (돌을 넣은 후 물의 높이)−(처음 물의 높이)

❶ (늘어난 물의 높이)

$=\square-3=\square\ (\text{cm})$

전략 (돌의 부피)=(늘어난 물의 부피)

❷ (돌의 부피)

$=13\times10\times\square=\square\ (\text{cm}^3)$

답

쌍둥이 문제 4-1

물이 담긴 직육면체 모양의 수조에 벽돌을 넣었더니/ 6 cm였던 물의 높이가 8 cm가 되었습니다./ 벽돌의 부피는 몇 cm^3인가요?

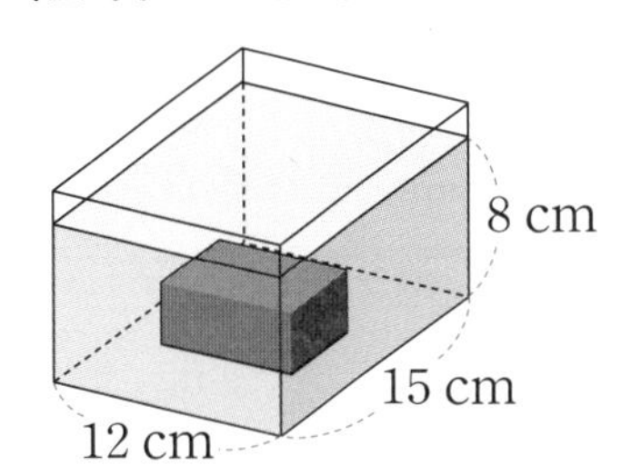

실행 문제 따라 풀기

❶

❷

답

문제 해결력 기르기

5 겉넓이가 주어진 직육면체의 높이 구하기

선행 문제 해결 전략

• 옆면의 넓이가 주어진 직육면체의 높이 구하기

예

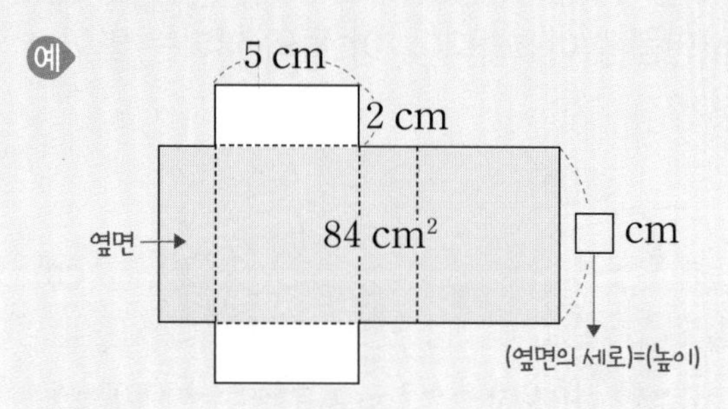

(옆면의 가로)=2+5+2+5=**14** (cm)

(옆면의 세로)=(**직육면체의 높이**)=□ cm

(옆면의 넓이)=**84** cm²

➔ **14**×□=**84**, □=**6**이므로

(직육면체의 높이)=6 cm

선행 문제 5

옆면의 넓이가 240 cm²인 직육면체의 전개도입니다. □ 안에 알맞은 수를 구해 보세요.

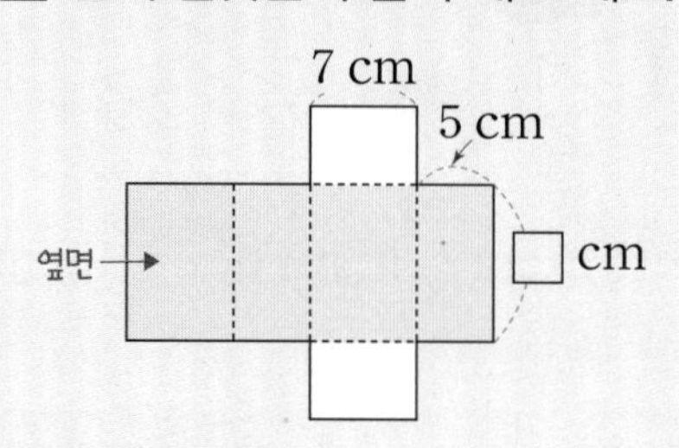

풀이 (옆면의 가로)

=7+5+□+□=□ (cm)

(옆면의 넓이)=240 cm²이므로

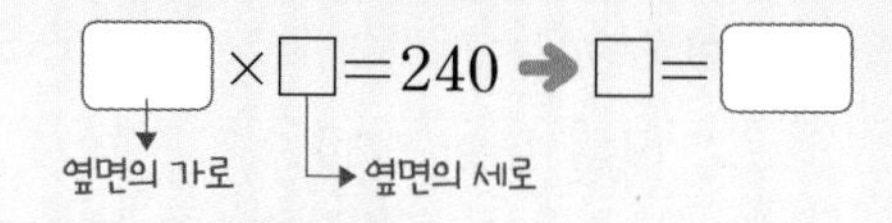

실행 문제 5

겉넓이가 550 cm²인 직육면체의 전개도입니다./ □ 안에 알맞은 수를 구해 보세요.

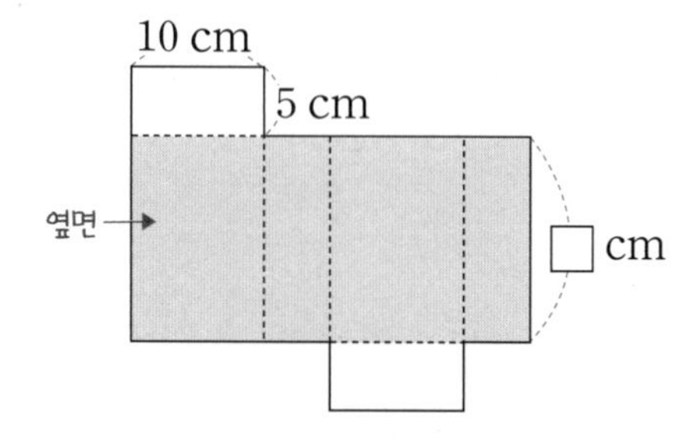

❶ (옆면의 가로)

=10+5+□+□=□ (cm)

전략 (겉넓이)−(한 밑면의 넓이)×2

❷ (옆면의 넓이)

=550−(□×□)×2=□ (cm²)

❸ □×□=□ ➔ □=□

옆면의 가로 / 옆면의 세로 / 옆면의 넓이

쌍둥이 문제 5-1

겉넓이가 348 cm²인 직육면체의 전개도입니다./ □ 안에 알맞은 수를 구해 보세요.

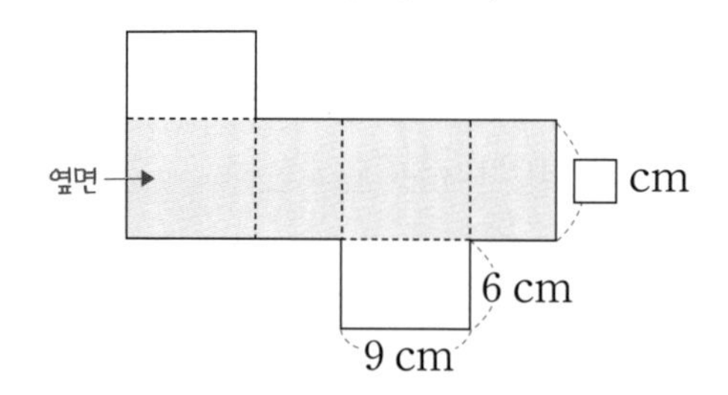

실행 문제 따라 풀기

❶

❷

❸

답

여러 가지 입체도형의 부피 구하기

선행 문제 해결 전략

• 복잡한 입체도형의 부피 구하기

복잡한 입체도형의 부피는
입체도형을 어떻게 나누는지에 따라 여러 가지 방법으로 구할 수 있어.

방법1 **여러 개의 직육면체로 나누어 각각의 부피의 합을 구하자.**

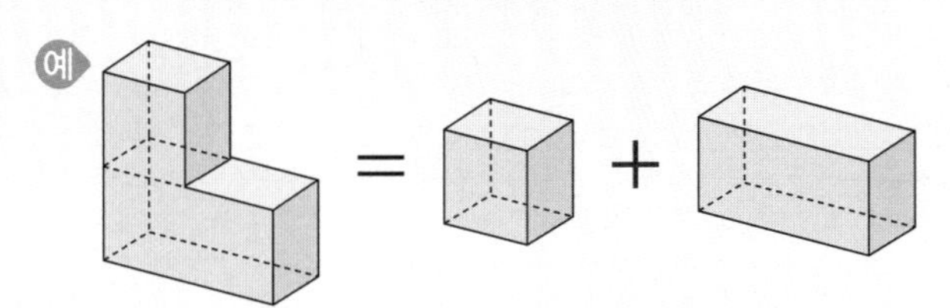

방법2 **큰 직육면체의 부피에서 작은 직육면체의 부피를 빼서 구하자.**

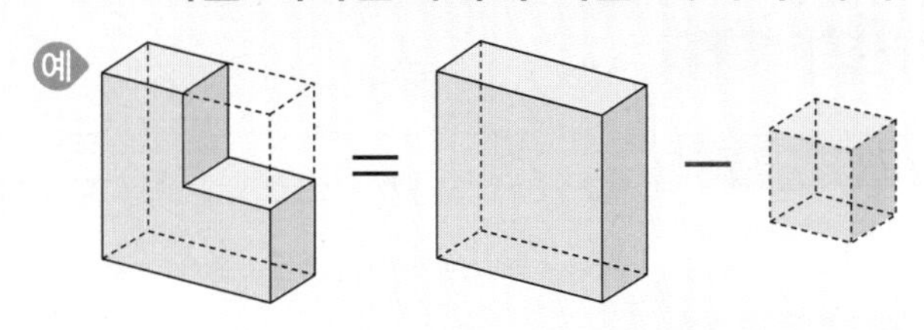

실행 문제 6

오른쪽 입체도형의 부피는 몇 cm^3인가요?

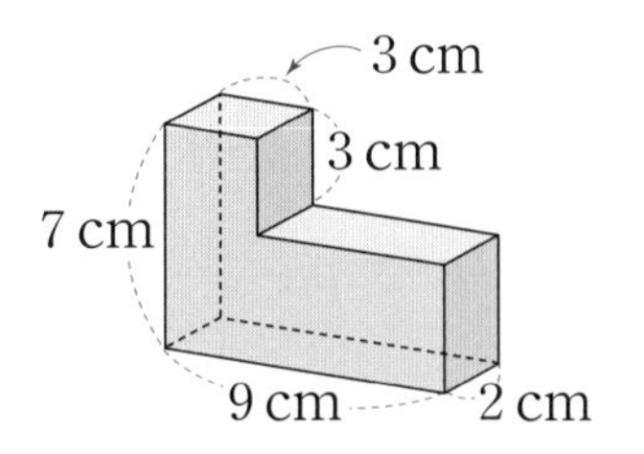

전략 나눈 두 개의 직육면체의 부피를 구하는 데 필요한 모서리의 길이를 구하자.

❶

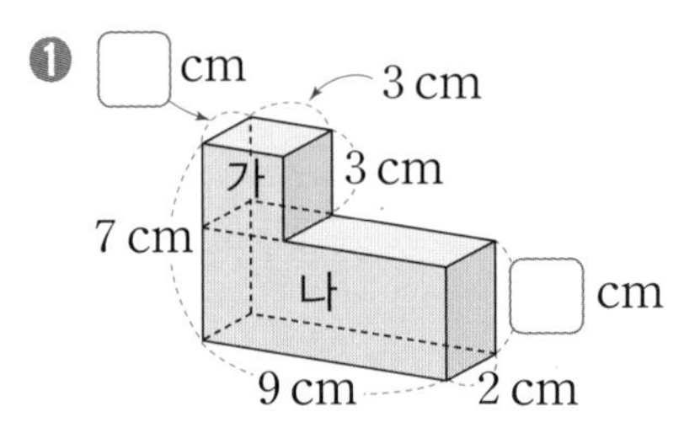

❷ (가의 부피)

$=3\times\square\times3=\square\ (cm^3)$

(나의 부피)

$=9\times2\times\square=\square\ (cm^3)$

전략 (가의 부피)+(나의 부피)

❸ (입체도형의 부피)

$=\square+\square=\square\ (cm^3)$

답 ____________

다르게 풀기

전략 작은 직육면체의 부피를 구하는 데 필요한 모서리의 길이를 구하자.

❶

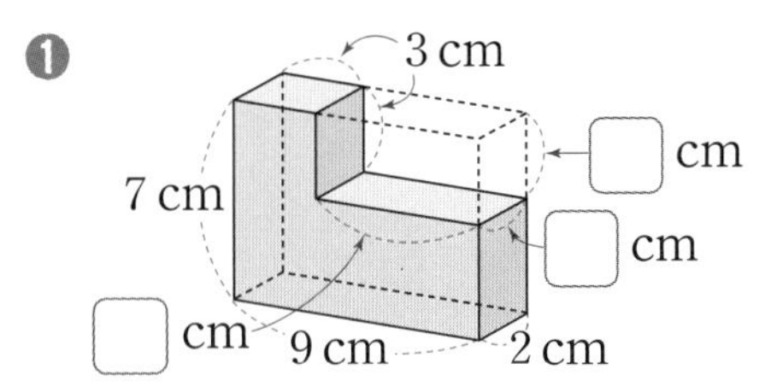

❷ (큰 직육면체의 부피)

$=9\times2\times7=\square\ (cm^3)$

(작은 직육면체의 부피)

$=\square\times\square\times3=\square\ (cm^3)$

전략 (큰 직육면체의 부피)−(작은 직육면체의 부피)

❸ (입체도형의 부피)

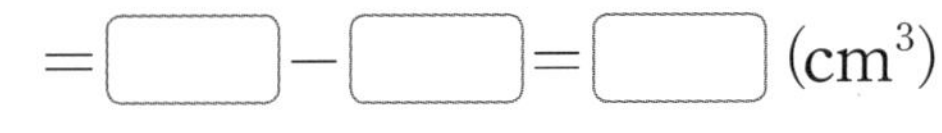

$=\square-\square=\square\ (cm^3)$

답 ____________

수학 사고력 키우기

모서리의 길이를 구하여 정육면체의 부피(겉넓이) 구하기

연계학습 136쪽

대표 문제 1 다음 전개도를 이용하여 만든 정육면체의 부피를 구해 보세요.

24 cm

구하려는 것은? 정육면체의 부피

어떻게 풀까?

1 전개도를 보고 정육면체의 한 모서리의 길이를 구한 다음,

2 정육면체의 부피를 구하자.

해결해 볼까?

❶ 정육면체의 한 모서리의 길이는 몇 cm?

전략 정육면체는 모서리의 길이가 모두 같다.

답 ________________

❷ 정육면체의 부피는 몇 cm^3?

답 ________________

쌍둥이 문제 1-1

다음 전개도를 이용하여 만든 정육면체의 부피는 몇 cm^3인가요?

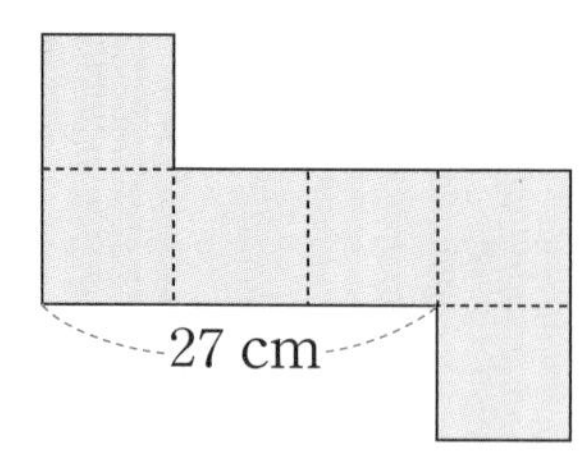

대표 문제 따라 풀기

❶

❷

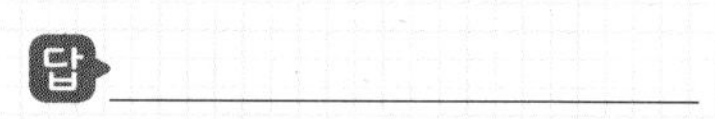

위, 앞, 옆에서 본 모양을 보고 직육면체의 부피(겉넓이) 구하기

연계학습 137쪽

대표 문제 2

직육면체를 위, 앞에서 본 모양이 다음과 같을 때/
이 직육면체의 겉넓이를 구해 보세요.

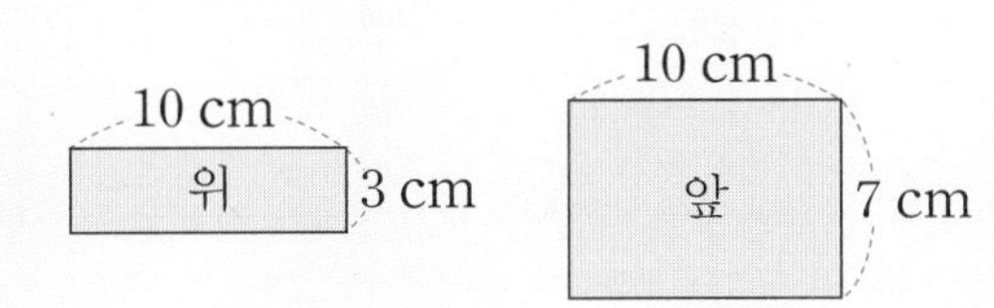

구하려는 것은? 직육면체의 겉넓이

어떻게 풀까?

1 직육면체를 위, 앞에서 본 모양을 보고 겨냥도를 그린 다음,
2 직육면체의 가로, 세로, 높이를 각각 구하여 겉넓이를 구하자.

해결해 볼까?

❶ 위, 앞에서 본 모양을 보고 그린 겨냥도에서 가로, 세로, 높이를 각각 알아보기

전략 위, 앞에서 본 모양에서 공통인 변끼리 맞닿게 겨냥도를 그려 가로, 세로, 높이를 각각 구하자.

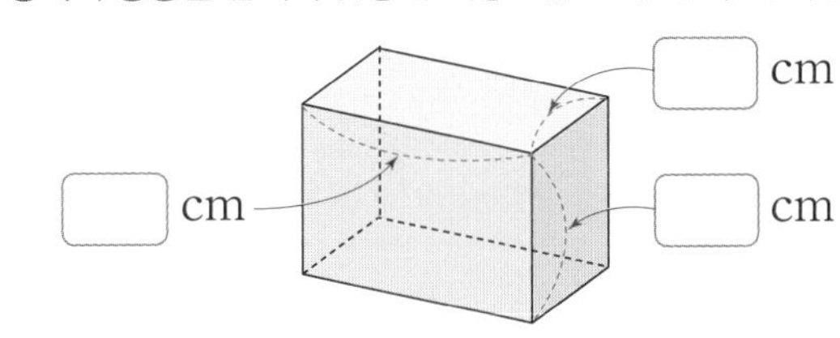

❷ 직육면체의 겉넓이는 몇 cm^2?

전략 (한 꼭짓점에서 만나는 세 면의 넓이의 합)×2

쌍둥이 문제 2-1

직육면체를 앞, 옆에서 본 모양이 오른쪽과 같다면/
이 직육면체의 겉넓이는 몇 cm^2인가요?

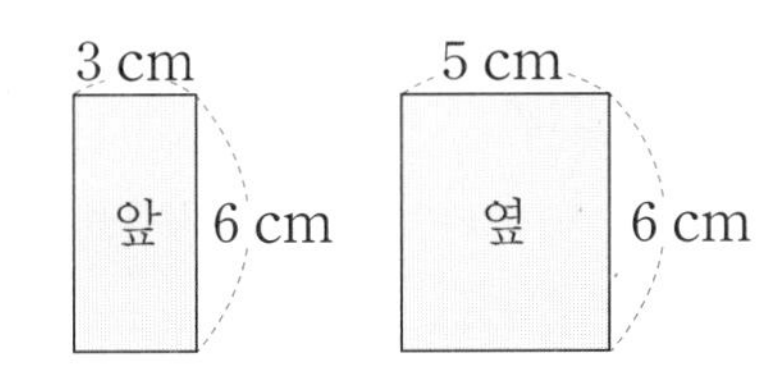

대표 문제 따라 풀기

❶

❷

답

6 직육면체의 부피와 겉넓이

수학 사고력 키우기

부피(겉넓이)를 알 때 정육면체의 한 모서리의 길이 구하기

연계학습 138쪽

대표 문제 3 오른쪽 직육면체와 겉넓이가 같은/
정육면체의 한 모서리의 길이를 구해 보세요.

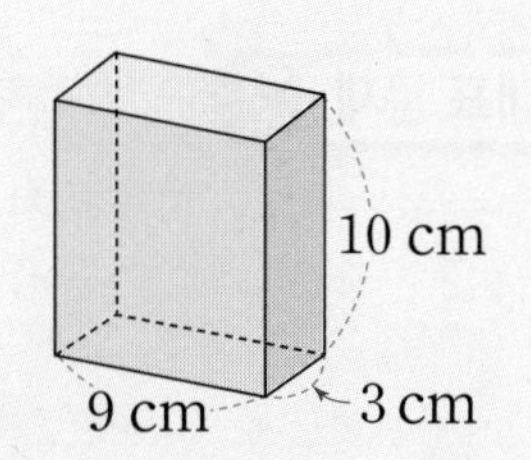

구하려는 것은? 정육면체의 한 모서리의 길이

어떻게 풀까?
1. 직육면체의 겉넓이를 구한 다음,
2. 직육면체와 겉넓이가 같음을 이용하여 정육면체의 한 모서리의 길이를 구하자.

해결해 볼까?

❶ 주어진 직육면체의 겉넓이는 몇 cm^2?

답 ____________

❷ 구하려고 하는 정육면체의 한 면의 넓이는 몇 cm^2?

전략 정육면체는 6개의 면의 넓이가 모두 같다.

답 ____________

❸ 구하려고 하는 정육면체의 한 모서리의 길이는 몇 cm?

전략 같은 수를 2번 곱해서 ❷에서 구한 값이 나오는 수를 찾자.

답 ____________

쌍둥이 문제 3-1

오른쪽 직육면체와 겉넓이가 같은/
정육면체의 한 모서리의 길이는 몇 cm인가요?

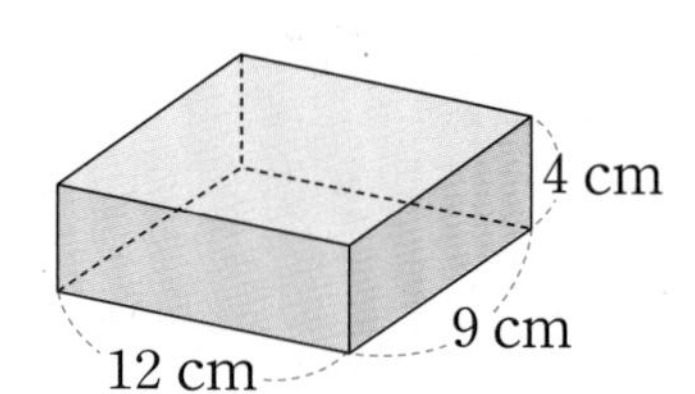

대표 문제 따라 풀기

❶

❷

❸

답 ____________

수조에 넣은 물건의 부피 구하기

연계학습 139쪽

대표 문제 4 오른쪽과 같이 돌이 들어 있는 직육면체 모양의 수조에서/ 돌을 꺼냈더니 물의 높이가 7 cm가 되었습니다./ 돌의 부피를 구해 보세요.

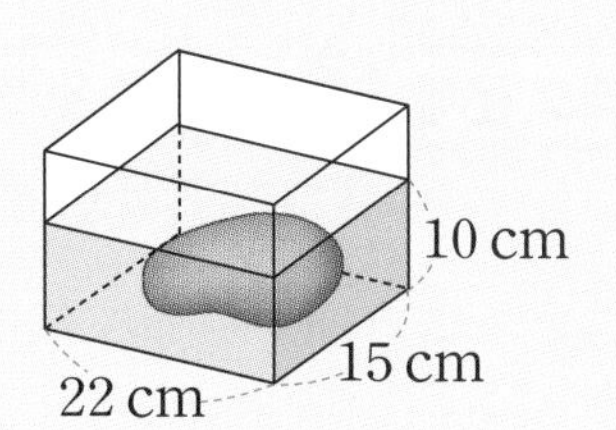

구하려는 것은? 돌의 부피

주어진 것은?

- 수조의 가로: 22 cm, 세로: 15 cm
- 처음 물의 높이: ☐ cm
- 돌을 꺼낸 후 물의 높이: ☐ cm

(돌의 부피)=(줄어든 물의 부피)
임을 이용해서 풀자.

해결해 볼까?

❶ 줄어든 물의 높이는 몇 cm?

전략 처음 물의 높이에서 돌을 꺼낸 후 물의 높이를 빼자.

답 ____________

❷ 돌의 부피는 몇 cm^3?

전략 (돌의 부피)=(줄어든 물의 부피)

답 ____________

쌍둥이 문제 4-1

오른쪽과 같이 돌이 들어 있는 직육면체 모양의 수조에서/ 돌을 꺼냈더니 물의 높이가 10 cm가 되었습니다./ 돌의 부피는 몇 cm^3인가요?

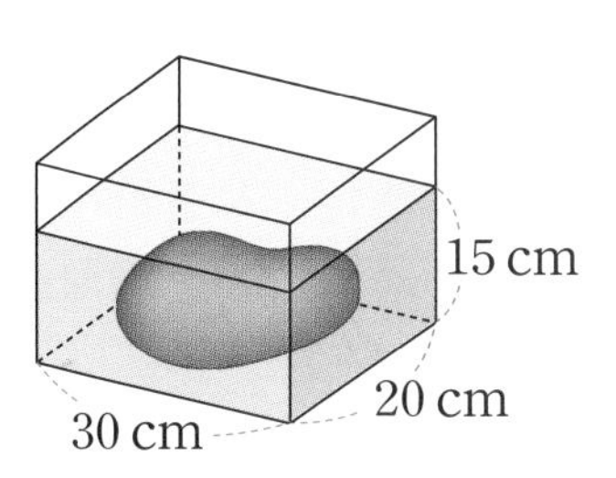

대표 문제 따라 풀기

❶

❷

답 ____________

수학 사고력 키우기

겉넓이가 주어진 직육면체의 높이 구하기

연계학습 140쪽

대표 문제 5 오른쪽 직육면체의 겉넓이는 184 cm^2입니다./ 직육면체의 높이를 구해 보세요.

(그림: 밑면, 옆면, □ cm, 8 cm, 4 cm)

구하려는 것은? 직육면체의 높이

주어진 것은?
- 직육면체의 겉넓이: □ cm^2
- 직육면체의 가로: 8 cm, 세로: 4 cm

해결해 볼까?

❶ 직육면체의 옆면의 넓이는 몇 cm^2?

전략 > 겉넓이에서 (한 밑면의 넓이)×2를 빼자.

답 ____________

❷ 직육면체의 옆면: (그림: 8 cm, 4 cm, 8 cm, 4 cm, □ cm, □ cm)

❸ 직육면체의 높이는 몇 cm?

전략 > (옆면의 가로)×□=(옆면의 넓이)임을 이용하여 □의 값을 구하자.

답 ____________

쌍둥이 문제 5-1

오른쪽 직육면체의 겉넓이는 292 cm^2입니다./ 직육면체의 높이는 몇 cm인가요?

(그림: 밑면, 옆면, □ cm, 6 cm, 7 cm)

대표 문제 따라 풀기

❶

❷

❸

답 ____________

여러 가지 입체도형의 부피 구하기

연계학습 141쪽

대표 문제 6 오른쪽 입체도형의 부피를 구해 보세요.

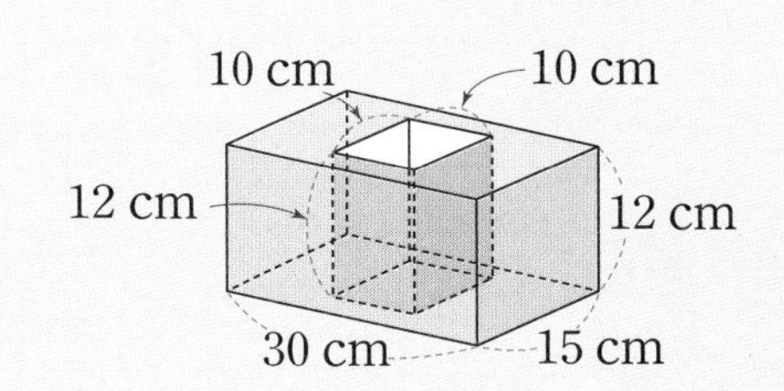

구하려는 것은? 입체도형의 부피

어떻게 풀까? **큰 직육면체의 부피**에서 가운데 **뚫려 있는 작은 직육면체의 부피**를 빼서 구하자.

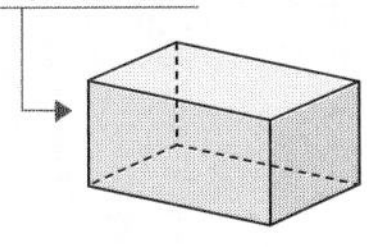

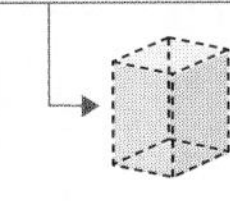

해결해 볼까?

❶ 큰 직육면체의 부피는 몇 cm^3?

답

❷ 가운데 뚫려 있는 작은 직육면체의 부피는 몇 cm^3?

답

❸ 입체도형의 부피는 몇 cm^3?

전략 ❶에서 구한 부피에서 ❷에서 구한 부피를 빼자.

답

쌍둥이 문제 6-1

오른쪽 입체도형의 부피는 몇 cm^3인가요?

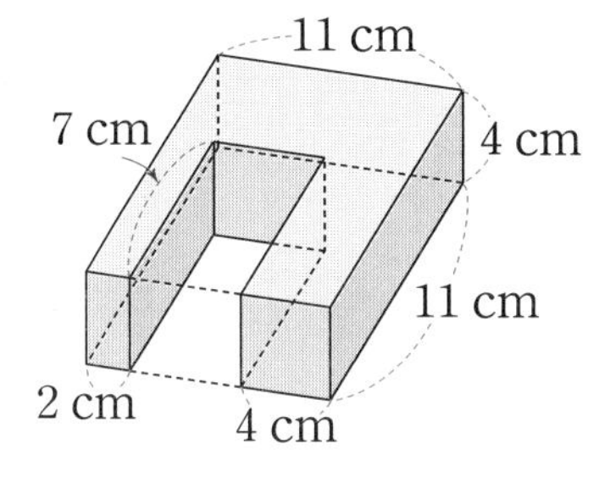

대표 문제 따라 풀기

❶

❷

❸

답

6 직육면체의 부피와 겉넓이

수학 독해력 완성하기

부피의 단위 활용하기

독해 문제 1

에어컨의 부피는 1.2 m^3이고/
세탁기의 부피는 580000 cm^3입니다./
에어컨과 세탁기의 부피의 차는 몇 m^3인지 구해 보세요.

해결해 볼까?

❶ 세탁기의 부피 580000 cm^3는 몇 m^3?

전략 1 m^3=1000000 cm^3임을 이용하여 에어컨과 세탁기의 부피의 단위를 맞추자.

답 ______

❷ 에어컨과 세탁기의 부피의 차는 몇 m^3?

답 ______

쌓을 수 있는 상자의 수 구하기

독해 문제 2

가로가 5 m, 세로가 2 m, 높이가 4 m인 직육면체 모양의 창고에/
한 모서리의 길이가 20 cm인 정육면체 모양의 상자를/ 빈틈없이 쌓으려고 합니다./
상자를 몇 개까지 쌓을 수 있는지 구해 보세요.

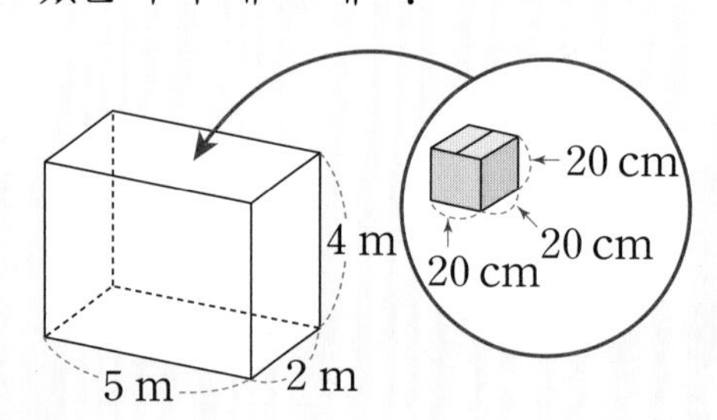

해결해 볼까?

❶ 창고의 가로, 세로, 높이는 각각 몇 cm?

답 가로: ______ , 세로: ______ , 높이: ______

❷ 창고의 가로, 세로, 높이 각각에 들어갈 수 있는 상자는 몇 개?

전략 창고의 가로, 세로, 높이를 각각 상자의 한 모서리의 길이로 나누자.

답 가로: ______ , 세로: ______ , 높이: ______

❸ 창고에 쌓을 수 있는 상자는 모두 몇 개?

답 ______

모서리의 길이를 늘였을 때 정육면체의 부피 구하기

독해 문제 3

오른쪽 정육면체의 각 모서리의 길이를 2배로 늘였을 때/
부피는 처음 부피의 몇 배가 되는지 구해 보세요.

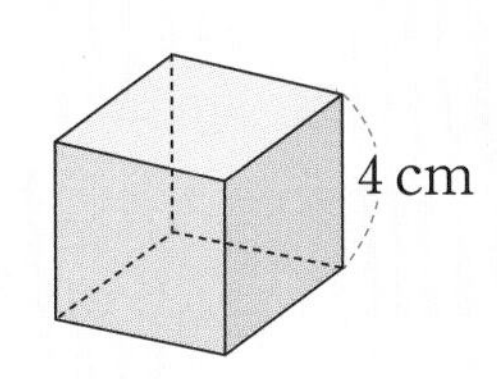

해결해 볼까?

❶ 처음 정육면체의 부피는 몇 cm^3?

❷ 정육면체의 각 모서리의 길이를 2배로 늘였을 때의 부피는 몇 cm^3?

전략 2배로 늘였을 때의 한 모서리의 길이를 먼저 구하자.

❸ 각 모서리의 길이를 2배로 늘였을 때의 부피는 처음 부피의 몇 배?

직육면체를 잘라서 만들 수 있는 가장 큰 정육면체

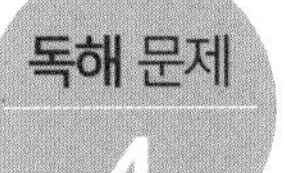
독해 문제 4

오른쪽 직육면체 모양의 떡을 잘라서
정육면체 모양을 만들려고 합니다./
만들 수 있는 가장 큰 정육면체의 부피와 겉넓이를
각각 구해 보세요.

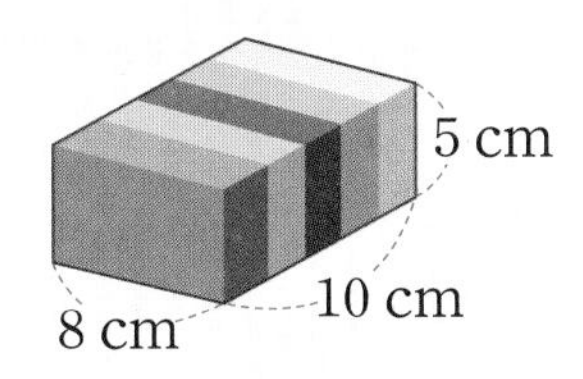

해결해 볼까?

❶ 만들 수 있는 가장 큰 정육면체의 한 모서리의 길이는 몇 cm?

전략 직육면체 모양 떡의 가장 짧은 모서리가
가장 큰 정육면체의 한 모서리가 된다.

❷ 만들 수 있는 가장 큰 정육면체의 부피는 몇 cm^3?

❸ 만들 수 있는 가장 큰 정육면체의 겉넓이는 몇 cm^2?

{ 수학 독해력 완성하기 }

수조에 넣은 물건의 부피 구하기

연계학습 145쪽

물이 담긴 직육면체 모양의 수조에/
오른쪽과 같이 크기가 같은 벽돌 3개를 넣었더니/
3 cm였던 물의 높이가 9 cm가 되었습니다./
벽돌 한 개의 부피를 구해 보세요.

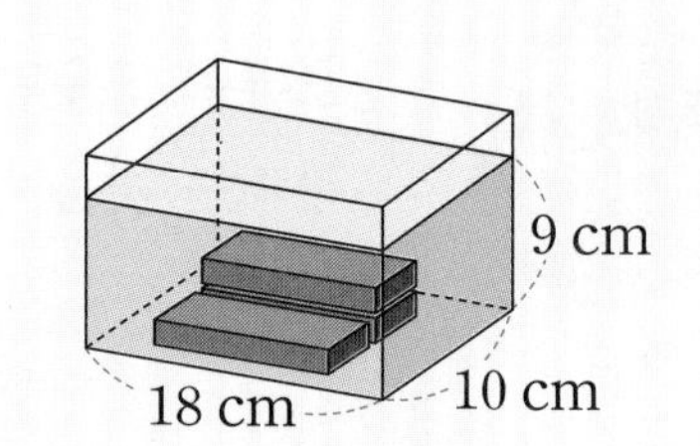

구하려는 것은? 벽돌 한 개의 부피

주어진 것은?
- 수조에 넣은 벽돌의 수: ☐개
- 처음 물의 높이: 3 cm
- 벽돌을 넣은 후 물의 높이: ☐ cm
- 수조의 가로: 18 cm, 세로: 10 cm

어떻게 풀까?
1. 늘어난 물의 높이를 구하고,
2. **(벽돌 3개의 부피)=(늘어난 물의 부피)**임을 이용하여 벽돌 3개의 부피를 알아본 후,
3. 벽돌 한 개의 부피를 구하자.

해결해 볼까?

❶ 늘어난 물의 높이는 몇 cm?

전략 벽돌을 넣은 후 물의 높이에서 처음 물의 높이를 빼자.

답 ____________

❷ 벽돌 3개의 부피는 몇 cm^3?

답 ____________

❸ 벽돌 한 개의 부피는 몇 cm^3?

답 ____________

겉넓이가 주어진 직육면체의 높이 구하기

연계학습 146쪽

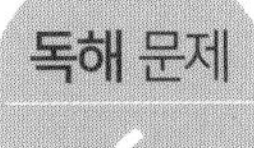
독해 문제 6

오른쪽 직육면체의 겉넓이는 $426\ cm^2$입니다./
직육면체의 부피를 구해 보세요.

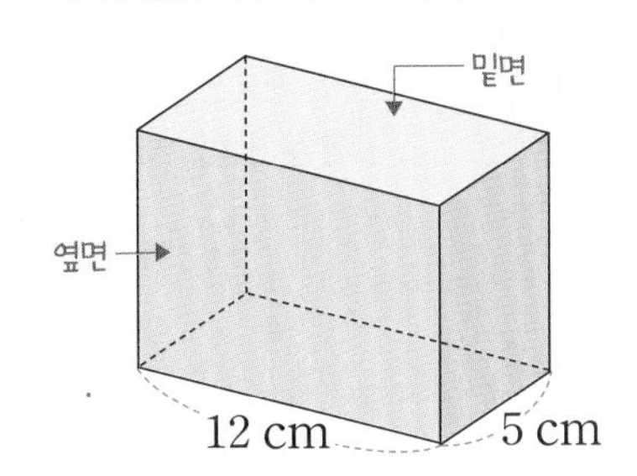

구하려는 것은? 직육면체의 부피

주어진 것은?
- 직육면체의 겉넓이: ☐ cm^2
- 직육면체의 가로: 12 cm, 세로: 5 cm

어떻게 풀까?
1. 직육면체의 겉넓이에서 두 밑면의 넓이를 빼어 옆면의 넓이를 구한 다음,
2. 직육면체의 전개도에서 옆면을 그려 높이를 구한 후,
3. 직육면체의 부피를 구하자.

해결해 볼까?

❶ 직육면체의 옆면의 넓이는 몇 cm^2?

전략 겉넓이에서 두 밑면의 넓이를 빼자.

답 ____________

❷ 직육면체의 높이는 몇 cm?

답 ____________

❸ 직육면체의 부피는 몇 cm^3?

답 ____________

창의·융합·코딩 체험하기

승기는 다음과 같은 게임을 하고 있습니다./
[게임 방법]을 보고 승기가 골라야 하는 상자에 ○표 하세요.

[게임 방법]
❶ 두 상자 중에서 정육면체 모양을 골라야 합니다.
❷ 두 상자가 모두 정육면체 모양이면 겉넓이가 넓은 상자를 골라야 합니다.

양변기의 물탱크에 벽돌을 넣어 두면/
물을 한 번 내릴 때 벽돌의 부피만큼 물을 절약할 수 있습니다./
양변기의 물탱크에 아래의 벽돌을 넣어 물을 한 번 내렸을 때/
절약할 수 있는 물은 몇 L인가요?/
(단, 물 1 L의 부피는 1000 cm^3입니다.)

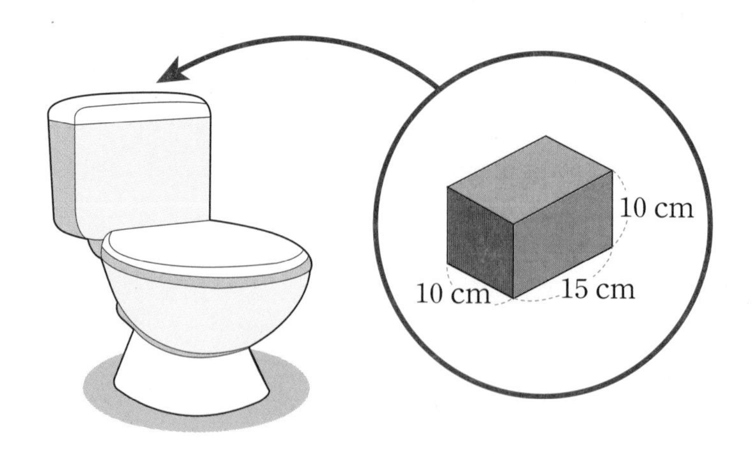

 ____________

코딩 3 일정 높이 이상의 장애물을 판단할 수 있는 로봇을 만들었습니다./
[보기]는 장애물에 대한 로봇의 반응을 나타낸 것입니다.

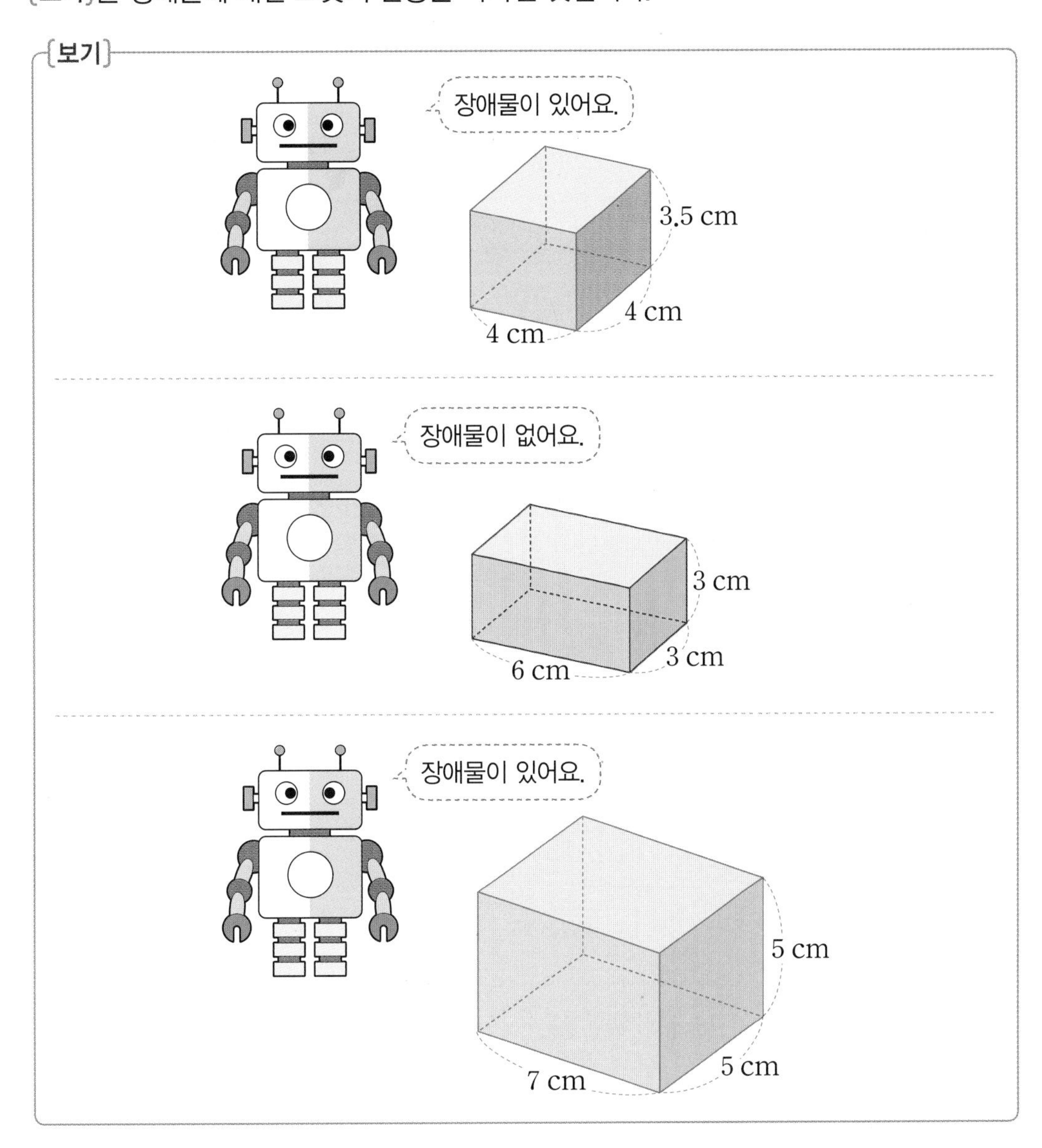

부피가 160 cm^3인 다음 직육면체 모양의 장애물에 대한 로봇의 반응을 나타내어 보세요.

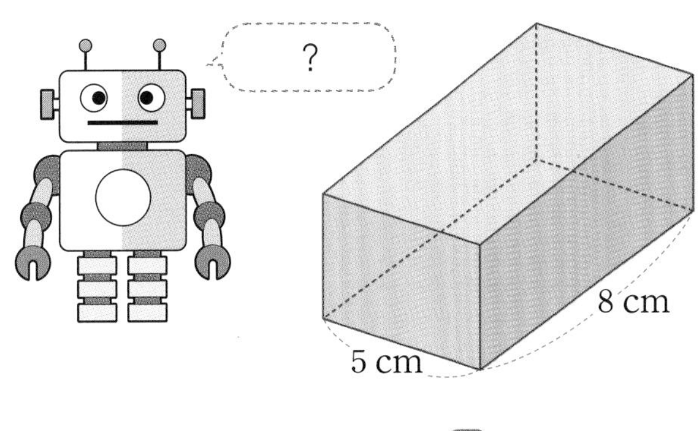

창의·융합·코딩 체험하기

창의 4 직육면체의 모든 겉면에 분홍색 물감을 칠하고 종이 위에 올려 놓은 후/ 다음과 같은 방향으로 한 바퀴 굴렸습니다./ 종이에 분홍색 물감이 묻은 부분의 넓이를 구해 보세요.

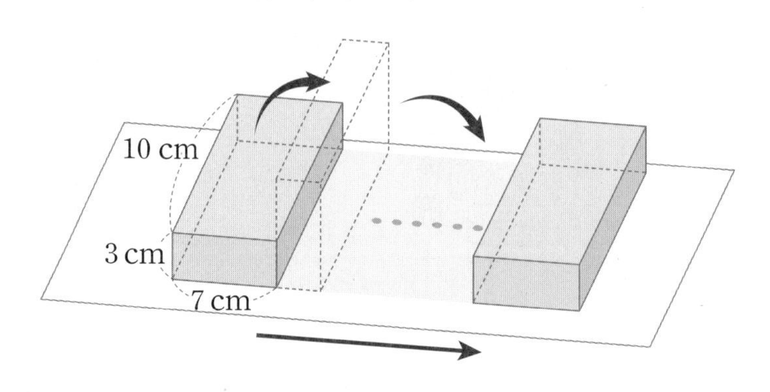

(1) 종이에 분홍색 물감이 묻은 부분의 모양을 모눈종이 위에 그려 보세요.

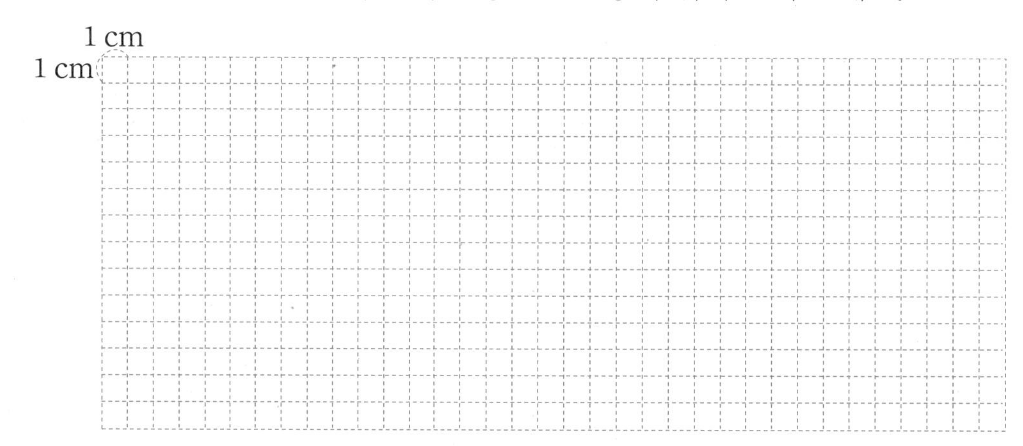

(2) 종이에 분홍색 물감이 묻은 부분의 모양은 어떤 도형인가요?

답 

(3) 종이에 분홍색 물감이 묻은 부분의 넓이는 몇 cm^2인가요?

답 

길이를 넣으면 상자의 규칙에 따라 다음과 같은 정육면체가 나옵니다./
상자에 10 cm를 넣었을 때 나오는 정육면체의 부피는 몇 cm^3인가요?

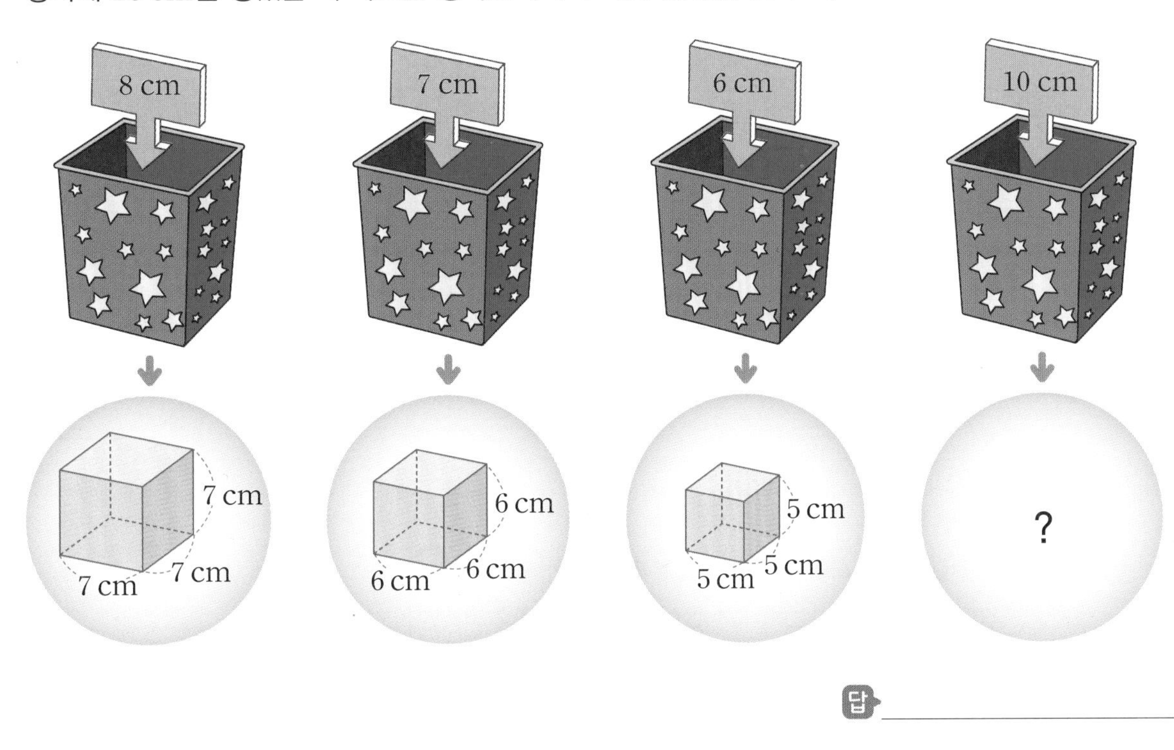

답 ______________

직육면체 모양의 치즈를 똑같이 2조각으로 자르면/ 치즈 2조각의 겉넓이의 합은/
처음 치즈의 겉넓이보다 120 cm^2 늘어납니다./
치즈를 똑같이 4조각으로 자르면/ 치즈 4조각의 겉넓이의 합은/
처음 치즈의 겉넓이보다 몇 cm^2 늘어나나요?

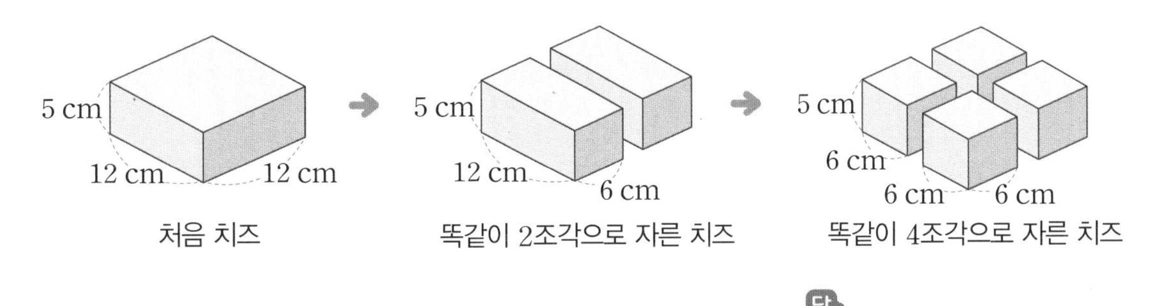

답 ______________

실전 마무리 하기

맞힌 문제 수

개 / 10개

부피의 단위 활용하기 148쪽

1 부피가 80000000 cm^3인 직육면체가 있습니다. 이 직육면체의 밑면의 넓이가 16 m^2일 때 높이는 몇 m인가요?

모서리의 길이를 구하여 정육면체의 부피(겉넓이) 구하기 142쪽

2 오른쪽과 같이 직사각형 모양의 종이에 정육면체의 전개도를 그렸습니다. 이 전개도를 오려 만든 정육면체의 부피는 몇 cm^3인가요?

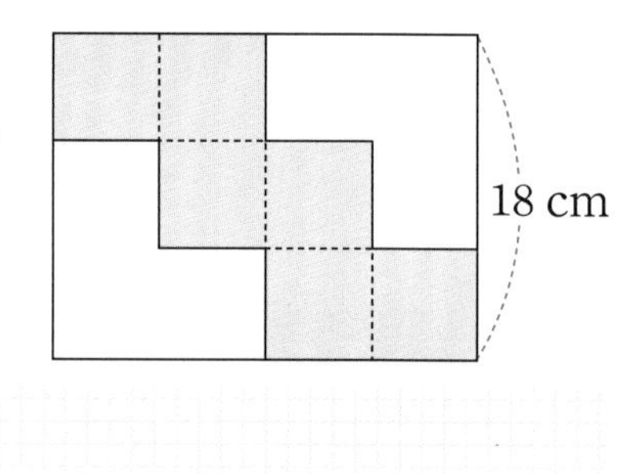

풀이

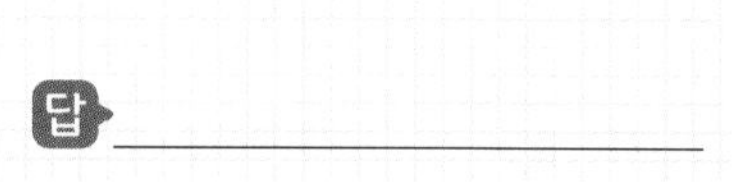

직육면체를 잘라서 만들 수 있는 가장 큰 정육면체 149쪽

3 오른쪽 직육면체 모양의 버터를 잘라서 정육면체 모양을 만들려고 합니다. 만들 수 있는 가장 큰 정육면체의 부피는 몇 cm^3인가요?

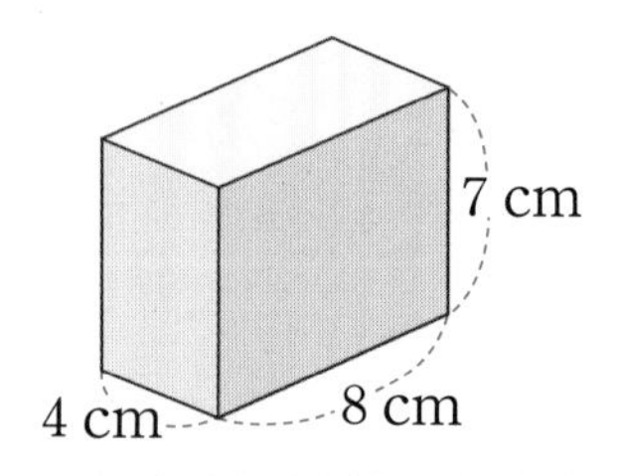

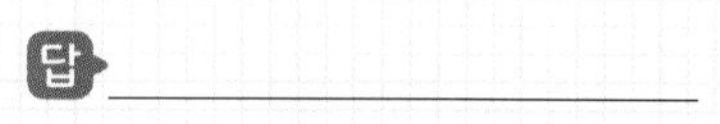

6 직육면체의 부피와 겉넓이

위, 앞, 옆에서 본 모양을 보고 직육면체의 부피(겉넓이) 구하기 143쪽

4 직육면체를 위와 앞에서 본 모양이 둘 다 다음과 같을 때, 이 직육면체의 겉넓이는 몇 cm^2인가요?

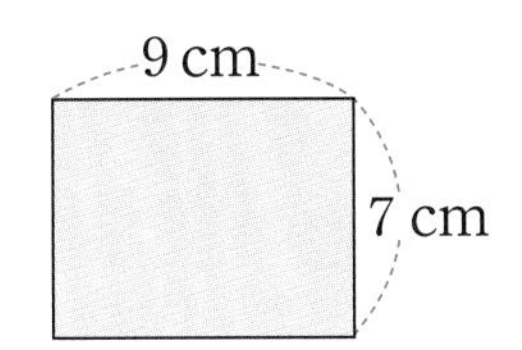

풀이

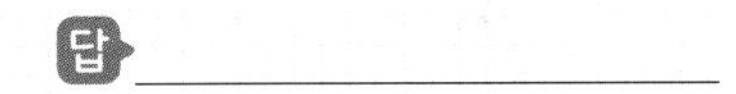
답

쌓을 수 있는 상자의 수 구하기 148쪽

5 왼쪽 직육면체 모양의 상자에 오른쪽 직육면체 모양의 지우개를 빈틈없이 쌓으려고 합니다. 직육면체 모양의 지우개를 모두 몇 개까지 쌓을 수 있나요?

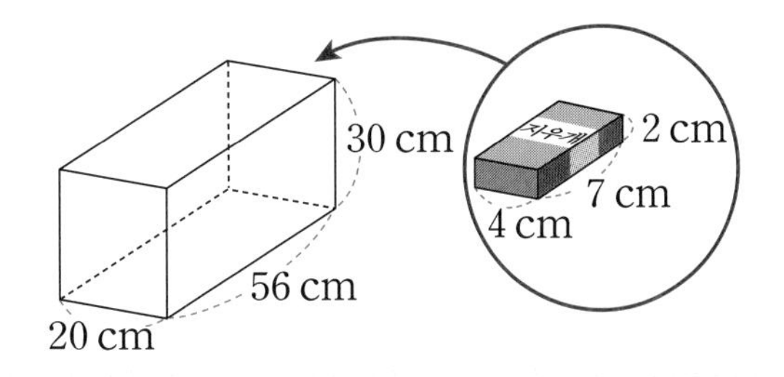

풀이

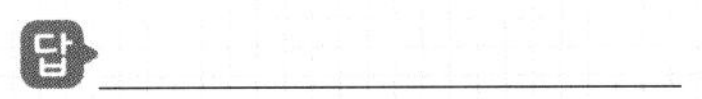
답

부피(겉넓이)를 알 때 정육면체의 한 모서리의 길이 구하기 144쪽

6 오른쪽 직육면체와 겉넓이가 같은 정육면체의 한 모서리의 길이는 몇 cm인가요?

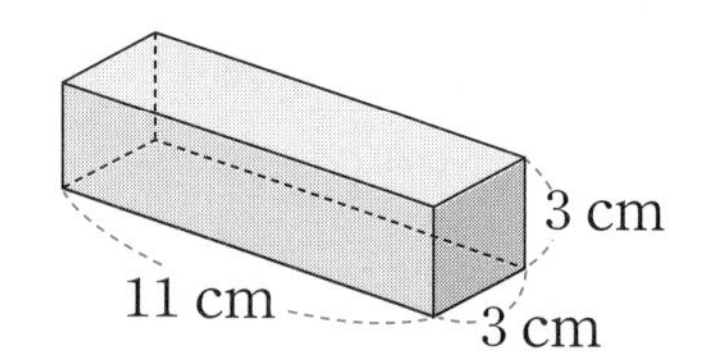

답

모서리의 길이를 늘였을 때 정육면체의 부피 구하기 149쪽

7 한 모서리의 길이가 2 cm인 정육면체가 있습니다. 이 정육면체의 각 모서리의 길이를 3배로 늘였을 때 부피는 처음 부피의 몇 배가 되나요?

답

수조에 넣은 물건의 부피 구하기 139쪽

8 오른쪽과 같이 물이 담긴 직육면체 모양의 수조에 쇠구슬을 넣었더니 물의 높이가 8 cm가 되었습니다. 쇠구슬의 부피는 몇 cm^3인가요?

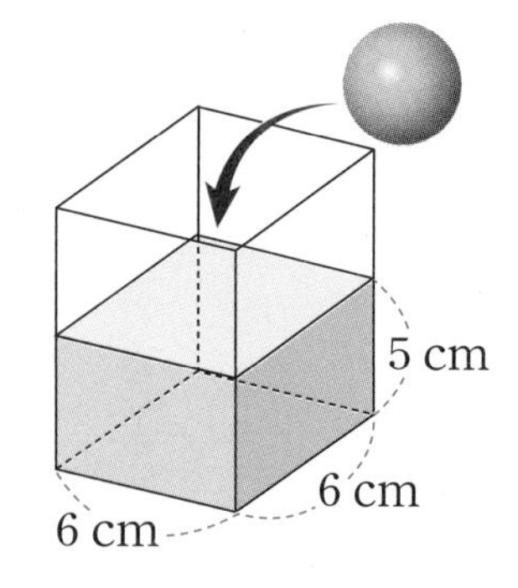

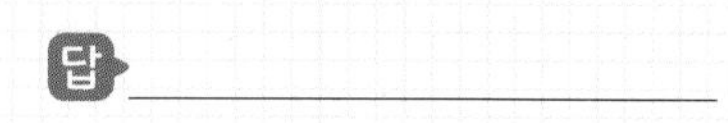

겉넓이가 주어진 직육면체의 높이 구하기 146쪽

9

직육면체의 겉넓이는 236 cm^2입니다. 직육면체의 높이는 몇 cm인가요?

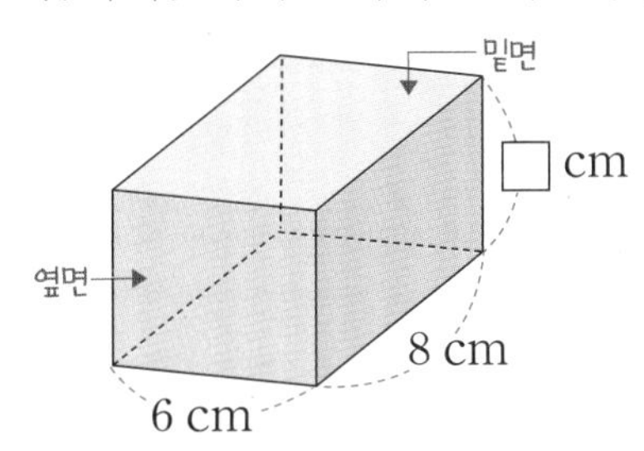

풀이

답

여러 가지 입체도형의 부피 구하기 147쪽

10

다음 입체도형의 부피는 몇 cm^3인가요?

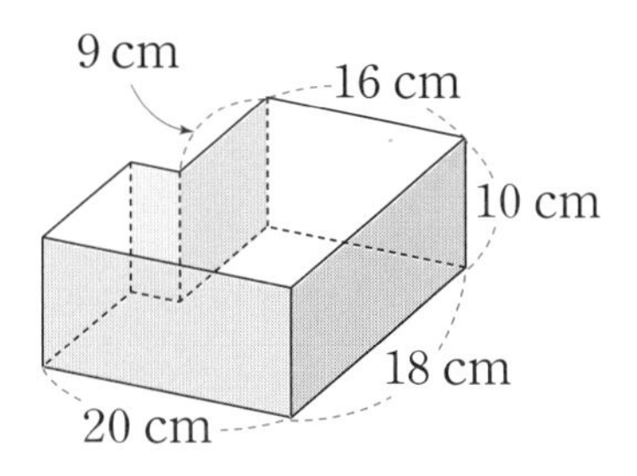

풀이

답

MEMO

www.chunjae.co.kr

실패는 고통스럽다.
그러나 최선을 다하지 못했음을 깨닫는 것은
몇 배 더 고통스럽다.

Failure hurts, but realizing you didn't do your best
hurts even more.

앤드류 매슈스

살아가면서 실패는 누구나 겪는 감기몸살 같은 것이지만
최선을 다 하지 않은 것은 부끄러운 일이라고 합니다. 만약 최선을 다 하고도
실패했다면 좌절하지 마세요. 언젠가 값진 선물이 되어 다시 돌아올 테니까요.

#난이도별 #천재되는_수학교재

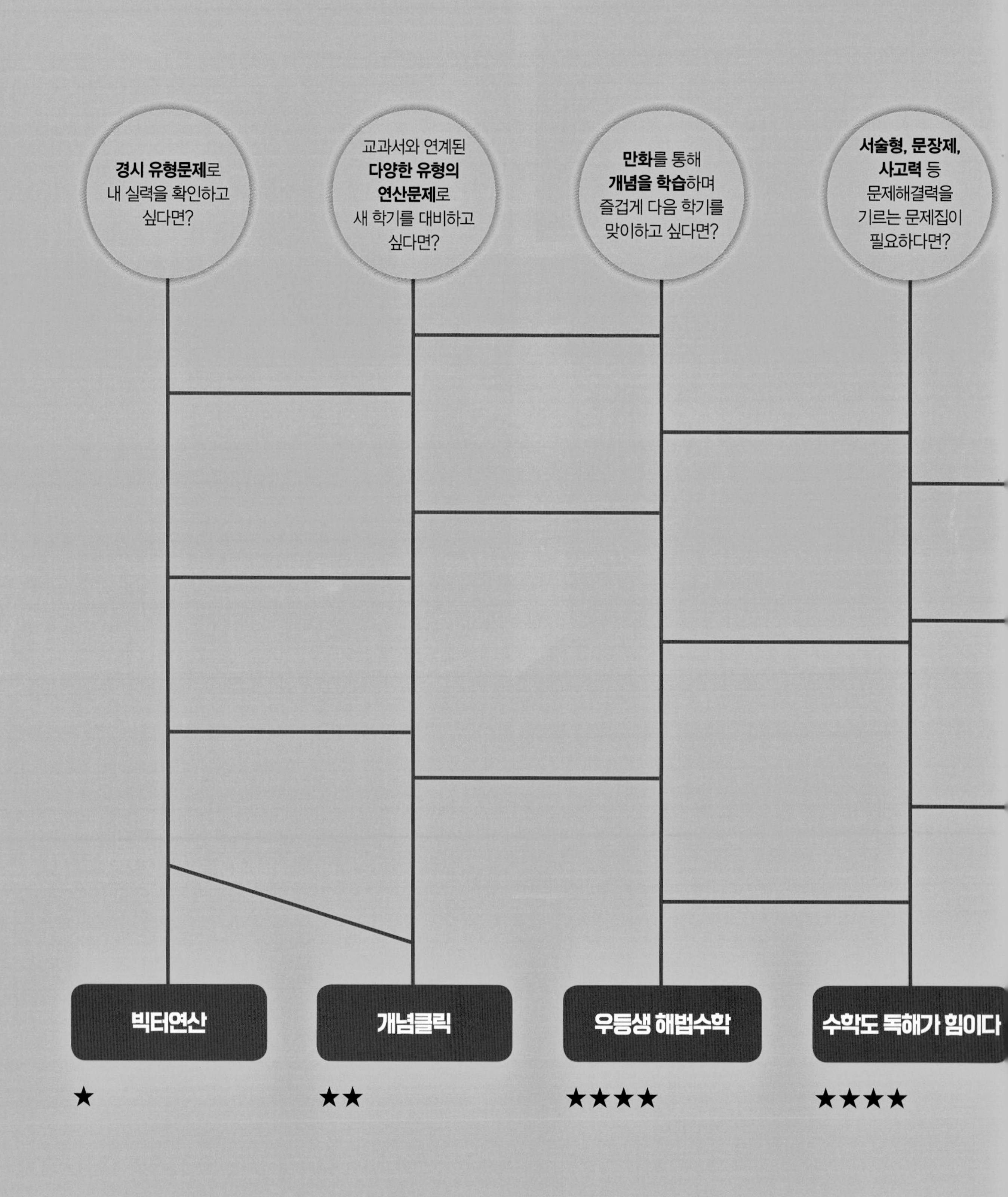

초등 수학 6-1

천재교육

정답과 풀이
포인트 3가지

- 혼자서도 이해할 수 있는 친절한 문제 풀이
- 문제 해결에 꼭 필요한 핵심 전략 제시
- 문제 분석과 쌍둥이 문제로 수학 독해력 완성

정답과 자세한 풀이

CONTENTS

빠른 정답

1 분수의 나눗셈

STEP 1 문제 해결력 기르기 6~11쪽

선행 문제 1

(1) 10, 3, $\frac{10}{3}$, $3\frac{1}{3}$

(2) 3, 10, $\frac{3}{10}$

실행 문제 1

❶ 4 ❷ $\frac{3}{5}$, 4, $\frac{3}{20}$

답 $\frac{3}{20}$ kg

쌍둥이 문제 1-1

$1\frac{1}{10}$ m$\left(=\frac{11}{10}\text{ m}\right)$

선행 문제 2

(1) 5, 6, $\frac{5}{6}$ (2) 3, 4, $\frac{3}{4}$

실행 문제 2

❶ $\frac{7}{10}$, 4, $\frac{7}{40}$ ❷ $\frac{7}{40}$, $\frac{21}{40}$

답 $\frac{21}{40}$ m

쌍둥이 문제 2-1

$\frac{8}{9}$ L

선행 문제 3

(1) 4 / 1, 2, 3 (2) 3, 3 / 1, 2

실행 문제 3

❶ 예 $\frac{20}{11}\div5=\frac{4}{11}$

❷ 4, 4 ❸ 1, 2, 3

답 1, 2, 3

쌍둥이 문제 3-1

1, 2, 3, 4

선행 문제 4

(1) 7, 4 (2) 9, $\frac{18}{5}$

실행 문제 4

❶ 5, 3 ❷ 3, 5, $\frac{3}{5}$, $\frac{3}{5}$

답 $\frac{3}{5}$

쌍둥이 문제 4-1

$\frac{2}{3}$

선행 문제 5

크게에 ○표 / 5, 9 /

5, 9(또는 9, 5)

실행 문제 5

❶ 4, 8

❷ 4, 8, 32(또는 8, 4, 32)

식 4, 8(또는 8, 4) 답 $\frac{1}{32}$

쌍둥이 문제 5-1

3, 4(또는 4, 3), $\frac{1}{12}$

선행 문제 6

(1) 10, 1

(2) 24, 2

(3) 30, 1

실행 문제 6

❶ 40, 2 ❷ $1\frac{2}{3}$, 20, $\frac{1}{12}$

답 $\frac{1}{12}$시간

쌍둥이 문제 6-1

$\frac{7}{40}$시간

STEP 2 수학 사고력 키우기 12~17쪽

대표 문제 1

구 10

주 6, $20\frac{2}{5}$

❶ $3\frac{2}{5}$ L$\left(=\frac{17}{5}\text{ L}\right)$ ❷ 34 L

쌍둥이 문제 1-1

14 kg

대표 문제 2

구 하루

주 $\frac{8}{5}$, 5

❶ 8 L ❷ 7일

❸ $1\frac{1}{7}$ L$\left(=\frac{8}{7}\text{ L}\right)$

쌍둥이 문제 2-1

$\frac{7}{20}$ L

대표 문제 3

❶ $\frac{7}{10}$ ❷ $\frac{7}{10}$, 4, 7 ❸ 5, 6

쌍둥이 문제 3-1

6, 7, 8

대표 문제 4

주 8, $6\frac{2}{3}$

❶ $\square\times8=6\frac{2}{3}$

❷ $\frac{5}{6}$ ❸ $\frac{5}{48}$

쌍둥이 문제 4-1

$\frac{1}{40}$

대표 문제 5

❶ 7, 8 ❷ 3

❸ $\frac{3}{7}\div8$(또는 $\frac{3}{8}\div7$), $\frac{3}{56}$

쌍둥이 문제 5-1

$\frac{9}{2}\div5$(또는 $\frac{9}{5}\div2$), $\frac{9}{10}$

대표 문제 6

구 20

주 12

❶ $\frac{9}{10}$시간 ❷ $\frac{3}{40}$시간

❸ $1\frac{1}{2}$시간$\left(=\frac{3}{2}\text{시간}\right)$

쌍둥이 문제 6-1

$1\frac{2}{5}$시간$\left(=\frac{7}{5}\text{시간}\right)$

STEP 3 수학 독해력 완성하기 18~21쪽

독해 문제 1

❶ $1\frac{1}{5}$ kg ❷ $\frac{3}{10}$ kg

독해 문제 2

❶ $2\frac{2}{15}$ m$\left(=\frac{32}{15}\text{ m}\right)$

❷ $2\frac{2}{15}$ m$\left(=\frac{32}{15}\text{ m}\right)$ ❸ $\frac{16}{45}$ m

독해 문제 3

❶ $3\frac{2}{3}$ m$^2\left(=\frac{11}{3}\text{ m}^2\right)$

❷ $3\frac{3}{4}$ m$^2\left(=\frac{15}{4}\text{ m}^2\right)$

❸ 유찬이네 모둠

독해 문제 4

❶ 예

아버지							다예	동생

❷ 1 ❸ $1\frac{5}{12}$ m$^2\left(=\frac{17}{12}\text{ m}^2\right)$

독해 문제 5

구 큰

주 4

❶ 작아야에 ○표, 2

❷ 커야에 ○표, $8\frac{5}{6}$

❸ $8\frac{5}{6}\div 2$, $4\frac{5}{12}\left(=\frac{53}{12}\right)$

독해 문제 6

구 짧은

주 10, 22

❶ $\frac{5}{6}$시간 ❷ $\frac{1}{12}$시간, $\frac{1}{11}$시간

❸ 진아

STEP 4 창의·융합·코딩 체험하기 22~25쪽

융합 1

$\frac{3}{4}$ g, $\frac{1}{3}$컵

코딩 2

$1\frac{1}{3}$ L$\left(=\frac{4}{3}\text{ L}\right)$

창의 3

$1\frac{1}{2}$ 배$\left(=\frac{3}{2}\text{ 배}\right)$

코딩 4

$\frac{5}{48}$

코딩 5

사과, $\frac{3}{4}$ kg

융합 6

B 오토바이

코딩 7

$\frac{2}{5}$ L

종합 평가 실전 마무리하기 26~29쪽

1 $1\frac{3}{8}$ cm$^2\left(=\frac{11}{8}\text{ cm}^2\right)$

2 $6\frac{7}{8}$ L$\left(=\frac{55}{8}\text{ L}\right)$

3 $\frac{3}{10}$ kg

4 $1\frac{1}{4}$ L$\left(=\frac{5}{4}\text{ L}\right)$

5 6, 7

6 $\frac{7}{60}$

7 $1\frac{1}{3}$ m$\left(=\frac{4}{3}\text{ m}\right)$

8 서윤이네 모둠

9 $\frac{3}{5}\div 7\left(\text{또는 } \frac{3}{7}\div 5\right)$, $\frac{3}{35}$

10 $1\frac{2}{3}$ 시간$\left(=\frac{5}{3}\text{ 시간}\right)$

2 각기둥과 각뿔

STEP 1 문제 해결력 기르기 32~37쪽

선행 문제 1

5, 3, 9, 2, 6

실행 문제 1

❶ 4 ❷ 4, 2, 6

답 6개

쌍둥이 문제 1-1

12개

선행 문제 2

4, 2, 6, 1, 4

실행 문제 2

❶ 삼, 사

❷ 4 ❸ 4, 1, 5

답 5개

쌍둥이 문제 2-1

16개

선행 문제 3

(1) 2, 2, 6, 육

(2) 2, 2, 3, 삼

실행 문제 3

❶ 2, 2, 5

❷ 오 ❸ 5, 10

답 10개

쌍둥이 문제 3-1

5개

선행 문제 4

7, 4, 7, 4, 16

실행 문제 4

❶ 7, 8 ❷ 7, 8, 23

❸ 23, 9, 64

답 64 cm

쌍둥이 문제 4-1

70 cm

선행 문제 5

사, 4

실행 문제 5

❶ 삼

❷ 예

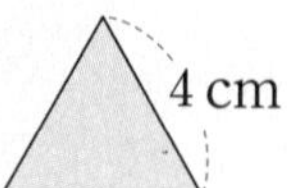

❸ 4, 12

답 12 cm

쌍둥이 문제 5-1

36 cm

선행 문제 6

2, 4, 2, 4

실행 문제 6

❶ 9, 6, 22 ❷ 8 ❸ 22, 8, 68

답 68 cm

쌍둥이 문제 6-1

85 cm

2 수학 사고력 키우기 38～43쪽

대표 문제 1

구 모서리, 꼭짓점

❶ 5개 ❷ 15개, 10개

쌍둥이 문제 1-1

12개, 8개

대표 문제 2

주 육, 삼

❶ 육각뿔 ❷ 6개

❸ 7개, 12개, 7개

쌍둥이 문제 2-1

6개, 10개, 6개

대표 문제 3

구 면

주 직사각형, 16

❶ 각기둥에 ○표

❷ 팔각기둥 ❸ 10개

쌍둥이 문제 3-1

12개

대표 문제 4

주 12, 5

❶ 30 cm ❷ 12 cm ❸ 84 cm

쌍둥이 문제 4-1

108 cm

대표 문제 5

구 모서리

❶ 28 cm ❷ 48 cm ❸ 76 cm

쌍둥이 문제 5-1

70 cm

대표 문제 6

구 모서리

❶ 28 cm ❷ 12 cm ❸ 104 cm

쌍둥이 문제 6-1

108 cm

3 STEP 수학 독해력 완성하기 44～47쪽

독해 문제 1

❶ (위에서부터) 2, 직사각형, 5

❷ 예 옆면인 직사각형이 5개 있어야 하는데 4개만 있기 때문이다.

독해 문제 2

❶ 7개 ❷ 칠각기둥

❸ 14개

독해 문제 3

❶ 18개 ❷ 구각뿔

독해 문제 4

❶ 4개 ❷ 6개 ❸ 122 cm

독해 문제 5

구 이름

주 30

❶ □×3, □×2

❷ 6개 ❸ 육각기둥

독해 문제 6

주 12, 176

❶ 팔각기둥 ❷ 96 cm

❸ 80 cm ❹ 5 cm

융합 1

사각기둥

창의 2

비닐류, 종이류, 플라스틱류, 캔류

코딩 3

사각뿔

코딩 4

육각뿔

창의 5

250포인트

코딩 6

예 평행한 두 면은 합동인가요?

창의 7

35000원

창의 8

36000원

종합 평가 실전 마무리 하기 52～55쪽

1 육각기둥, 육각뿔

2 9개, 6개

3 예 밑면인 육각형이 2개 있어야 하는데 1개만 있기 때문이다.

4 15개

5 9개, 16개, 9개

6 12개

7 78 cm

8 육각뿔

9 42 cm

10 140 cm

3 소수의 나눗셈

STEP 1 문제 해결력 기르기 58~63쪽

선행 문제 1
13.8, 6, 2.3

실행 문제 1
❶ 4, 1.85 ❷ 1.85, 0.37
답 0.37 L

쌍둥이 문제 1-1
1.03 kg

선행 문제 2
18.9, 7, 2.7

실행 문제 2
❶ 5, 3, 15 ❷ 15, 2.3
답 2.3 L

쌍둥이 문제 2-1
1.96 L

선행 문제 3
(1) < / 6, 7, 8, 9 (2) < / 0, 1, 2

실행 문제 3
❶ 3.41 ❷ 3.41, 4 / 0, 1, 2, 3
답 0, 1, 2, 3

쌍둥이 문제 3-1
7, 8, 9

선행 문제 4
22, 21

실행 문제 4
❶ 1, 9 ❷ 9 , 0.52
답 0.52 m

쌍둥이 문제 4-1
14.5 cm

선행 문제 5
8, 0.15

실행 문제 5
❶ 0.3, 22.6 ❷ 22.6, 5.65
답 5.65 kg

쌍둥이 문제 5-1
0.46 kg

선행 문제 6
(1) 8, 4 (2) 4, 8

실행 문제 6
❶ 9, 7, 5, 4 ❷ 9, 4, 2.25
식 9÷4 답 2.25

쌍둥이 문제 6-1
2÷8, 0.25

STEP 2 수학 사고력 키우기 64~69쪽

대표 문제 1
주 13.5, 3
❶ 2.7 m ❷ 0.9 m

쌍둥이 문제 1-1
0.56 m

대표 문제 2
구 5
주 27.3
❶ 2.1 L ❷ 10.5 L

쌍둥이 문제 2-1
62.1 L

대표 문제 3
❶ 8.2 ❷ 8.56 ❸ 3, 4, 5

쌍둥이 문제 3-1
5, 6, 7, 8

대표 문제 4
❶ 8군데 ❷ 5.3 m

쌍둥이 문제 4-1
0.24 km

대표 문제 5
주 0.5, 10
❶ 14.4 kg ❷ 20개 ❸ 0.72 kg

쌍둥이 문제 5-1
1.07 kg

대표 문제 6
❶ 크게에 ○표, 작게에 ○표
❷ 8.7÷3, 2.9

쌍둥이 문제 6-1
2.56÷8, 0.32

STEP 3 수학 독해력 완성하기 70~73쪽

독해 문제 1
❶ 1.65 m ❷ 16.5 m

독해 문제 2
❶ 많아야에 ○표
❷ 2.5 L, 2.64 L ❸ ㉯

독해 문제 3
❶ □÷12=5.2 ❷ 62.4 ❸ 4.8

독해 문제 4
❶ 2.4분 ❷ 2분 24초
❸ 오후 3시 2분 24초

독해 문제 5
❶ 작게에 ○표, 크게에 ○표
❷ 30.6, 9 ❸ 30.6÷9, 3.4

독해 문제 6
주 472.4, 25
❶ 50 m ❷ 422.4 m
❸ 24군데 ❹ 17.6 m

STEP 4 창의·융합·코딩 체험하기 74~77쪽

창의 1
0.6 km

창의 2
7.06 cm^2

코딩 3
0.18 kg

코딩 4
0.2 kg

창의 5

(1) [새로운 지도] (2) $16.4\ cm^2$

		■
■		
■	■	

융합 6

B 자동차

코딩 7

1.12

종합 평가 실전 마무리 하기 78~81쪽

1 $2.45\ m^2$ 2 $1.85\ kg$
3 $2.2\ L$ 4 $8.2\ L$
5 $3.84\ m$ 6 2, 3, 4
7 $10.3\ m$ 8 $7.5\ g$
9 $9.75 \div 3$, 3.25 10 4.5

4 비와 비율

STEP 1 문제 해결력 기르기 84~89쪽

선행 문제 1

(1) 15타수에 ○표, 6개에 △표
(2) 30 mL에 △표, 100 mL에 ○표
(3) 500 m에 ○표, 2 cm에 △표

실행 문제 1

❶ 25, 9 ❷ 9, 36, 0.36
답 0.36

쌍둥이 문제 1-1

0.4

선행 문제 2

150, 3750, $\frac{3750}{150}$, 25

실행 문제 2

❶ 1750, 35, 27, 40 ❷ 나
답 나 지역

쌍둥이 문제 2-1

가 마을

선행 문제 3

10, 700, $\frac{700}{10}$, 70

실행 문제 3

❶ 100, 5, 25, 4.8 ❷ 윤아
답 윤아

쌍둥이 문제 3-1

오토바이

선행 문제 4

(1) 120, 84 (2) 400, 25, 100

실행 문제 4

❶ 55, 45 ❷ 200, 45, 90
답 90명

쌍둥이 문제 4-1

450개

선행 문제 5

3000, 450, $\frac{450}{3000}$, 15

실행 문제 5

❶ 9000, 3000 ❷ $\frac{3000}{12000}$, 25
답 25 %

쌍둥이 문제 5-1

30 %

선행 문제 6

200, 30, $\frac{30}{200}$, 15

실행 문제 6

❶ 120, 30, 150 ❷ $\frac{30}{150}$, 20
답 20 %

쌍둥이 문제 6-1

15 %

STEP 2 수학 사고력 키우기 90~95쪽

대표 문제 1

❶ 40000 cm ❷ $\frac{1}{20000}$

쌍둥이 문제 1-1

$\frac{1}{15000}$

대표 문제 2

주 190, 8
❶ 38 ❷ 35 ❸ 인호네 마을

쌍둥이 문제 2-1

B 도시

대표 문제 3

주 40, 1
❶ 60분 ❷ 0.25, 0.3 ❸ 민정

쌍둥이 문제 3-1

성민

대표 문제 4

주 40, 35
❶ 60 % ❷ $180\ m^2$ ❸ $63\ m^2$

쌍둥이 문제 4-1

180명

대표 문제 5

주 2000, 8000
❶ 1600원 ❷ 400원 ❸ 20 %

쌍둥이 문제 5-1

15 %

대표 문제 6

주 30, 20
❶ 200 g ❷ 50 g ❸ 25 %

쌍둥이 문제 6-1

15 %

STEP 3 수학 독해력 완성하기 96~99쪽

독해 문제 1

❶ 3000원 ❷ 12000원

독해 문제 2

❶ 낮아야에 ○표
❷ 0.5, 0.7 ❸ 설아네 모둠

독해 문제 3

❶ 1만 원(또는 10000원) ❷ 2 %

독해 문제 4

❶ 7 cm ❷ 6 cm ❸ 42 cm^2

독해 문제 5

주 4, 2
❶ □×2 ❷ 32 %
❸ 160표

독해 문제 6

주 45000
❶ 15000원 ❷ 25 %
❸ 18000원 ❹ 54000원

STEP 4 창의·융합·코딩 체험하기 100~103쪽

융합 1
2할 2푼 5리

창의 2
15000원

코딩 3
$\frac{1}{3}$

융합 4
5.5 g

코딩 5
16 %

창의 6
(1) 0.25, 0.4, 0.32
(2) 2500포인트, 4000포인트, 3200포인트
(3) 기성

종합 평가 실전 마무리 하기 104~107쪽

1 60 %
2 $\frac{1}{25000}$
3 105명
4 진수네 마을
5 하율
6 14000원
7 3 %
8 25 %
9 20 %
10 420 cm^2

5 여러 가지 그래프

STEP 1 문제 해결력 기르기 110~115쪽

선행 문제 1
(1) 15, 3 (2) 15, 30, $\frac{1}{2}$

실행 문제 1
❶ 15, 2 ❷ 6, 2, 12
답 12명

쌍둥이 문제 1-1
84명

선행 문제 2
25, 25, 4

실행 문제 2
❶ 100, 10 ❷ 10, 40
답 40명

선행 문제 3
(1) 200, 60 (2) 300, 75

실행 문제 3
❶ 35, 84
❷ 240, 20, 48
❸ 84, 48, 36
답 36명

초간단 풀이
❶ 20, 15 ❷ 15, 36
답 36명

선행 문제 4
20, 15, 3

실행 문제 4
❶ 100, 30 ❷ 40, 30, 12
답 12 cm

쌍둥이 문제 4-1
10 cm

선행 문제 5
160 / 160, 55, 88 / 88

실행 문제 5
❶ 70, 560 ❷ 560, 50, 280
답 280명

선행 문제 6
2, 2, 3, 16, 16

실행 문제 6
❶ 100, 60 ❷ 2 ❸ 60, 20, 20
답 20 %

쌍둥이 문제 6-1
10 %

STEP 2 수학 사고력 키우기 116~121쪽

대표 문제 1
구 지수
주 180
❶ 15 %, 45 % ❷ $\frac{1}{3}$배 ❸ 60표

쌍둥이 문제 1-1
16 m^2

대표 문제 2
❶ 20 % ❷ 5배 ❸ 420명

쌍둥이 문제 2-1
360명

대표 문제 3
구 보리
주 35, 30
❶ 14 t, 15 t ❷ ㉯ 마을

쌍둥이 문제 3-1
6학년

대표 문제 4

❶ 25 % ❷ 4배 ❸ 40 cm

쌍둥이 문제 4-1

18 cm

대표 문제 5

구 해운대
주 800, 50, 35
❶ 400명 ❷ 140명

쌍둥이 문제 5-1

128명

대표 문제 6

구 커피
주 3, 33
❶ 56 % ❷ □×3 ❸ 42 %

쌍둥이 문제 6-1

40 %

STEP 3 수학 독해력 완성하기 122～125쪽

독해 문제 1

❶ 20 % ❷ 아몬드

독해 문제 2

❶ (위에서부터) 600, 450, 3000 / 25, 20, 15, 100

❷ 예 재활용품별 배출량

0 10 20 30 40 50 60 70 80 90 100 (%)

종이류 (40 %)	플라스틱류 (25 %)	병류 (20 %)	비닐류 (15 %)

독해 문제 3

❶ 15 % ❷ 75명

독해 문제 4

❶ 20 % ❷ 12 % ❸ 1200명

독해 문제 5

구 식품비
주 22, 11
❶ 22, 2 ❷ 32 % ❸ 64만 원

독해 문제 6

구 음악회
주 300, 2
❶ 72 % ❷ 24 % ❸ 72명

STEP 4 창의·융합·코딩 체험하기 126～129쪽

융합 1

경기－충남－전북－경남의 순서로 선으로 잇는다.

융합 2

31 g

융합 3

먹어도 된다.

코딩 4

(1) (위에서부터) 5, 3, 20 / 20, 25, 15

(2) 예 얻게 되는 종류별 장난감 수

0 10 20 30 40 50 60 70 80 90 100 (%)

비행기 (40 %)	곰인형 (20 %)	자동차 (25 %)	공 (15 %)

창의 5

예 국산 자동차의 비율은 줄어들고 있고 수입 자동차의 비율은 늘어나고 있다.

창의 6

5개

종합 평가 실전 마무리하기 130～133쪽

1 125 g
2 태권도
3 78명
4 예 간식별 금액

0, 25, 50, 75
우유 (30 %), 과자 (30 %), 초콜릿 (25 %), 소시지 (15 %)

5 40명
6 25.2 cm
7 2015년
8 96명
9 108명
10 26 %

6 직육면체의 부피와 겉넓이

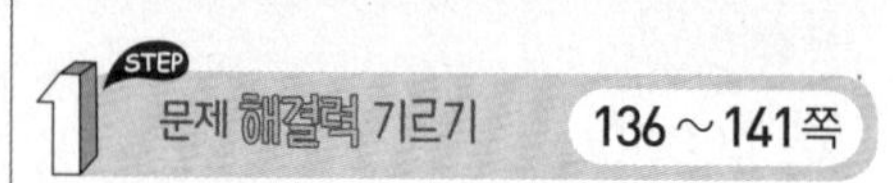

선행 문제 1

5, 5, 125 /
6, 150

실행 문제 1

❶ 12, 7 ❷ 7, 7, 294
답 294 cm^2

쌍둥이 문제 1-1

96 cm^2

선행 문제 2

(왼쪽에서부터) 9, 10, 13

실행 문제 2

❶ (왼쪽에서부터) 8, 5, 7
❷ 8, 5, 7, 280
답 280 cm^3

쌍둥이 문제 2-1

192 cm^3

선행 문제 3

(1) 2 (2) 6, 9, 9, 3

실행 문제 3

❶ 9, 4, 216
❷ 216 ❸ 6
답 6 cm

쌍둥이 문제 3-1

4 cm

선행 문제 4

20, 15, 900

실행 문제 4
❶ 6, 3 ❷ 3, 390
답 390 cm^3

쌍둥이 문제 4-1
360 cm^3

선행 문제 5
7, 5, 24 /
24, 10

실행 문제 5
❶ 10, 5, 30
❷ 10, 5, 450
❸ 30, 450, 15
답 15

쌍둥이 문제 5-1
8

실행 문제 6
❶ (왼쪽에서부터) 2, 4
❷ 2, 18, 4, 72
❸ 18, 72, 90
답 90 cm^3

다르게 풀기
❶ (왼쪽에서부터) 6, 2, 3
❷ 126, 6, 2, 36
❸ 126, 36, 90
답 90 cm^3

2 수학 사고력 키우기 142~147쪽

대표 문제 1
❶ 8 cm ❷ 512 cm^3

쌍둥이 문제 1-1
729 cm^3

대표 문제 2
❶ (왼쪽에서부터) 10, 3, 7
❷ 242 cm^2

쌍둥이 문제 2-1
126 cm^2

대표 문제 3
❶ 294 cm^2 ❷ 49 cm^2 ❸ 7 cm

쌍둥이 문제 3-1
8 cm

대표 문제 4
주 10, 7
❶ 3 cm ❷ 990 cm^3

쌍둥이 문제 4-1
3000 cm^3

대표 문제 5
주 184
❶ 120 cm^2 ❷ 24 ❸ 5 cm

쌍둥이 문제 5-1
8 cm

대표 문제 6
❶ 5400 cm^3 ❷ 1200 cm^3
❸ 4200 cm^3

쌍둥이 문제 6-1
344 cm^3

STEP 3 수학 독해력 완성하기 148~151쪽

독해 문제 1
❶ 0.58 m^3 ❷ 0.62 m^3

독해 문제 2
❶ 500 cm, 200 cm, 400 cm
❷ 25개, 10개, 20개 ❸ 5000개

독해 문제 3
❶ 64 cm^3 ❷ 512 cm^3 ❸ 8배

독해 문제 4
❶ 5 cm ❷ 125 cm^3 ❸ 150 cm^2

독해 문제 5
주 3, 9
❶ 6 cm ❷ 1080 cm^3
❸ 360 cm^3

독해 문제 6
주 426
❶ 306 cm^2 ❷ 9 cm
❸ 540 cm^3

STEP 4 창의·융합·코딩 체험하기 152~155쪽

창의 1
오른쪽 상자에 ○표

융합 2
1.5 L

코딩 3
장애물이 있어요.

창의 4
(1) 

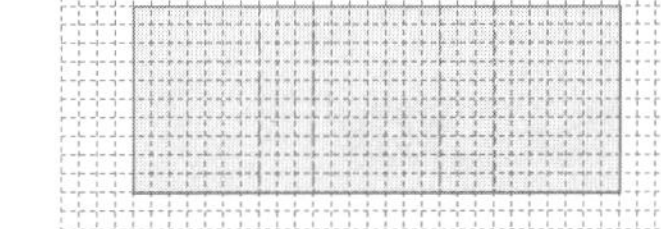

(2) 직사각형
(3) 270 cm^2

코딩 5
729 cm^3

창의 6
240 cm^2

종합 평가 실전 마무리하기 156~159쪽

1 5 m
2 216 cm^3
3 64 cm^3
4 350 cm^2
5 600개
6 5 cm
7 27배
8 108 cm^3
9 5 cm
10 3240 cm^3

정답과 자세한 풀이

1 분수의 나눗셈

FUN 한 이야기 4~5쪽

$7\frac{1}{2}\div5=1\frac{1}{2}$, $1\frac{1}{2}$

STEP 1 문제 해결력 기르기 6~11쪽

선행 문제 1

(1) 10, 3, $\frac{10}{3}$, $3\frac{1}{3}$　(2) 3, 10, $\frac{3}{10}$

실행 문제 1

❶ 4

❷ $\frac{3}{5}$, 4, $\frac{3}{20}$　답 $\frac{3}{20}$ kg

쌍둥이 문제 1-1

❶ 전략 '1 kg의 길이'를 구해야 하므로 철근의 무게로 나누자.

철근의 길이 $\frac{33}{10}$ m를 철근의 무게 3 kg으로 나누어야 한다.

❷ (철근 1 kg의 길이)

$=\frac{33}{10}\div3=\frac{11}{10}=1\frac{1}{10}$ (m)

답 $1\frac{1}{10}$ m$\left(=\frac{11}{10}\text{ m}\right)$

선행 문제 2

(1) 5, 6, $\frac{5}{6}$　(2) 3, 4, $\frac{3}{4}$

실행 문제 2

❶ $\frac{7}{10}$, 4, $\frac{7}{40}$

❷ $\frac{7}{40}$, $\frac{21}{40}$　답 $\frac{21}{40}$ m

쌍둥이 문제 2-1

❶ 전략 (전체 물의 양)÷(컵의 수)

(컵 한 개에 담은 물의 양)

$=\frac{20}{9}\div5=\frac{4}{9}$ (L)

❷ (컵 2개에 담은 물의 양)

$=\frac{4}{9}\times2=\frac{8}{9}$ (L)　답 $\frac{8}{9}$ L

선행 문제 3

(1) 4 / 1, 2, 3

(2) 3, 3 / 1, 2

실행 문제 3

❶ 예 $\frac{20}{11}\div5=\frac{4}{11}$

❷ 4, 4

❸ 1, 2, 3　답 1, 2, 3

쌍둥이 문제 3-1

❶ $4\frac{2}{7}\div6=\frac{30}{7}\div6=\frac{5}{7}$

❷ 전략 ❶에서 구한 값을 이용하여 문제의 식을 정리하자.

$\frac{5}{7}>\frac{\square}{7}$ → □는 5보다 작다.

❸ □ 안에 들어갈 수 있는 자연수:

1, 2, 3, 4

답 1, 2, 3, 4

선행 문제 4

(1) 7, 4

(2) 9, $\frac{18}{5}$

실행 문제 4

❶ 5, 3

❷ 3, 5, $\frac{3}{5}$, $\frac{3}{5}$　답 $\frac{3}{5}$

쌍둥이 문제 4-1

❶ 전략 먼저 잘못 계산한 식을 써 보자.

어떤 수를 □라 하여 잘못 계산한 식 쓰기:

$\square\times4=2\frac{2}{3}$

❷ 전략 ❶에서 쓴 식을 나눗셈식으로 바꾸어 □의 값을 구하자.

$\square=2\frac{2}{3}\div4=\frac{8}{3}\div4=\frac{2}{3}$

→ 어떤 수: $\frac{2}{3}$　답 $\frac{2}{3}$

선행 문제 5

크게에 ○표 / 5, 9 / 5, 9(또는 9, 5)

실행 문제 5

❶ 4, 8

❷ 4, 8, 32(또는 8, 4, 32)

식 4, 8(또는 8, 4) 답 $\frac{1}{32}$

쌍둥이 문제 5-1

❶ 전략 $\frac{1}{\square}\div\square$는 $\frac{1}{\square\times\square}$이고, 분모가 작을수록 분수는 커진다.

사용할 수 카드 2장: 3, 4

❷ 계산 결과가 가장 큰 식:

$=\frac{1}{3}\div4=\frac{1}{12}\left(\text{또는 }\frac{1}{4}\div3=\frac{1}{12}\right)$

식 3, 4(또는 4, 3) 답 $\frac{1}{12}$

선행 문제 6

(1) 10, 1

(2) 24, 2

(3) 30, 1

실행 문제 6

❶ 40, 2

참고 1 km를 달리는 데 걸린 시간이 '몇 시간'인지 구하려면 먼저 주어진 조건 중에서 걸린 시간인 '1시간 40분'을 시간 단위로 나타내어야 한다.

❷ $1\frac{2}{3}$, 20, $\frac{1}{12}$ 답 $\frac{1}{12}$시간

쌍둥이 문제 6-1

❶ 전략 걸린 시간을 시간 단위로 나타내자.

(10 km를 달리는 데 걸린 시간)

$=1$시간 45분$=1\frac{45}{60}$시간$=1\frac{3}{4}$시간

❷ 전략 (❶에서 구한 시간)÷(달린 거리)

(1 km를 달리는 데 걸린 시간)

$=1\frac{3}{4}\div10=\frac{7}{4}\times\frac{1}{10}=\frac{7}{40}$(시간) 답 $\frac{7}{40}$시간

STEP 2 수학 사고력 키우기 12~17쪽

대표 문제 1

구 10

주 6, $20\frac{2}{5}$

해 ❶ (1분 동안 나온 물의 양)

$=$(나온 물의 양)÷(물이 나온 시간)

$=20\frac{2}{5}\div6=\frac{102}{5}\div6=\frac{17}{5}=3\frac{2}{5}$ (L)

답 $3\frac{2}{5}$ L$\left(=\frac{17}{5}\text{ L}\right)$

❷ (10분 동안 나오는 물의 양)

$=$(1분 동안 나온 물의 양)$\times10$

$=3\frac{2}{5}\times10=\frac{17}{\cancel{5}_1}\times\cancel{10}^2=34$ (L) 답 34 L

쌍둥이 문제 1-1

구 나무판자 8 m^2의 무게

주 나무판자의 넓이: 3 m^2, 무게: $5\frac{1}{4}$ kg

❶ 전략 나무판자 1 m^2의 무게를 구해야 하므로 나무판자의 넓이로 나누자.

(나무판자 1 m^2의 무게)

$=5\frac{1}{4}\div3=\frac{21}{4}\div3=\frac{7}{4}$ (kg)

❷ (나무판자 8 m^2의 무게)

$=\frac{7}{\cancel{4}_1}\times\cancel{8}^2=14$ (kg) 답 14 kg

대표 문제 2

구 하루

주 $\frac{8}{5}$, 5

해 ❶ (우유 5병의 양)

$=$(우유 한 병의 양)$\times5$

$=\frac{8}{5}\times5=8$ (L) 답 8 L

❷ 일주일은 7일이다. 답 7일

❸ (하루에 마시게 되는 우유의 양)

$=$(우유 5병의 양)÷(마시는 날수)

$=8\div7=\frac{8}{7}=1\frac{1}{7}$ (L) 답 $1\frac{1}{7}$ L$\left(=\frac{8}{7}\text{ L}\right)$

쌍둥이 문제 2-1

구 하루에 사용하게 되는 참기름의 양

주 •참기름 한 병의 양: $1\frac{1}{20}$ L

•참기름의 수: 10병

•사용하는 기간: 4월 한 달

❶ 전략 참기름 한 병의 양에 10을 곱하자.

(참기름 10병의 양)

$=1\frac{1}{20}\times10=\frac{21}{\cancel{20}_{2}}\times\cancel{10}^{1}=\frac{21}{2}$ (L)

❷ 4월은 30일까지 있다.

❸ 전략 참기름 10병의 양을 4월의 날수로 나누자.

(하루에 사용하게 되는 참기름의 양)

$=\frac{21}{2}\div30=\frac{\cancel{21}^{7}}{2}\times\frac{1}{\cancel{30}_{10}}=\frac{7}{20}$ (L)

답 $\frac{7}{20}$ L

대표 문제 3

해 ❶ $4\frac{9}{10}\div7=\frac{49}{10}\div7=\frac{7}{10}$

답 $\frac{7}{10}$

❷ $4\frac{9}{10}\div7=\frac{7}{10}$이므로 $\frac{2}{5}<\frac{\square}{10}<\frac{7}{10}$이고,

$\frac{2}{5}=\frac{4}{10}$이므로 $\frac{4}{10}<\frac{\square}{10}<\frac{7}{10}$

답 $\frac{7}{10}$, 4, 7

❸ $4<\square<7$

➔ □ 안에 들어갈 수 있는 자연수: 5, 6

답 5, 6

쌍둥이 문제 3-1

구 □ 안에 들어갈 수 있는 자연수

어 1 $2\frac{1}{12}\div5$의 계산 결과를 구하고,

2 공통분모를 12로 하여 세 분수를 통분한 후,

3 분자를 비교하여 □ 안에 들어갈 수 있는 자연수를 모두 구하자.

❶ 전략 문제의 식에서 먼저 계산해야 할 것을 계산하자.

$2\frac{1}{12}\div5=\frac{25}{12}\div5=\frac{5}{12}$

❷ 전략 ❶에서 구한 값을 이용하여 문제의 식을 정리한 후에 통분하자.

$\frac{5}{12}<\frac{\square}{12}<\frac{3}{4}$ $\xrightarrow{\text{통분}}$ $\frac{5}{12}<\frac{\square}{12}<\frac{9}{12}$

참고

$2\frac{1}{12}\div5=\frac{5}{12}$이므로 $\frac{5}{12}<\frac{\square}{12}<\frac{3}{4}$이고,

$\frac{3}{4}=\frac{9}{12}$이므로 $\frac{5}{12}<\frac{\square}{12}<\frac{9}{12}$이다.

❸ 전략 ❷에서 통분한 것을 보고 □를 모두 구하자.

$5<\square<9$

➔ □ 안에 들어갈 수 있는 자연수: 6, 7, 8

답 6, 7, 8

대표 문제 4

주 8, $6\frac{2}{3}$

해 ❶ 어떤 수에 8을 곱했더니 $6\frac{2}{3}$가 되었다.

□ ×8 $=6\frac{2}{3}$

식 $\square\times8=6\frac{2}{3}$

❷ $\square=6\frac{2}{3}\div8$

$=\frac{\cancel{20}^{5}}{3}\times\frac{1}{\cancel{8}_{2}}=\frac{5}{6}$

➔ 어떤 수: $\frac{5}{6}$

답 $\frac{5}{6}$

❸ (바르게 계산한 값)

=(어떤 수)÷8

$=\frac{5}{6}\div8=\frac{5}{6}\times\frac{1}{8}=\frac{5}{48}$

답 $\frac{5}{48}$

쌍둥이 문제 4-1

구 바르게 계산한 값

주 잘못하여 어떤 수에 15를 곱했더니 $5\frac{5}{8}$가 되었다.

❶ 어떤 수를 □라 하여 잘못 계산한 식 쓰기:

$\square\times15=5\frac{5}{8}$

❷ 전략 ❶에서 쓴 식을 나눗셈식으로 바꾸어 □의 값을 구하자.

$\square=5\frac{5}{8}\div15$

$=\frac{45}{8}\div15=\frac{3}{8}$

➔ 어떤 수: $\frac{3}{8}$

❸ 전략 ❷에서 구한 어떤 수를 15로 나누자.

바르게 계산한 값:

$\frac{3}{8}\div15=\frac{\cancel{3}^{1}}{8}\times\frac{1}{\cancel{15}_{5}}=\frac{1}{40}$

답 $\frac{1}{40}$

대표 문제 5

해 ❶ $\frac{㉠}{㉡}÷㉢=\frac{㉠}{㉡×㉢}$의 계산 결과가 가장 작으려면 ㉡×㉢을 가장 크게 만들어야 하므로 ㉡과 ㉢에 가장 큰 수와 두 번째로 큰 수를 넣어야 한다.

답 7, 8

❷ $\frac{㉠}{㉡}÷㉢=\frac{㉠}{㉡×㉢}$의 계산 결과가 가장 작으려면 ㉠을 가장 작게 만들어야 하므로 ㉠에 가장 작은 수를 넣어야 한다.

답 3

❸ 계산 결과가 가장 작은 나눗셈식:

$\frac{3}{7}÷8=\frac{3}{7}×\frac{1}{8}=\frac{3}{56}$

$\left(\text{또는 } \frac{3}{8}÷7=\frac{3}{8}×\frac{1}{7}=\frac{3}{56}\right)$

식 $\frac{3}{7}÷8\left(\text{또는 } \frac{3}{8}÷7\right)$ 답 $\frac{3}{56}$

쌍둥이 문제 5-1

구 계산 결과가 가장 큰 나눗셈식과 그 계산 결과

어 $\frac{㉠}{㉡}÷㉢=\frac{㉠}{㉡×㉢}$에서 계산 결과가 가장 크려면

1 ㉡×㉢이 가장 작아야 하고,

2 ㉠이 가장 커야 한다는 것을 이용하자.

❶ 전략 분자가 같으면 분모가 작을수록 분수가 커지므로 ㉡×㉢이 가장 작게 만들자.

$\frac{㉠}{㉡}÷㉢=\frac{㉠}{㉡×㉢}$의 계산 결과를 가장 크게 만들 때 ㉡과 ㉢에 넣을 수 카드: 2, 5

❷ 전략 분모가 같으면 분자가 클수록 분수가 커지므로 ㉠을 가장 크게 만들자.

$\frac{㉠}{㉡}÷㉢=\frac{㉠}{㉡×㉢}$의 계산 결과를 가장 크게 만들 때 ㉠에 넣을 수 카드: 9

❸ 계산 결과가 가장 큰 나눗셈식:

$\frac{9}{2}÷5=\frac{9}{10}\left(\text{또는 } \frac{9}{5}÷2=\frac{9}{10}\right)$

참고

$\frac{9}{2}÷5=\frac{9}{2}×\frac{1}{5}=\frac{9}{10}$

$\left(\text{또는 } \frac{9}{5}÷2=\frac{9}{5}×\frac{1}{2}=\frac{9}{10}\right)$

식 $\frac{9}{2}÷5\left(\text{또는 } \frac{9}{5}÷2\right)$ 답 $\frac{9}{10}$

대표 문제 6

구 20

주 12

해 ❶ (12 km를 달리는 데 걸린 시간)

$=54\text{분}=\frac{54}{60}\text{시간}=\frac{9}{10}\text{시간}$

답 $\frac{9}{10}$시간

❷ (1 km를 달리는 데 걸린 시간)

=(걸린 시간)÷(달린 거리)

$=\frac{9}{10}÷12=\frac{\overset{3}{\cancel{9}}}{10}×\frac{1}{\underset{4}{\cancel{12}}}=\frac{3}{40}(\text{시간})$

답 $\frac{3}{40}$시간

❸ (20 km를 달리는 데 걸리는 시간)

=(1 km를 달리는 데 걸린 시간)×20

$=\frac{3}{\underset{2}{\cancel{40}}}×\overset{1}{\cancel{20}}=\frac{3}{2}=1\frac{1}{2}(\text{시간})$

답 $1\frac{1}{2}$시간$\left(=\frac{3}{2}\text{시간}\right)$

쌍둥이 문제 6-1

구 $35\,m^2$를 칠하는 데 걸리는 시간

주 36분 동안 $15\,m^2$를 칠함.

❶ 전략 1분$=\frac{1}{60}$시간임을 이용하자.

($15\,m^2$를 칠하는 데 걸린 시간)

$=36\text{분}=\frac{36}{60}\text{시간}=\frac{3}{5}\text{시간}$

참고

$1\,m^2$를 칠하는 데 걸린 시간이 '몇 시간'인지 구하려면 주어진 조건 중에서 걸린 시간인 '36분'을 시간 단위로 나타내어야 한다.

❷ 전략 ❶에서 구한 시간을 칠한 벽면의 넓이 $15\,m^2$로 나누자.

($1\,m^2$를 칠하는 데 걸린 시간)

$=\frac{3}{5}÷15=\frac{\overset{1}{\cancel{3}}}{5}×\frac{1}{\underset{5}{\cancel{15}}}=\frac{1}{25}(\text{시간})$

❸ 전략 ❷에서 구한 시간에 35를 곱하자.

($35\,m^2$를 칠하는 데 걸리는 시간)

$=\frac{1}{\underset{5}{\cancel{25}}}×\overset{7}{\cancel{35}}=\frac{7}{5}=1\frac{2}{5}(\text{시간})$

답 $1\frac{2}{5}$시간$\left(=\frac{7}{5}\text{시간}\right)$

3STEP 수학 독해력 완성하기 18~21쪽

독해 문제 1

구 무지개떡 한 개의 무게

주 •무지개떡 4개가 놓여 있는 접시의 무게: $1\frac{2}{5}$ kg

•빈 접시의 무게: $\frac{1}{5}$ kg

해 ❶ (무지개떡 4개의 무게)
=(무지개떡 4개가 놓여 있는 접시의 무게)
−(빈 접시의 무게)
$=1\frac{2}{5}-\frac{1}{5}=1\frac{1}{5}$ (kg)

답 $1\frac{1}{5}$ kg

❷ (무지개떡 한 개의 무게)
=(무지개떡 4개의 무게)÷4
$=1\frac{1}{5}\div 4=\frac{\overset{3}{\cancel{6}}}{5}\times\frac{1}{\underset{2}{\cancel{4}}}=\frac{3}{10}$ (kg)

답 $\frac{3}{10}$ kg

독해 문제 2

구 정육각형 한 변의 길이

어 ❶ 정사각형의 둘레를 구하고,
❷ 정육각형의 둘레는 ❶의 값과 같음을 이용하여
❸ 정육각형 한 변의 길이를 구하자.

해 ❶ 전략 정사각형 한 변의 길이에 4를 곱하자.
(정사각형의 둘레)
$=\frac{8}{15}\times 4=\frac{32}{15}=2\frac{2}{15}$ (m)

답 $2\frac{2}{15}$ m$\left(=\frac{32}{15}\text{ m}\right)$

❷ 전략 정사각형과 정육각형을 만드는 데 사용한 철사의 길이는 같다.
(정육각형의 둘레)
=(정사각형의 둘레)$=2\frac{2}{15}$ m

답 $2\frac{2}{15}$ m$\left(=\frac{32}{15}\text{ m}\right)$

❸ (정육각형 한 변의 길이)
=(정육각형의 둘레)÷6
$=2\frac{2}{15}\div 6=\frac{\overset{16}{\cancel{32}}}{15}\times\frac{1}{\underset{3}{\cancel{6}}}=\frac{16}{45}$ (m)

답 $\frac{16}{45}$ m

독해 문제 3

구 배추를 심을 텃밭이 더 넓은 모둠

주 •다영이네 모둠
➔ 텃밭의 넓이: 11 m^2
심을 채소: 상추, 고추, 배추 → 3가지
•유찬이네 모둠
➔ 텃밭의 넓이: 15 m^2
심을 채소: 오이, 감자, 고구마, 배추 → 4가지

해 ❶ (다영이네 모둠이 배추를 심을 텃밭의 넓이)
=(다영이네 모둠 텃밭의 넓이)
÷(심을 채소 종류의 수)
$=11\div 3=\frac{11}{3}=3\frac{2}{3}$ (m^2)

답 $3\frac{2}{3}$ $m^2\left(=\frac{11}{3}\text{ m}^2\right)$

❷ (유찬이네 모둠이 배추를 심을 텃밭의 넓이)
=(유찬이네 모둠 텃밭의 넓이)
÷(심을 채소 종류의 수)
$=15\div 4=\frac{15}{4}=3\frac{3}{4}$ (m^2)

답 $3\frac{3}{4}$ $m^2\left(=\frac{15}{4}\text{ m}^2\right)$

❸ $3\frac{2}{3}<3\frac{3}{4}$이므로 유찬이네 모둠이 더 넓습니다.

답 유찬이네 모둠

독해 문제 4

구 다예가 페인트를 칠한 벽면의 넓이

주 •전체 벽면의 넓이: $12\frac{3}{4}$ m^2
•아버지가 칠한 벽면: 전체의 $\frac{7}{9}$
•다예와 동생이 각각 칠한 벽면:
아버지가 칠한 나머지의 반

어 ❶ 아버지, 다예, 동생이 칠한 부분을 그림으로 각각 나타낸 후,
❷ 다예가 칠한 벽면이 얼마만큼인지 알고
❸ 나눗셈식을 세워 다예가 칠한 벽면의 넓이를 구하자.

해 ❶ 답 예

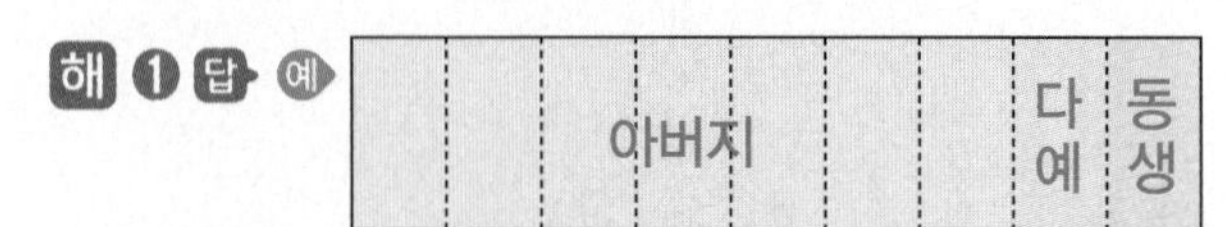

❷ ❶의 그림에서 다예가 칠한 벽면은 전체를 똑같이 9로 나눈 것 중의 1이다. 답 1

❸ (다예가 페인트를 칠한 벽면의 넓이)

$=$(전체 벽면의 넓이)$\div 9$

$=12\frac{3}{4}\div 9=\frac{\overset{17}{\cancel{51}}}{4}\times\frac{1}{\underset{3}{\cancel{9}}}=\frac{17}{12}=1\frac{5}{12}\,(\mathrm{m}^2)$

답 $1\frac{5}{12}\,\mathrm{m}^2\left(=\frac{17}{12}\,\mathrm{m}^2\right)$

독해 문제 5

구 큰

주 4

해 ❶ 전략 계산 결과가 가장 크려면 나누는 수인 자연수는 가장 작아야 한다.

$2<3<5<6<8$이므로 나누는 수는 가장 작은 수인 2여야 한다.

답 작아야에 ○표, 2

❷ 전략 계산 결과가 가장 크려면 나누어지는 수인 대분수는 가장 커야 한다.

3, 5, 6, 8 중에서 3개의 수를 한 번씩 사용하여 가장 큰 대분수를 만든다.

자연수 부분이 8인 대분수 $8\frac{3}{5}$, $8\frac{3}{6}$, $8\frac{5}{6}$ 중에서 가장 큰 수는 $8\frac{5}{6}$이다.

답 커야에 ○표, $8\frac{5}{6}$

참고 가장 큰 대분수를 만들려면
❶ 가장 큰 수를 자연수 부분에 놓고
❷ 남은 2개의 수로 가장 큰 진분수를 만든다.

❸ 계산 결과가 가장 큰 나눗셈식:

$8\frac{5}{6}\div 2=\frac{53}{6}\times\frac{1}{2}=\frac{53}{12}=4\frac{5}{12}$

식 $8\frac{5}{6}\div 2$ 답 $4\frac{5}{12}\left(=\frac{53}{12}\right)$

독해 문제 5-1 정답에서 제공하는 **쌍둥이 문제**

5장의 수 카드 중에서 4장을 뽑아 한 번씩 사용하여/ 계산 결과가 가장 **작은** 나눗셈식을 만들고/ 계산해 보세요.

2 3 5 6 8 → □$\frac{□}{□}$÷□

구 계산 결과가 가장 작은 나눗셈식과 그 계산 결과

어 계산 결과가 가장 작은 나눗셈식 :

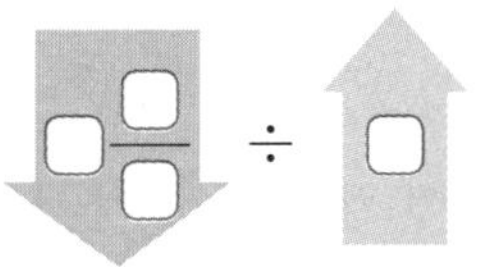

해 ❶ $2<3<5<6<8$이므로 나누는 수는 가장 큰 수인 8이어야 한다.

❷ 2, 3, 5, 6 중에서 3개의 수를 한 번씩 사용하여 가장 작은 대분수를 만든다.

자연수 부분이 2인 대분수 $2\frac{3}{5}$, $2\frac{3}{6}$, $2\frac{5}{6}$ 중에서 가장 작은 수는 $2\frac{3}{6}$이다.

❸ 계산 결과가 가장 작은 나눗셈식:

$2\frac{3}{6}\div 8=\frac{15}{6}\times\frac{1}{8}=\frac{15}{48}$

식 $2\frac{3}{6}\div 8$ 답 $\frac{15}{48}$

독해 문제 6

구 짧은

주 10, 22

해 ❶ 50분$=\frac{50}{60}$시간$=\frac{5}{6}$시간 답 $\frac{5}{6}$시간

❷ • (진아가 1 km를 달리는 데 걸린 시간)

$=\frac{5}{6}\div 10=\frac{\overset{1}{\cancel{5}}}{6}\times\frac{1}{\underset{2}{\cancel{10}}}=\frac{1}{12}$(시간)

• (준수가 1 km를 달리는 데 걸린 시간)

$=2\div 22=\frac{2}{22}=\frac{1}{11}$(시간)

답 $\frac{1}{12}$시간, $\frac{1}{11}$시간

❸ $\frac{1}{12}<\frac{1}{11}$이므로 진아가 걸린 시간이 더 짧다.

답 진아

주의 진아와 준수가 달린 시간의 단위를 통일하지 않고 다음과 같이 문제를 풀지 않도록 주의한다.
• (진아가 1 km를 달리는 데 걸린 시간) $=50\div 10=5$(분)
• (준수가 1 km를 달리는 데 걸린 시간) $=2\div 22=\frac{2}{22}=\frac{1}{11}$(시간)
→ $5>\frac{1}{11}$이므로 준수가 걸린 시간이 더 짧다. (×)

4 STEP 창의·융합·코딩 체험하기 22~25쪽

융합 1

(1인분을 만드는 데 필요한 소금의 양)

$=3\div4=\frac{3}{4}$ (g)

(1인분을 만드는 데 필요한 우유의 양)

$=1\frac{1}{3}\div4=\frac{4}{3}\div4=\frac{1}{3}$ (컵)

답 $\frac{3}{4}$ g, $\frac{1}{3}$컵

코딩 2

시작하기 버튼을 4번 클릭했을 때 물통에 물이 넘치지 않고 가득 담겼으므로 물통의 들이는 컵의 들이의 4배이다.

(컵의 들이)

=(물통의 들이)÷4

$=5\frac{1}{3}\div4=\frac{16}{3}\div4=\frac{4}{3}=1\frac{1}{3}$ (L)

답 $1\frac{1}{3}$ L$\left(=\frac{4}{3}\text{ L}\right)$

창의 3

잠을 자는 시간: 9시간

학교에서 생활하는 시간: 6시간

➔ (잠을 자는 시간)÷(학교에서 생활하는 시간)

$=9\div6=\frac{9}{6}=\frac{3}{2}=1\frac{1}{2}$(배)

답 $1\frac{1}{2}$배$\left(=\frac{3}{2}\text{배}\right)$

코딩 4

$\frac{\boxed{5}}{\boxed{6}}$ ÷ $\boxed{8}$ ➔ $\frac{5}{6}\div8=\frac{5}{6}\times\frac{1}{8}=\frac{5}{48}$

답 $\frac{5}{48}$

코딩 5

명령을 실행하였을 때 로봇은 색칠한 칸의 사과 9개를 수확하게 된다.

(사과 한 개의 무게)

=(수확한 과일 전체의 무게)÷(수확한 과일의 수)

$=6\frac{3}{4}\div9=\frac{27}{4}\div9=\frac{3}{4}$ (kg)

답 사과, $\frac{3}{4}$ kg

융합 6

(A 오토바이의 연비)

=(갈 수 있는 거리)÷(연료의 양)

$=121\div4=\frac{121}{4}=30\frac{1}{4}$ (km)

(B 오토바이의 연비)

=(갈 수 있는 거리)÷(연료의 양)

$=\frac{500}{3}\div5=\frac{100}{3}=33\frac{1}{3}$ (km)

➔ $30\frac{1}{4}<33\frac{1}{3}$이므로

연비가 더 높은 오토바이는 B 오토바이이다.

답 B 오토바이

> **참고** (연비)
> =(1 L로 갈 수 있는 거리)
> =(갈 수 있는 거리)÷(연료의 양)

코딩 7

최소한의 연료를 사용하려면 최소한의 명령에 따라 이동해야 한다.

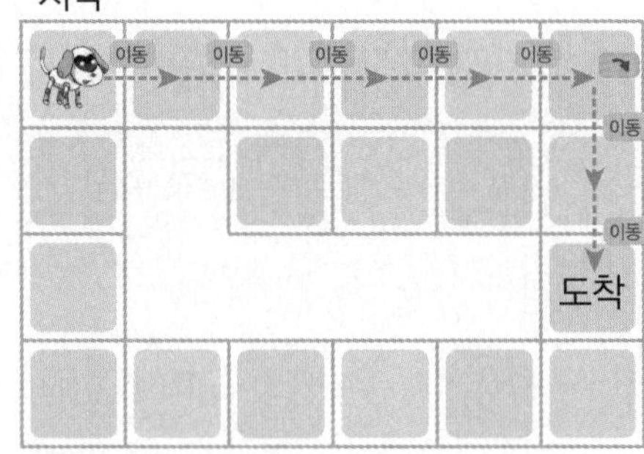

시작 지점에서부터 도착 지점까지 이동할 때 최소한의 명령은 이동 7개, ↷ 1개로 모두 8개이다.

(명령 하나를 실행할 때 사용하는 연료의 양)

=(사용한 전체 연료의 양)÷(명령의 수)

$=3\frac{1}{5}\div8=\frac{16}{5}\div8=\frac{2}{5}$ (L)

답 $\frac{2}{5}$ L

> **참고** 최소한의 명령에 따라 이동하는 방법을 찾을 때에는 이동 명령을 적게 실행하는 방법 중에서 이동하는 방향을 바꾸는 ↶, ↷ 명령을 적게 실행하는 방법을 찾아야 한다.

종합평가 실전 마무리 하기 26~29쪽

1 ❶ 색칠한 부분은 마름모를 똑같이 9로 나눈 것 중의 1이다.

❷ (색칠한 부분의 넓이)

$=\frac{99}{8}\div 9=\frac{11}{8}=1\frac{3}{8}$ (cm²)

답 $1\frac{3}{8}$ cm² $\left(=\frac{11}{8}\text{ cm}^2\right)$

2 ❶ 전략 '1분 동안 나온 물의 양'을 구해야 하므로 물이 나온 시간으로 나누자.

나온 물의 양 $20\frac{5}{8}$ L를 물이 나온 시간 3분으로 나누어야 한다.

❷ (1분 동안 나온 물의 양)

$=20\frac{5}{8}\div 3=\frac{165}{8}\div 3=\frac{55}{8}=6\frac{7}{8}$ (L)

답 $6\frac{7}{8}$ L $\left(=\frac{55}{8}\text{ L}\right)$

3 ❶ 전략 사과 9개가 놓여 있는 쟁반의 무게에서 빈 쟁반의 무게를 빼자.

(사과 9개의 무게)

$=2\frac{4}{5}-\frac{1}{10}=2\frac{8}{10}-\frac{1}{10}=2\frac{7}{10}$ (kg)

❷ (사과 한 개의 무게)

$=2\frac{7}{10}\div 9=\frac{27}{10}\div 9=\frac{3}{10}$ (kg) 답 $\frac{3}{10}$ kg

4 ❶ (주스 5병의 양)

$=1\frac{3}{4}\times 5=\frac{7}{4}\times 5=\frac{35}{4}$ (L)

❷ 일주일은 7일이다.

❸ 전략 주스 5병의 양을 마시는 날수 7로 나누자.

(하루에 마시게 되는 주스의 양)

$=\frac{35}{4}\div 7=\frac{5}{4}=1\frac{1}{4}$ (L) 답 $1\frac{1}{4}$ L $\left(=\frac{5}{4}\text{ L}\right)$

5 ❶ 전략 문제의 식에서 먼저 계산해야 할 것을 계산하자.

$\frac{24}{25}\div 3=\frac{8}{25}$

❷ 전략 ❶에서 구한 값을 이용하여 문제의 식을 정리한 후에 통분하자.

$\frac{1}{5}<\frac{\square}{25}<\frac{8}{25}$ →(통분) $\frac{5}{25}<\frac{\square}{25}<\frac{8}{25}$

❸ $5<\square<8$

→ □ 안에 들어갈 수 있는 자연수: 6, 7 답 6, 7

6 ❶ 어떤 수를 □라 하여 잘못 계산한 식 쓰기:

$\square\times 5=2\frac{11}{12}$

❷ 전략 ❶에서 쓴 식을 나눗셈식으로 바꾸어 □의 값을 구하자.

$\square=2\frac{11}{12}\div 5$

$=\frac{35}{12}\div 5=\frac{7}{12}$

→ 어떤 수: $\frac{7}{12}$

❸ 전략 ❷에서 구한 어떤 수를 5로 나누자.

바르게 계산한 값:

$\frac{7}{12}\div 5=\frac{7}{12}\times\frac{1}{5}=\frac{7}{60}$ 답 $\frac{7}{60}$

7 ❶ 전략 정팔각형의 한 변의 길이에 8을 곱하자.

(정팔각형을 만드는 데 사용한 철사의 길이)

$=\frac{5}{\cancel{6}_3}\times\cancel{8}^4=\frac{20}{3}$ (m)

❷ 전략 정팔각형과 정오각형을 만드는 데 사용한 철사의 길이는 같다.

(정오각형을 만드는 데 사용한 철사의 길이)

$=\frac{20}{3}$ m

❸ (정오각형 한 변의 길이)

$=\frac{20}{3}\div 5=\frac{4}{3}=1\frac{1}{3}$ (m)

답 $1\frac{1}{3}$ m $\left(=\frac{4}{3}\text{ m}\right)$

8 ❶ 전략 하준이네 모둠 텃밭의 넓이를 심은 채소 종류의 수로 나누자.

(하준이네 모둠이 당근을 심은 텃밭의 넓이)

$=21\div 4=\frac{21}{4}=5\frac{1}{4}$ (m²)

❷ 전략 서윤이네 모둠 텃밭의 넓이를 심은 채소 종류의 수로 나누자.

(서윤이네 모둠이 당근을 심은 텃밭의 넓이)

$=16\div 3=\frac{16}{3}=5\frac{1}{3}$ (m²)

❸ $5\frac{1}{4}<5\frac{1}{3}$이므로 서윤이네 모둠이 더 넓다.

답 서윤이네 모둠

9 ❶ 전략 $\frac{㉠}{㉡} \div ㉢ = \frac{㉠}{㉡ \times ㉢}$에서 분자가 같으면 분모가 클수록 분수가 작아진다.

$\frac{㉠}{㉡} \div ㉢ = \frac{㉠}{㉡ \times ㉢}$의 계산 결과를 가장 작게 만들 때

㉡과 ㉢에 넣을 수 카드: 5, 7

❷ 전략 $\frac{㉠}{㉡} \div ㉢ = \frac{㉠}{㉡ \times ㉢}$에서 분모가 같으면 분자가 작을수록 분수가 작아진다.

$\frac{㉠}{㉡} \div ㉢ = \frac{㉠}{㉡ \times ㉢}$의 계산 결과를 가장 작게 만들 때

㉠에 넣을 수 카드: 3

❸ 계산 결과가 가장 작은 나눗셈식:

$\frac{3}{5} \div 7 = \frac{3}{35}\left(\text{또는 } \frac{3}{7} \div 5 = \frac{3}{35}\right)$

참고
$\frac{3}{5} \div 7 = \frac{3}{5} \times \frac{1}{7} = \frac{3}{35}$
$\left(\text{또는 } \frac{3}{7} \div 5 = \frac{3}{7} \times \frac{1}{5} = \frac{3}{35}\right)$

식 $\frac{3}{5} \div 7\left(\text{또는 } \frac{3}{7} \div 5\right)$ 답 $\frac{3}{35}$

10 ❶ 전략 1분 $= \frac{1}{60}$시간임을 이용하자.

(16 km를 달리는 데 걸린 시간)
$= 1$시간 4분
$= 1\frac{4}{60}$시간
$= 1\frac{1}{15}$시간

참고 1 km를 달리는 데 걸린 시간이 '몇 시간'인지 구하려면 주어진 조건 중에서 걸린 시간인 '1시간 4분'을 시간 단위로 나타내어야 한다.

❷ 전략 ❶에서 구한 시간을 달린 거리 16 km로 나누자.

(1 km를 달리는 데 걸린 시간)

$= 1\frac{1}{15} \div 16 = \frac{\overset{1}{\cancel{16}}}{15} \times \frac{1}{\underset{1}{\cancel{16}}} = \frac{1}{15}$(시간)

❸ (25 km를 달리는 데 걸리는 시간)

$= \frac{1}{\underset{3}{\cancel{15}}} \times \overset{5}{\cancel{25}} = \frac{5}{3} = 1\frac{2}{3}$(시간)

답 $1\frac{2}{3}$ 시간$\left(= \frac{5}{3}\text{ 시간}\right)$

2 각기둥과 각뿔

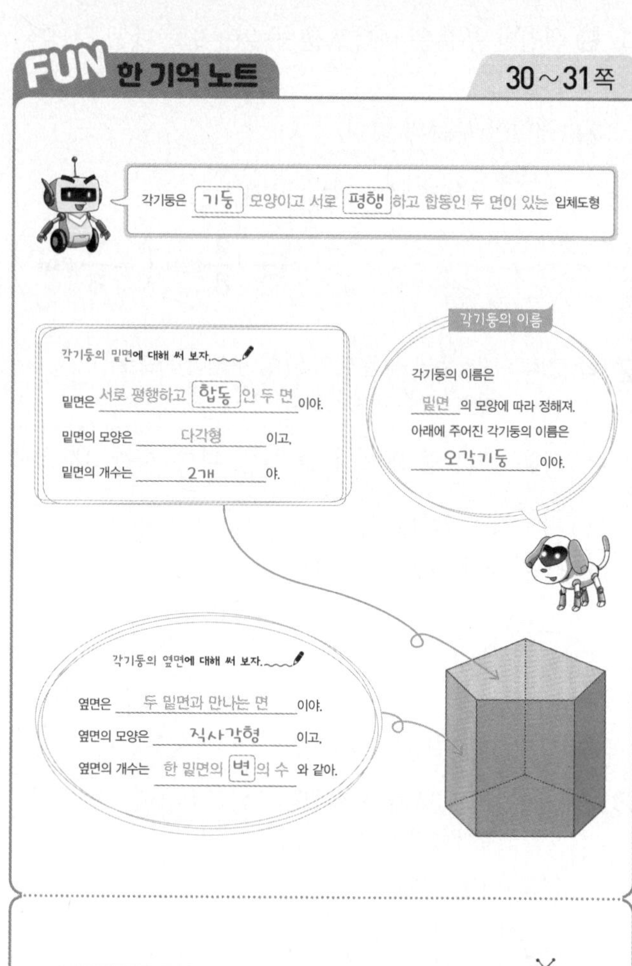

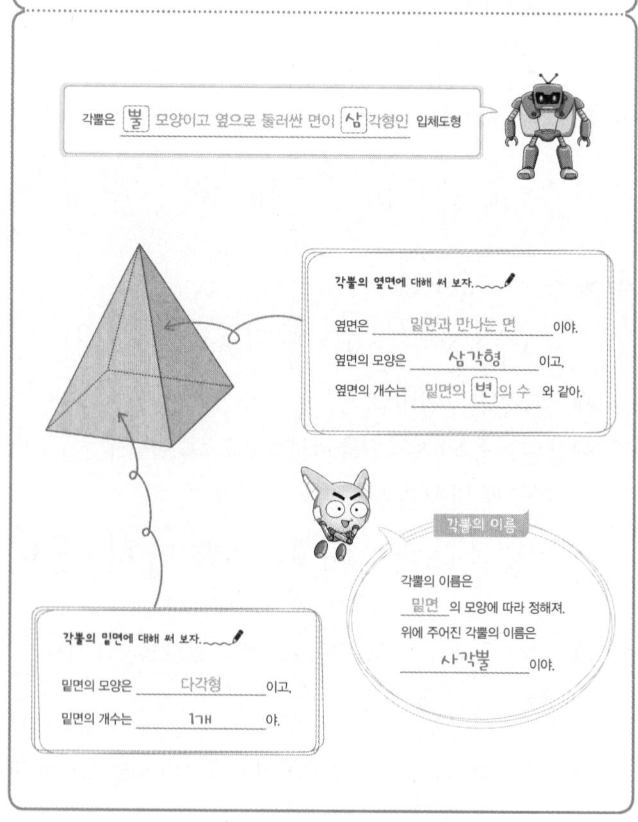

1 STEP 문제 해결력 기르기 32~37쪽

선행 문제 1

5, 3, 9, 2, 6

참고 각기둥의
(면의 수)=(한 밑면의 변의 수)+2
(모서리의 수)=(한 밑면의 변의 수)×3
(꼭짓점의 수)=(한 밑면의 변의 수)×2

실행 문제 1

❶ 4
❷ 4, 2, 6

답 6개

쌍둥이 문제 1-1

❶ 전략 밑면의 모양에서 변의 수를 세자.
(한 밑면의 변의 수)=6개
❷ 전략 (꼭짓점의 수)=(한 밑면의 변의 수)×2
(각기둥의 꼭짓점의 수)
$=6\times2=12$(개)

답 12개

선행 문제 2

4, 2, 6, 1, 4

참고 각뿔의
(면의 수)=(밑면의 변의 수)+1
(모서리의 수)=(밑면의 변의 수)×2
(꼭짓점의 수)=(밑면의 변의 수)+1

실행 문제 2

❶ 삼, 사
❷ 4
❸ 4, 1, 5

답 5개

쌍둥이 문제 2-1

❶ 전략 밑면이 다각형이고, 옆면이 삼각형인 입체도형은 각뿔이다.
밑면이 팔각형이고, 옆면이 삼각형인 입체도형은 팔각뿔이다.
❷ (밑면의 변의 수)=8개
❸ 전략 (모서리의 수)=(밑면의 변의 수)×2
(각뿔의 모서리의 수)
$=8\times2=16$(개)

답 16개

선행 문제 3

(1) 2, 2, 6, 육
(2) 2, 2, 3, 삼

실행 문제 3

❶ 2, 2, 5
❷ 오
❸ 5, 10

답 10개

쌍둥이 문제 3-1

❶ 밑면의 변의 수를 □개라 하면
각뿔의 모서리의 수: $\square\times2=8$
➔ $\square=8\div2=4$
❷ 각뿔의 이름: 사각뿔
❸ 전략 (면의 수)=(밑면의 변의 수)+1
(각뿔의 면의 수)
$=4+1=5$(개)

답 5개

선행 문제 4

7, 4, 7, 4, 16

실행 문제 4

❶ 7, 8
❷ 7, 8, 23
❸ 23, 9, 64

참고 (직사각형의 둘레)=(가로+세로)×2

답 64 cm

쌍둥이 문제 4-1

❶ 전략 옆면에서 마주 보는 선분의 길이는 같다.
전개도를 접었을 때 서로 만나는 선분의 길이는 같다.
(선분 ㅁㅂ)=8 cm
(선분 ㅅㄹ)=11 cm
❷ 전략 선분 ㄱㅁ, ㅁㅂ, ㅂㅅ, ㅅㄹ의 길이를 더하자.
(선분 ㄱㄹ)
$=5+8+4+11=28$ (cm)
❸ (직사각형 ㄱㄴㄷㄹ의 둘레)
$=(28+7)\times2$
$=35\times2=70$ (cm)

답 70 cm

선행 문제 5

사, 4

실행 문제 5

❶ 삼

❷  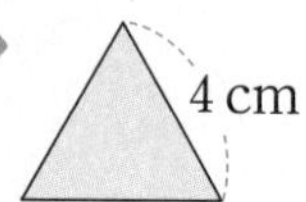

참고 옆면인 삼각형의 세 변 중에서 길이가 다른 한 변인 4 cm가 밑면의 한 변의 길이가 된다.

❸ 4, 12

답 12 cm

쌍둥이 문제 5-1

❶ 전략 옆면이 6개인 각뿔의 이름을 구하자.

각뿔의 이름: 육각뿔

❷ 전략 옆면인 삼각형의 세 변 중에서 길이가 다른 한 변인 6 cm가 밑면의 한 변의 길이가 된다.

각뿔의 밑면의 모양: 예

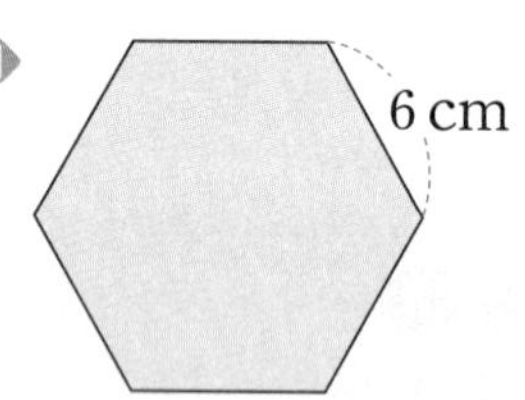

❸ (각뿔의 밑면의 둘레)

$=6\times6=36$ (cm)

답 36 cm

선행 문제 6

2, 4, 2, 4

실행 문제 6

❶ 9, 6, 22

참고 한 밑면은 세 변이 7 cm, 9 cm, 6 cm인 삼각형이다.

❷ 8

❸ 22, 8, 68

답 68 cm

쌍둥이 문제 6-1

❶ 전략 한 밑면은 한 변이 5 cm인 정오각형이다.

(한 밑면의 둘레)

$=5\times5=25$ (cm)

❷ (높이)$=7$ cm

❸ 전략 (□각기둥의 모든 모서리 길이의 합)
$=$(한 밑면의 둘레)$\times2+$(높이)$\times$□

(오각기둥의 모든 모서리 길이의 합)

$=25\times2+7\times5$

$=50+35=85$ (cm)

답 85 cm

2 STEP 수학 사고력 키우기 38~43쪽

대표 문제 1

구 모서리, 꼭짓점

해 ❶ 전개도에서 밑면은 오각형이므로 한 밑면의 변은 5개이다.

답 5개

❷ (각기둥의 모서리의 수)

$=5\times3=15$(개)

(각기둥의 꼭짓점의 수)

$=5\times2=10$(개)

답 15개, 10개

쌍둥이 문제 1-1

구 각기둥의 모서리의 수, 꼭짓점의 수

어 1 전개도에서 밑면의 모양을 찾아 한 밑면의 변의 수를 구한 후,

2 한 밑면의 변의 수를 이용하여 모서리, 꼭짓점의 수를 구하자.

❶ 전략 각기둥에서 두 밑면은 서로 평행하고 합동인 다각형이다. 주어진 전개도에서 밑면은 사각형이다.

(한 밑면의 변의 수)$=4$개

❷ 전략 (모서리의 수)$=$(한 밑면의 변의 수)$\times3$
(꼭짓점의 수)$=$(한 밑면의 변의 수)$\times2$

(각기둥의 모서리의 수)

$=4\times3=12$(개)

(각기둥의 꼭짓점의 수)

$=4\times2=8$(개)

답 12개, 8개

대표 문제 2

주 육, 삼

해 ❶ 밑면이 육각형인 각뿔의 이름은 육각뿔이다.

답 육각뿔

❷ 육각형의 변은 6개이다.

답 6개

❸ (육각뿔의 면의 수)

$=6+1=7$(개)

(육각뿔의 모서리의 수)

$=6\times2=12$(개)

(육각뿔의 꼭짓점의 수)

$=6+1=7$(개)

답 7개, 12개, 7개

쌍둥이 문제 2-1

구 입체도형의 면, 모서리, 꼭짓점의 수

❶ 전략 밑면이 다각형이고, 옆면이 모두 삼각형인 입체도형은 각뿔이다.

밑면이 오각형이고, 옆면이 모두 삼각형인 입체도형은 오각뿔이다.

❷ (밑면의 변의 수)=5개

❸ (오각뿔의 면의 수)

=5+1=6(개)

(오각뿔의 모서리의 수)

=5×2=10(개)

(오각뿔의 꼭짓점의 수)

=5+1=6(개) 답 6개, 10개, 6개

대표 문제 3

구 면

주 직사각형, 16

해 ❶ 밑면이 다각형이고, 옆면이 모두 직사각형인 입체도형은 각기둥이다. 답 각기둥에 ○표

❷ 각기둥의 한 밑면의 변의 수를 □개라 하면

각기둥의 꼭짓점의 수: □×2=16

➔ □=8이므로 팔각기둥이다.

답 팔각기둥

❸ (팔각기둥의 면의 수)

=(한 밑면의 변의 수)+2

=8+2=10(개) 답 10개

쌍둥이 문제 3-1

구 입체도형의 모서리의 수

주 • 밑면의 모양: 다각형, 옆면의 모양: 삼각형

• 면의 수: 7개

❶ 밑면이 다각형이고, 옆면이 모두 삼각형인 입체도형은 각뿔이다.

❷ 전략 각뿔의 면의 수를 구하는 식을 이용하여 각뿔의 이름을 구하자.
(면의 수)=(밑면의 변의 수)+1

각뿔의 밑면의 변의 수를 □개라 하면

각뿔의 면의 수: □+1=7

➔ □=6이므로 육각뿔이다.

❸ 전략 (모서리의 수)=(밑면의 변의 수)×2

(육각뿔의 모서리의 수)

=6×2=12(개) 답 12개

대표 문제 4

주 12, 5

해 ❶ (선분 ㄱㄹ)=(한 밑면의 둘레)

=5×6=30 (cm)

답 30 cm

❷ (선분 ㄱㄴ)=(각기둥의 높이)

=12 cm

답 12 cm

❸ (직사각형 ㄱㄴㄷㄹ의 둘레)

=(30+12)×2

=42×2=84 (cm) 답 84 cm

쌍둥이 문제 4-1

구 직사각형 ㄱㄴㄷㄹ의 둘레

주 • 높이: 14 cm

• 밑면의 모양: 한 변이 8 cm인 정오각형

❶ 전략 접었을 때 서로 만나는 선분의 길이는 같으므로 선분 ㄱㄹ의 길이는 한 밑면의 둘레와 같다.

(선분 ㄱㄹ)=(한 밑면의 둘레)

=8×5=40 (cm)

❷ 전략 선분 ㄱㄴ의 길이는 각기둥의 높이와 같다.

(선분 ㄱㄴ)=(각기둥의 높이)

=14 cm

❸ (직사각형 ㄱㄴㄷㄹ의 둘레)

=(40+14)×2

=54×2=108 (cm) 답 108 cm

대표 문제 5

구 모서리

해 ❶ 옆면이 4개이므로 사각뿔이고,

밑면은 모든 변이 각각 7 cm인 사각형이다.

밑면의 모양: (정사각형 그림)

7 cm

➔ (밑면의 둘레)=7×4=28 (cm)

답 28 cm

❷ 각뿔에는 길이가 12 cm인 모서리가 4개 있다.

➔ 12×4=48 (cm)

답 48 cm

❸ (각뿔의 모든 모서리 길이의 합)

=28+48=76 (cm) 답 76 cm

쌍둥이 문제 5-1

구 각뿔의 모든 모서리 길이의 합

어 1 옆면이 5개인 각뿔의 밑면의 둘레를 구하고,
2 길이가 9 cm인 모든 모서리 길이의 합을 구한 후,
3 1과 2에서 구한 값을 더하자.

❶ 밑면은 모든 변이 각각 5 cm인 오각형이다.
➔ (밑면의 둘레)$=5\times5=25$ (cm)

참고 밑면의 모양:

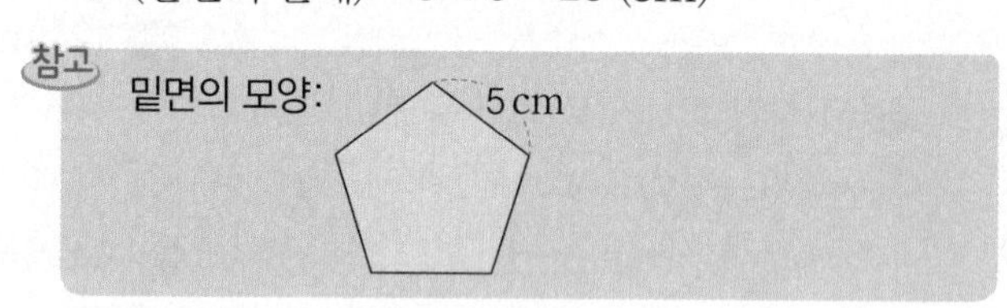

❷ 전략 옆면이 모두 이등변삼각형이므로 옆면끼리 만나서 생긴 모서리의 길이는 각각 9 cm이다.

(각뿔에서 길이가 9 cm인 모든 모서리 길이의 합)
$=9\times5=45$ (cm)

❸ (각뿔의 모든 모서리 길이의 합)
$=25+45=70$ (cm)

답 **70 cm**

대표 문제 6

구 **모서리**

해 ❶ 한 밑면은 네 변이 8 cm, 5 cm, 11 cm, 4 cm인 사각형이므로 사각기둥이 만들어진다.
(한 밑면의 둘레)
$=8+5+11+4=28$ (cm)

답 **28 cm**

❷ 답 **12 cm**

❸ (각기둥의 모든 모서리 길이의 합)
=(한 밑면의 둘레)$\times2+$(높이)$\times4$
$=28\times2+12\times4$
$=56+48=104$ (cm)

답 **104 cm**

쌍둥이 문제 6-1

구 각기둥의 모든 모서리 길이의 합

❶ 전략 옆면이 모두 합동이므로 한 밑면은 모든 변이 각각 4 cm인 육각형이다.
전개도를 접으면 육각기둥이 만들어진다.

(각기둥의 한 밑면의 둘레)$=4\times6=24$ (cm)

❷ (각기둥의 높이)$=10$ cm

❸ 전략 (□각기둥의 모든 모서리 길이의 합)
=(한 밑면의 둘레)$\times2+$(높이)$\times$□

(각기둥의 모든 모서리 길이의 합)
$=24\times2+10\times6$
$=48+60=108$ (cm)

답 **108 cm**

STEP 3 수학 독해력 완성하기 44~47쪽

독해 문제 1

구 오각기둥의 전개도가 아닌 이유

어 1 올바른 오각기둥 전개도의 특징을 알아보고,
2 오각기둥의 전개도가 아닌 이유를 찾자.

해 ❶ 답 (왼쪽에서부터) **직사각형, 2, 5**

❷ 이유 예 옆면인 직사각형이 5개 있어야 하는데 4개만 있기 때문이다.

독해 문제 2

구 각기둥의 꼭짓점의 수

주 각기둥의 옆면만 그린 전개도의 일부분

어 1 옆면의 수를 세어 각기둥의 이름을 알고,
2 각기둥의 꼭짓점의 수를 구하자.

해 ❶ 전략 각기둥의 옆면만 그린 전개도에서 직사각형의 수를 세자.

답 **7개**

❷ 옆면이 7개인 각기둥의 이름은 칠각기둥이다.

답 **칠각기둥**

❸ 칠각기둥의 밑면은 칠각형이므로 한 밑면의 변은 7개이다.
➔ (칠각기둥의 꼭짓점의 수)
$=7\times2=14$(개)

답 **14개**

독해 문제 3

어 1 육각기둥의 모서리의 수를 구하고,
2 각뿔의 모서리의 수를 구하는 식을 이용하여 밑면의 변의 수를 구한 후,
3 각뿔의 이름을 구하자.

해 ❶ 전략 (각기둥의 모서리의 수)
=(한 밑면의 변의 수)$\times3$

육각기둥의 한 밑면의 변의 수는 6개이다.
(육각기둥의 모서리의 수)
$=6\times3=18$(개)

답 **18개**

❷ 전략 (각뿔의 모서리의 수)=(밑면의 변의 수)$\times2$

각뿔의 밑면의 변의 수를 □개라 하면
각뿔의 모서리의 수: □$\times2=18$
➔ □$=9$이므로 구각뿔이다.

답 **구각뿔**

독해 문제 3-1 정답에서 제공하는 **쌍둥이 문제**

오각기둥과 꼭짓점의 수가 같은 각뿔의 이름을 써 보세요.

어 1 오각기둥의 꼭짓점의 수를 구하고,
2 각뿔의 꼭짓점의 수를 구하는 식을 이용하여 밑면의 변의 수를 구한 후,
3 각뿔의 이름을 구하자.

해 ❶ 오각기둥의 한 밑면의 변의 수는 5개이다.
(오각기둥의 꼭짓점의 수)
$=5\times2=10$(개)
❷ 각뿔의 밑면의 변의 수를 □개라 하면
각뿔의 꼭짓점의 수: $□+1=10$
➔ □$=9$이므로 구각뿔이다. 답 **구각뿔**

독해 문제 4

구 각기둥 전개도의 둘레
주 • 밑면의 모양: 한 변이 8 cm인 정삼각형
• 각기둥과 그 전개도
어 1 전개도의 둘레에서 길이가 8 cm인 선분의 수와 길이가 15 cm인 선분의 수를 센 후,
2 전개도의 둘레를 구하자.
해 ❶ 밑면의 한 변과 길이가 같은 선분은 4개이다. 답 4개
❷ 높이와 길이가 같은 선분은 6개이다. 답 6개
❸ (전개도의 둘레)
$=8\times4+15\times6$
$=32+90=122$ (cm) 답 **122 cm**

독해 문제 4-1 정답에서 제공하는 **쌍둥이 문제**

밑면이 정삼각형인 각기둥과 그 전개도입니다./ 이 각기둥 전개도의 둘레는 몇 cm인가요?

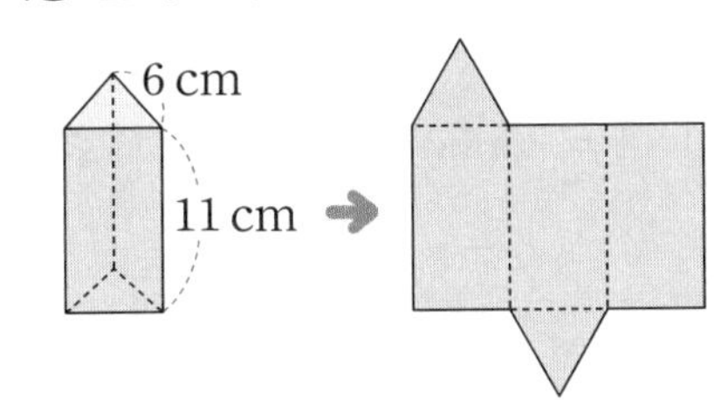

어 1 전개도의 둘레에서 길이가 6 cm인 선분의 수와 길이가 11 cm인 선분의 수를 센 후,
2 전개도의 둘레를 구하자.

해 ❶ 전개도의 둘레에서 길이가 6 cm인 선분: 8개
❷ 전개도의 둘레에서 길이가 11 cm인 선분: 2개
❸ (전개도의 둘레)
$=6\times8+11\times2$
$=48+22=70$ (cm) 답 **70 cm**

독해 문제 5

구 이름
주 30
해 ❶ (모서리의 수)=(한 밑면의 변의 수)$\times3$
$=□\times3$
(꼭짓점의 수)=(한 밑면의 변의 수)$\times2$
$=□\times2$
식 □×3, □×2
❷ 모서리의 수와 꼭짓점 수의 합이 30개이므로
$□\times3+□\times2=30$
➔ $□\times5=30$, □$=6$이므로
한 밑면의 변의 수는 6개이다.
답 6개
❸ 한 밑면의 변의 수가 6개인 각기둥의 이름은 육각기둥이다. 답 **육각기둥**

독해 문제 5-1 정답에서 제공하는 **쌍둥이 문제**

면의 수와 꼭짓점 수의 합이 18개인 각뿔이 있습니다./ 이 각뿔의 이름을 구해 보세요.

구 조건에 맞는 각뿔의 이름
주 각뿔의 면의 수와 꼭짓점 수의 합: 18개
어 1 밑면의 변의 수를 □개라 하여 면의 수와 꼭짓점의 수를 각각 식으로 나타낸 후,
2 그 합이 18개임을 이용하여 □의 값을 구하고,
3 각뿔의 이름을 구하자.
해 ❶ 각뿔의 밑면의 변의 수를 □개라 하면
(면의 수)$=□+1$
(꼭짓점의 수)$=□+1$
❷ 면의 수와 꼭짓점 수의 합이 18개이므로
$□+1+□+1=18$
➔ $□+□=16$, □$=8$이다.
❸ 밑면의 변의 수가 8개인 각뿔의 이름은 팔각뿔이다. 답 **팔각뿔**

독해 문제 6

주 12, 176

해 ❶ 각기둥의 밑면의 모양이 팔각형이므로 팔각기둥이다.
답 팔각기둥

❷ 전략 □각기둥에서 높이를 나타내는 모서리는 □개이다.
팔각기둥에서 높이를 나타내는 모서리는 8개이다.
➔ $12\times8=96$ (cm)
답 96 cm

❸ (두 밑면의 모든 변의 길이의 합)
=(모든 모서리 길이의 합)
−(높이를 나타내는 모든 모서리 길이의 합)
$=176-96=80$ (cm)
답 80 cm

❹ (팔각기둥의 두 밑면의 변의 수)$=8\times2=16$(개)
(밑면의 한 변의 길이)
=(두 밑면의 모든 변의 길이의 합)
÷(두 밑면의 변의 수)
$=80\div16=5$ (cm)
답 5 cm

STEP 4 창의·융합·코딩 체험하기 48~51쪽

융합 1

유리 피라미드 모양인 사각뿔의 밑면의 모양은 사각형이다. 밑면의 모양이 사각형인 각기둥의 이름은 사각기둥이다.
답 사각기둥

창의 2

첫 번째 상자: 삼각기둥 모양 ➔ 비닐류
두 번째 상자: 사각기둥 모양 ➔ 종이류
세 번째 상자: 오각기둥 모양 ➔ 플라스틱류
네 번째 상자: 육각기둥 모양 ➔ 캔류
답 비닐류, 종이류, 플라스틱류, 캔류

코딩 3

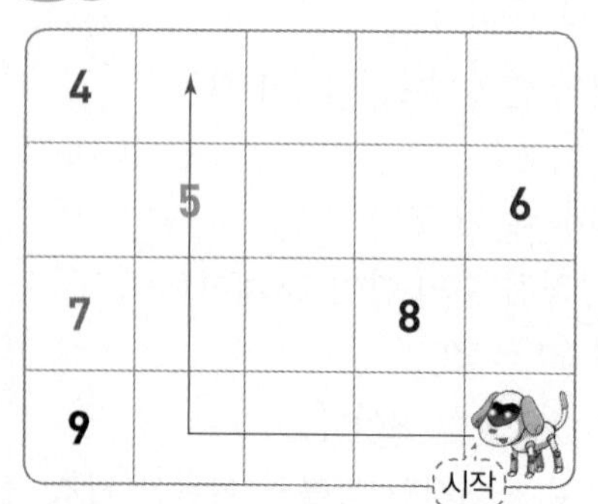

로봇이 지나간 칸에 쓰여 있는 수는 5이다.
면의 수가 5개인 각뿔은 사각뿔이다.
답 사각뿔

코딩 4

시작

			4	
				5
6		7		
	8			9

로봇이 지나간 칸에 쓰여 있는 수는 7이다.
면의 수가 7개인 각뿔은 육각뿔이다.
답 육각뿔

창의 5

한 바퀴를 돌면서 로봇이 가진 각뿔 모양 아이템은 ○표 한 도형으로 모두 5개이다.

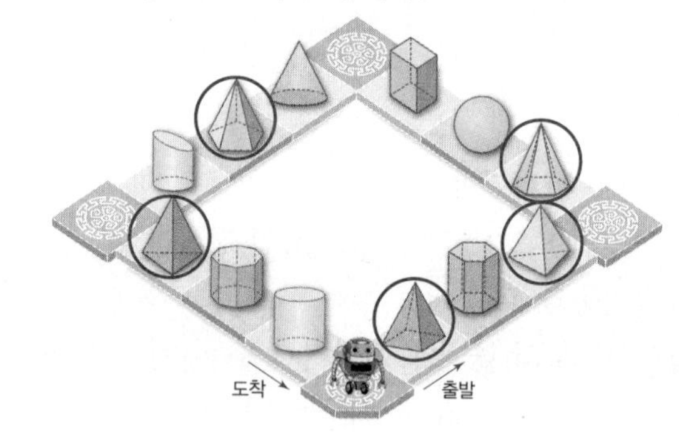

➔ (로봇이 얻은 포인트)
$=50\times5=250$(포인트)
답 250포인트

코딩 6

각기둥은 두 면이 서로 평행하고 합동인 다각형으로 이루어진 입체도형이다.
답 예 평행한 두 면은 합동인가요?

창의 7

보석은 오각기둥 모양이다.
(보석의 면의 수)
$=5+2=7$(개)
➔ (보석의 가격)
$=5000\times7=35000$(원)
답 35000원

창의 8

보석은 육각뿔 모양이다.
(보석의 모서리의 수)
$=6\times2=12$(개)
➔ (보석의 가격)
$=3000\times12=36000$(원)
답 36000원

실전 마무리 하기 52~55쪽

1 ❶ 밑면의 모양: 육각형

❷ 밑면이 육각형인 각기둥의 이름은 육각기둥이고, 각뿔의 이름은 육각뿔이다. **답 육각기둥, 육각뿔**

2 ❶ (한 밑면의 변의 수)=3개

❷ 전략 (모서리의 수)=(한 밑면의 변의 수)×3
(꼭짓점의 수)=(한 밑면의 변의 수)×2

(각기둥의 모서리의 수)
=3×3=9(개)
(각기둥의 꼭짓점의 수)
=3×2=6(개) **답 9개, 6개**

3 이유 예 밑면인 육각형이 2개 있어야 하는데 1개만 있기 때문이다.

참고 육각기둥의 전개도는 밑면인 육각형 2개, 옆면인 직사각형 6개로 이루어져 있어야 한다.

4 ❶ (각기둥의 옆면의 수)=5개

❷ 각기둥의 이름: 오각기둥

❸ (오각기둥의 한 밑면의 변의 수)=5개
➜ (오각기둥의 모서리의 수)
=5×3=15(개) **답 15개**

5 ❶ 밑면이 팔각형이고, 옆면이 모두 삼각형인 입체도형은 팔각뿔이다.

❷ (밑면의 변의 수)=8개

❸ (팔각뿔의 면의 수)
=8+1=9(개)
(팔각뿔의 모서리의 수)
=8×2=16(개)
(팔각뿔의 꼭짓점의 수)
=8+1=9(개) **답 9개, 16개, 9개**

6 ❶ 밑면이 다각형이고, 옆면이 모두 직사각형인 입체도형은 각기둥이다.

❷ 전략 각기둥의 면의 수를 구하는 식을 이용하여 각기둥의 이름을 구하자.
(면의 수)=(한 밑면의 변의 수)+2

각기둥의 한 밑면의 변의 수를 □개라 하면
각기둥의 면의 수: □+2=8
➜ □=6이므로 육각기둥이다.

❸ (육각기둥의 꼭짓점의 수)
=6×2=12(개) **답 12개**

7 ❶ 전략 접었을 때 서로 만나는 선분의 길이는 같으므로 선분 ㄱㄹ의 길이는 한 밑면의 둘레와 같다.

(선분 ㄱㄹ)=(한 밑면의 둘레)
=7×4=28 (cm)

❷ (선분 ㄱㄴ)=(각기둥의 높이)
=11 cm

❸ (직사각형 ㄱㄴㄷㄹ의 둘레)
=(28+11)×2
=39×2=78 (cm) **답 78 cm**

8 ❶ 전략 (각기둥의 모서리의 수)
=(한 밑면의 변의 수)×3

(사각기둥의 한 밑면의 변의 수)=4개
(사각기둥의 모서리의 수)
=4×3=12(개)

❷ 전략 (각뿔의 모서리의 수)=(밑면의 변의 수)×2

각뿔의 밑면의 변의 수를 □개라 하면
각뿔의 모서리의 수: □×2=12
➜ □=6이므로 육각뿔이다. **답 육각뿔**

9 ❶ 밑면은 모든 변이 각각 4 cm인 삼각형이다.
➜ (밑면의 둘레)
=4×3=12 (cm)

참고 밑면의 모양:

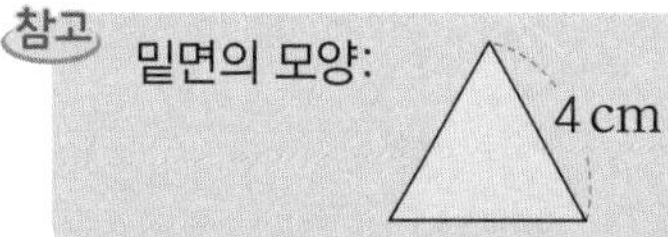

❷ 전략 옆면이 모두 이등변삼각형이므로 옆면끼리 만나서 생긴 모서리의 길이는 각각 10 cm이다.

(각뿔에서 길이가 10 cm인 모든 모서리 길이의 합)
=10×3=30 (cm)

❸ (각뿔의 모든 모서리 길이의 합)
=12+30=42 (cm) **답 42 cm**

10 ❶ 전략 옆면이 모두 합동이므로 한 밑면은 모든 변이 각각 7 cm인 오각형이다.
전개도를 접으면 오각기둥이 만들어진다.

(각기둥의 한 밑면의 둘레)
=7×5=35 (cm)

❷ (각기둥의 높이)=14 cm

❸ (각기둥의 모든 모서리 길이의 합)
=35×2+14×5
=70+70=140 (cm) **답 140 cm**

3 소수의 나눗셈

FUN한 이야기 56~57쪽

2÷4=0.5, 0.5

문제 해결력 기르기 58~63쪽

선행 문제 1

13.8, 6, 2.3

실행 문제 1

❶ 4, 1.85

❷ 1.85, 0.37

답 0.37 L

쌍둥이 문제 1-1

❶ 전략 (전체 쌀의 양)÷(통의 수)

(통 한 개에 담은 쌀의 양)

=21.63÷3=7.21 (kg)

❷ 전략 (통 한 개에 담은 쌀의 양)÷(먹은 날수)

(하루에 먹은 쌀의 양)

=7.21÷7=1.03 (kg)

답 1.03 kg

선행 문제 2

18.9, 7, 2.7

실행 문제 2

❶ 5, 3, 15

❷ 15, 2.3

답 2.3 L

쌍둥이 문제 2-1

❶ 전략 (정사각형의 넓이)=(한 변의 길이)×(한 변의 길이)

(칠한 벽의 넓이)

=3×3=9 (m^2)

❷ 전략 (사용한 페인트의 양)÷(칠한 벽의 넓이)

(벽 1 m^2를 칠하는 데 사용한 페인트의 양)

=17.64÷9=1.96 (L)

참고 벽 1 m^2를 칠하는 데 사용한 페인트의 양을 구하려면 벽 9 m^2를 칠하는 데 사용한 페인트의 양을 9로 나누어야 한다.

답 1.96 L

선행 문제 3

(1) < / 6, 7, 8, 9

(2) < / 0, 1, 2

실행 문제 3

❶ 3.41

❷ 3.41, 4 / 0, 1, 2, 3

답 0, 1, 2, 3

쌍둥이 문제 3-1

❶ 전략 먼저 10.5÷6의 계산 결과를 구하자.

10.5÷6=1.75

❷ 전략 1.□8과 ❶의 계산 결과를 같은 자리 수끼리 비교하자.

1.□8>1.75

➔ □ 안에 들어갈 수 있는 수는 7 또는 7보다 큰 수이므로 7, 8, 9이다.

참고 먼저 □의 바로 다음 자리인 소수 둘째 자리 숫자를 비교하여 □ 안에 들어갈 수 있는 수를 모두 찾는다.

8>5

1.□8>1.75

□는 7과 같거나 커야 한다.

➔ □ 안에 들어갈 수 있는 수: 7, 8, 9

답 7, 8, 9

선행 문제 4

22, 21

실행 문제 4

❶ 1, 9

❷ 9, 0.52

답 0.52 m

쌍둥이 문제 4-1

❶ 전략 (간격 수)=(꽃의 수)−1

(꽃 사이의 간격 수)

=6−1=5(군데)

주의 꽃 사이의 간격 수는 꽃의 수보다 1 작다는 것에 주의한다.

❷ 전략 (화단의 가로 길이)÷(꽃 사이의 간격 수)

(꽃 사이의 간격)

=72.5÷5=14.5 (cm)

답 14.5 cm

선행 문제 5

8, 0.15

실행 문제 5

❶ 0.3, 22.6

❷ 22.6, 5.65

답 5.65 kg

쌍둥이 문제 5-1

❶ 전략 3.92 kg은 (농구공 7개+빈 상자)의 무게이므로 3.92 kg에서 빈 상자의 무게를 빼자.

(농구공 7개의 무게)
$=3.92-0.7=3.22$ (kg)

주의 농구공만의 무게를 구하려면 3.92 kg에서 빈 상자의 무게를 반드시 빼야 한다.

❷ 전략 (농구공 7개의 무게)÷7

(농구공 한 개 무게의 평균)
$=3.22\div7=0.46$ (kg) 답 0.46 kg

선행 문제 6

(1) 8, 4
(2) 4, 8

실행 문제 6

❶ 9, 7, 5, 4
❷ 9, 4, 2.25 식 9÷4 답 2.25

쌍둥이 문제 6-1

❶ 전략 수 카드의 수를 작은 순서대로 나열하자.

수 카드의 수의 크기 비교하기:
$2<3<6<8$

❷ 전략 (가장 작은 수)÷(가장 큰 수)

몫이 가장 작은 나눗셈식:
$2\div8=0.25$

참고 (1) 몫이 **가장 큰** 나눗셈식:
(**가장 큰** 수)÷(**가장 작은** 수)
(2) 몫이 **가장 작은** 나눗셈식:
(**가장 작은** 수)÷(**가장 큰** 수)

식 2÷8 답 0.25

STEP 2 수학 사고력 키우기 64~69쪽

대표 문제 1

주 13.5, 3

해 ❶ (자른 색 테이프 한 도막의 길이)
=(전체 색 테이프의 길이)÷(도막 수)
$=13.5\div5=2.7$ (m) 답 2.7 m

❷ (한 사람이 가진 색 테이프의 길이)
=(색 테이프 한 도막의 길이)÷(사람 수)
$=2.7\div3=0.9$ (m) 답 0.9 m

쌍둥이 문제 1-1

구 선물 상자 한 개를 포장하는 데 사용한 리본의 길이

주 • 전체 리본의 길이: 4.48 m
• 자른 리본의 도막 수: 2도막
• 리본 한 도막으로 포장한 선물 상자 수: 4개

어 1 자른 리본 한 도막의 길이를 구한 다음,
2 1에서 구한 길이를 포장한 선물 상자 수로 나누어
3 선물 상자 한 개를 포장하는 데 사용한 리본의 길이를 구하자.

❶ 전략 전체 리본의 길이를 도막 수로 나누자.

(리본 한 도막의 길이)
$=4.48\div2=2.24$ (m)

❷ 전략 ❶에서 구한 길이를 포장한 선물 상자 수로 나누자.

(선물 상자 한 개를 포장하는 데 사용한 리본의 길이)
$=2.24\div4=0.56$ (m) 답 0.56 m

대표 문제 2

구 5

주 27.3

해 ❶ (벽 1 m^2를 칠하는 데 사용한 페인트의 양)
=(사용한 페인트의 양)÷(칠한 벽의 넓이)
$=27.3\div13=2.1$ (L) 답 2.1 L

❷ (벽 5 m^2를 칠하는 데 사용한 페인트의 양)
=(벽 1 m^2를 칠하는 데 사용한 페인트의 양)×5
$=2.1\times5=10.5$ (L) 답 10.5 L

쌍둥이 문제 2-1

구 벽 30 m^2를 칠하는 데 필요한 페인트의 양

주 벽 25 m^2를 칠하는데 사용한 페인트의 양: 51.75 L

어 1 먼저 벽 1 m^2를 칠하는 데 사용한 페인트의 양을 구한 다음,
2 1에서 구한 양을 30배 하여 벽 30 m^2를 칠하는 데 필요한 페인트의 양을 구하자.

❶ 전략 사용한 페인트의 양을 칠한 벽의 넓이로 나누자.

(벽 1 m^2를 칠하는 데 사용한 페인트의 양)
$=51.75\div25=2.07$ (L)

❷ 전략 ❶에서 구한 페인트 양에 30을 곱하자.

(벽 30 m^2를 칠하는 데 필요한 페인트의 양)
$=2.07\times30=62.1$ (L) 답 62.1 L

대표 문제 3

해 ❶ $73.8 \div 9 = 8.2$ 답 8.2

❷ $42.8 \div 5 = 8.56$ 답 8.56

❸ $8.2 < 8.\square < 8.56$

➔ □ 안에 들어갈 수 있는 수: 3, 4, 5

답 3, 4, 5

참고

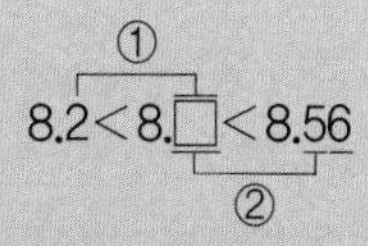

① □ 안에는 2보다 큰 수가 들어갈 수 있다.
② □ 안에는 5 또는 5보다 작은 수가 들어갈 수 있다.
➔ □ 안에는 3, 4, 5가 들어갈 수 있다.

쌍둥이 문제 3-1

구 □ 안에 들어갈 수 있는 수

어 1 $17.8 \div 4$와 $29.4 \div 6$의 계산 결과를 구한 다음,
2 문제에 주어진 식에서 □ 안에 들어갈 수 있는 수를 찾자.

❶ $17.8 \div 4 = 4.45$

❷ $29.4 \div 6 = 4.9$

❸ 전략 $4.45 < 4.\square < 4.9$에서 □ 안에 들어갈 수 있는 수를 구하자.

$4.45 < 4.\square < 4.9$

➔ □ 안에 들어갈 수 있는 수: 5, 6, 7, 8

답 5, 6, 7, 8

참고

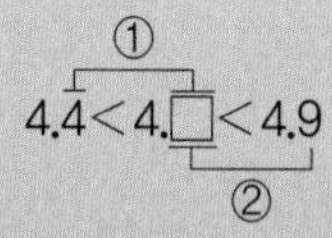

① □ 안에는 4보다 큰 수가 들어갈 수 있다.
② □ 안에는 9보다 작은 수가 들어갈 수 있다.
➔ □ 안에는 5, 6, 7, 8이 들어갈 수 있다.

대표 문제 4

해 ❶ (나무 사이의 간격 수)
=(나무의 수)=8군데 답 8군데

참고 나무 사이의 간격 수 구하기
• 한 줄로 심는 경우 ➔ (간격 수)=(나무의 수)−1
• 원 모양으로 심는 경우 ➔ (간격 수)=(나무의 수)

❷ (나무 사이의 간격)
=(연못의 둘레)÷(나무 사이의 간격 수)
$=42.4 \div 8 = 5.3$ (m) 답 5.3 m

쌍둥이 문제 4-1

구 가로등 사이의 간격

어 가로등을 원 모양의 둘레에 세울 경우
(가로등 사이의 간격 수)=(가로등의 수)이다.

❶ (가로등 사이의 간격 수)
=(가로등의 수)=16군데

❷ 전략 호수 공원의 둘레를 가로등 사이의 간격 수로 나누자.
(가로등 사이의 간격)
$=3.84 \div 16 = 0.24$ (km)

답 0.24 km

대표 문제 5

주 0.5, 10

해 ❶ (전체 귤의 무게)
=(귤이 담긴 바구니 2개의 무게)
−(빈 바구니 한 개의 무게)
−(빈 바구니 한 개의 무게)
$=15.4 - 0.5 - 0.5 = 14.4$ (kg) 답 14.4 kg

❷ (전체 귤의 수)
=(바구니 한 개에 담은 귤의 수)×2
$=10 \times 2 = 20$(개) 답 20개

❸ (귤 한 개 무게의 평균)
=(전체 귤의 무게)÷(전체 귤의 수)
$=14.4 \div 20 = 0.72$ (kg)

답 0.72 kg

쌍둥이 문제 5-1

구 책 한 권 무게의 평균

주 • 빈 상자 한 개의 무게: 0.4 kg
• 상자 한 개에 담은 책의 수: 4권
• 책이 담긴 상자 3개의 무게: 14.04 kg

❶ (전체 책의 무게)
$=14.04 - 0.4 - 0.4 - 0.4 = 12.84$ (kg)

주의 전체 책의 무게를 구할 때 책이 담긴 상자가 3개이므로 빈 상자 한 개의 무게를 3번 빼야 한다.

❷ (전체 책의 수)
$=4 \times 3 = 12$(권)

❸ 전략 전체 책의 무게를 전체 책의 수로 나누자.
(책 한 권 무게의 평균)
$=12.84 \div 12 = 1.07$ (kg) 답 1.07 kg

대표 문제 6

해 ❶ 몫이 가장 큰 나눗셈식을 만들려면 나누어지는 수는 가장 크게, 나누는 수는 가장 작게 만들어야 한다. 답 **크게**에 ○표, **작게**에 ○표

❷ 만들 수 있는 가장 큰 소수 한 자리 수: 8.7
가장 작은 한 자리 수: 3
➔ 몫이 가장 큰 나눗셈식: $8.7 \div 3 = 2.9$

식 $8.7 \div 3$ 답 2.9

쌍둥이 문제 6-1

구 몫이 가장 작은 나눗셈식과 그 계산 결과

어 몫이 가장 작은 나눗셈식:
(가장 작은 수)÷(가장 큰 수)

❶ 몫이 가장 작은 나눗셈식을 만들려면 나누어지는 수는 가장 작게, 나누는 수는 가장 크게 만들어야 한다.

❷ 전략 만들 수 있는 가장 작은 소수 두 자리 수를 가장 큰 한 자리 수로 나누자.

몫이 가장 작은 나눗셈식:
$2.56 \div 8 = 0.32$ 식 $2.56 \div 8$ 답 0.32

참고 수 카드로 가장 작은 소수를 만들 때 수 카드의 수를 작은 순서대로 나열한 뒤 높은 자리부터 차례대로 놓는다.
8 2 7 5 6 ➔ $2<5<6<7<8$
만들 수 있는 가장 작은 수: □.□□ ➔ 2.56

3 STEP 수학 독해력 완성하기 70~73쪽

독해 문제 1

구 만 원으로 살 수 있는 리본의 길이

주 4천 원으로 살 수 있는 리본의 길이: 6.6 m

어 1 천 원으로 살 수 있는 리본의 길이를 구한 다음,
2 1에서 구한 길이에 10을 곱하자.

해 ❶ 전략 4천 원으로 살 수 있는 리본의 길이를 4로 나누자.

(천 원으로 살 수 있는 리본의 길이)
=(4천 원으로 살 수 있는 리본의 길이)÷4
$=6.6 \div 4 = 1.65$ (m) 답 1.65 m

❷ 전략 만 원은 천 원의 10배이다.

(만 원으로 살 수 있는 리본의 길이)
=(천 원으로 살 수 있는 리본의 길이)×10
$=1.65 \times 10 = 16.5$ (m) 답 16.5 m

독해 문제 2

구 먼저 수조를 가득 채우는 수도

주 •수도 ㉮: 6분 동안 15 L의 물이 나옴.
•수도 ㉯: 11분 동안 29.04 L의 물이 나옴.

어 1 수도에서 1분 동안 나오는 물의 양을 각각 구한 다음,
2 1에서 구한 물의 양을 비교하여
3 물의 양이 더 많은 수도를 찾자.

해 ❶ 먼저 수조를 가득 채우려면 수도에서 1분 동안 나오는 물의 양이 더 많아야 한다.

답 **많아야**에 ○표

❷ 전략 수도에서 나오는 물의 양을 나오는 시간으로 나누자.

(수도 ㉮에서 1분 동안 나오는 물의 양)
$=15 \div 6 = 2.5$ (L)
(수도 ㉯에서 1분 동안 나오는 물의 양)
$=29.04 \div 11 = 2.64$ (L)

답 2.5 L, 2.64 L

❸ 전략 ❷에서 구한 물의 양을 비교하자.

$2.5 < 2.64$
➔ 수도 ㉯에서 1분 동안 나오는 물의 양이 더 많으므로 먼저 수조를 가득 채우게 된다.

답 ㉯

독해 문제 3

구 바르게 계산한 값

주 잘못하여 어떤 수를 12로 나누었더니 5.2가 되었다.

어 1 어떤 수를 □라 하여 잘못 계산한 식을 쓴 후,
2 어떤 수 □를 구한 다음,
3 바르게 계산한 값을 구하자.

해 ❶ 어떤 수를 □라 하여 잘못 계산한 식 쓰기:
어떤 수를 12로 나누었더니 5.2가 되었다.
□ ÷12 =5.2

식 □÷12=5.2

❷ 전략 ❶에서 쓴 식을 곱셈식으로 바꾸어 □를 구하자.

□$=5.2 \times 12 = 62.4$
➔ (어떤 수)=62.4

답 62.4

❸ 전략 ❷에서 구한 어떤 수를 13으로 나누자.

바르게 계산한 값:
$62.4 \div 13 = 4.8$

답 4.8

독해 문제 3-1 정답에서 제공하는 **쌍둥이 문제**

어떤 수를 5로 나누어야 할 것을 잘못하여/ 7로 나누었더니 3.8이 되었습니다./ 바르게 계산한 값을 구해 보세요.

구 바르게 계산한 값

주 잘못하여 어떤 수를 7로 나누었더니 3.8이 되었다.

어 1 어떤 수를 □라 하여 잘못 계산한 식을 쓴 후,
2 어떤 수 □를 구한 다음,
3 바르게 계산한 값을 구하자.

해 ❶ 어떤 수를 □라 하여 잘못 계산한 식 쓰기:
□÷7=3.8
❷ □=3.8×7=26.6
➔ (어떤 수)=26.6
❸ 바르게 계산한 값:
26.6÷5=5.32 답 5.32

독해 문제 4

구 하루가 지났을 때 시계가 가리키는 시각

주 • 시계가 일주일 동안 빨라지는 시간: 16.8분
• 오늘 시계를 맞춘 시각: 오후 3시

어 1 시계가 하루에 빨라지는 시간을 구하고,
2 1에서 구한 시간을 몇 분 몇 초로 바꾸어 나타낸 뒤,
3 하루가 지났을 때 시계가 가리키는 시각을 구하자.

해 ❶ 전략 시계가 일주일 동안 빨라지는 시간을 7로 나누자.
(시계가 하루에 빨라지는 시간)
=(시계가 일주일 동안 빨라지는 시간)÷7
=16.8÷7=2.4(분) 답 2.4분

❷ $2.4\text{분}=2\frac{4}{10}\text{분}=2\frac{24}{60}\text{분}=2\text{분 }24\text{초}$
답 2분 24초

❸ 전략 (오후 3시)+(❷에서 구한 시간)
하루에 2분 24초 빨라지므로 하루가 지났을 때 이 시계가 가리키는 시각은 오후 3시 2분 24초이다.

참고 빨라지는 시계가 가리키는 시각을 구할 때에는 원래 시각에 빨라지는 시간만큼 더해야 한다.

답 오후 3시 2분 24초

독해 문제 5

해 ❶ 몫이 가장 작은 나눗셈식을 만들려면 나누어지는 수는 가장 작게, 나누는 수는 가장 크게 만들어야 한다.
답 **작게**에 ○표, **크게**에 ○표

❷ 나누어지는 수 ➔ 수 카드 3장을 사용하여 만들 수 있는 가장 작은 소수 한 자리 수: 30.6
나누는 수 ➔ 가장 큰 한 자리 수: 9

주의 주어진 나눗셈식의 나누어지는 수가 □□.□이므로 가장 작은 소수 한 자리 수를 만들 때 자연수 부분이 두 자리 수임에 주의한다.

답 30.6, 9

❸ 몫이 가장 작은 나눗셈식:
30.6÷9=3.4 식 30.6÷9 답 3.4

독해 문제 5-1 정답에서 제공하는 **쌍둥이 문제**

5장의 수 카드 중 4장을 골라 한 번씩만 사용하여/ 몫이 가장 큰 나눗셈식을 만들고/ 계산해 보세요.

3 8 6 4 7 ➔ □□.□÷□

구 몫이 가장 큰 나눗셈식과 그 계산 결과

해 ❶ 몫이 가장 큰 나눗셈식을 만들려면 나누어지는 수는 가장 크게, 나누는 수는 가장 작게 만들어야 한다.
❷ 나누어지는 수: 87.6
나누는 수: 3
❸ 몫이 가장 큰 나눗셈식:
87.6÷3=29.2 식 87.6÷3 답 29.2

독해 문제 6

주 472.4, 25

해 ❶ 전략 (의자 한 개의 가로 길이)×(의자의 수)
(의자 25개의 가로 길이의 합)
=2×25=50 (m) 답 50 m

❷ (의자 사이의 간격을 모두 더한 값)
=(산책로의 길이)−(의자 25개의 가로 길이의 합)
=472.4−50=422.4 (m) 답 422.4 m

❸ (의자 사이의 간격 수)
=(의자의 수)−1
=25−1=24(군데) 답 24군데

❹ (의자 사이의 간격)

=(의자 사이의 간격을 모두 더한 값)

÷(의자 사이의 간격 수)

$=422.4\div24=17.6$ (m) 답 **17.6 m**

창의·융합·코딩 체험하기 74~77쪽

창의 1

학교와 병원 사이의 중간에 마트가 있으므로

(학교~마트)=(학교~병원)÷2

$=2.4\div2=1.2$ (km)이다.

학교와 마트 사이의 중간에 도서관이 있으므로

(학교~도서관)=(학교~마트)÷2

$=1.2\div2=0.6$ (km)이다.

답 **0.6 km**

창의 2

숫자 규칙은 각 줄별로 왼쪽 칸부터 숫자 1은 색칠하기, 0은 색칠하지 않기이므로 숫자 규칙에 따라 마지막 줄을 색칠하면 다음과 같다.

1000100 ➜

0101010 ➜

0010001 ➜

0101010 ➜

색칠된 부분은 작은 직사각형 10개이다.

➜ (작은 직사각형 한 개의 넓이)

=(색칠된 부분의 넓이)÷(색칠된 작은 직사각형의 수)

$=70.6\div10=7.06$ (cm^2) 답 **7.06 cm^2**

코딩 3

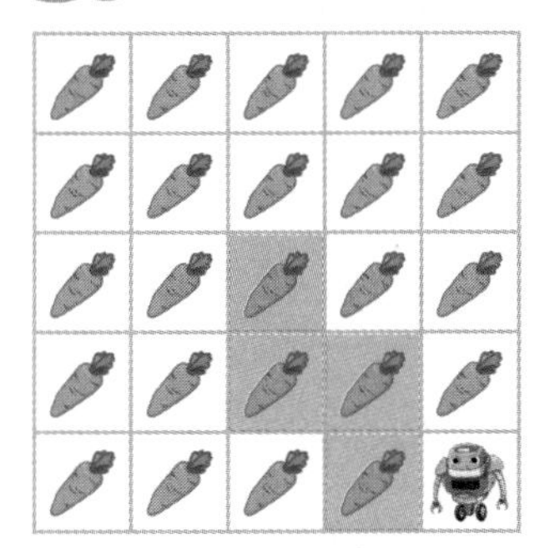

로봇이 수확한 작물은 색칠한 칸의 당근 4개이다.

➜ (작물 한 개의 무게)

=(로봇이 수확한 작물의 무게)÷4

$=0.72\div4=0.18$ (kg) 답 **0.18 kg**

코딩 4

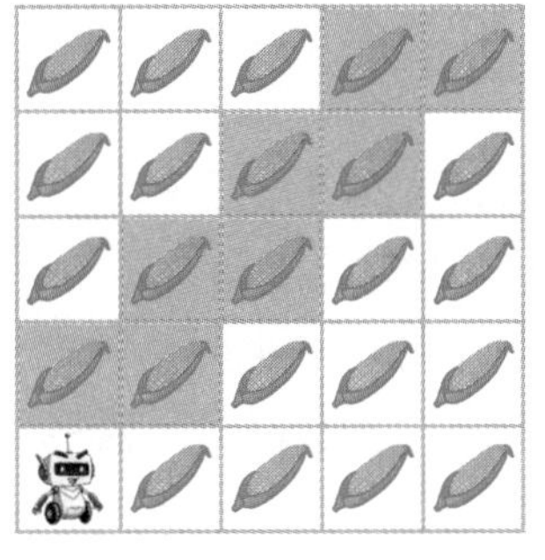

로봇이 수확한 작물은 색칠한 칸의 옥수수 8개이다.

➜ (작물 한 개의 무게)

=(로봇이 수확한 작물의 무게)÷8

$=1.6\div8=0.2$ (kg) 답 **0.2 kg**

창의 5

(1) 두 장의 지도를 겹쳤을 때 한 장만 초록색인 칸에 초록색을 칠한다. 답 〔새로운 지도〕

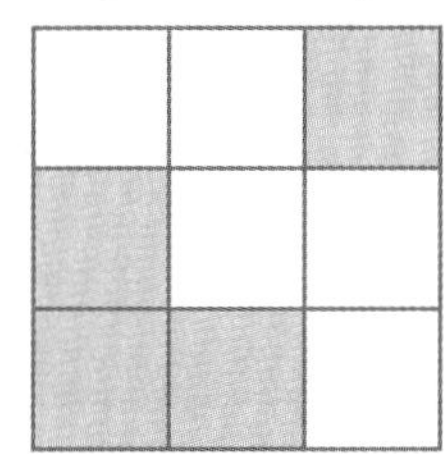

(2) (지도에서 한 칸의 넓이)

=(지도 한 장의 넓이)÷(똑같이 나누어진 칸수)

$=36.9\div9=4.1$ (cm^2)

새로운 지도에서 초록색으로 칠해진 부분은 4칸이다.

➜ (초록색으로 칠해진 부분의 넓이)

=(지도에서 한 칸의 넓이)×4

$=4.1\times4=16.4$ (cm^2) 답 **16.4 cm^2**

융합 6

같은 양의 연료로 가장 먼 거리를 가려면 연료 1 L로 갈 수 있는 거리가 가장 길어야 한다.

세 자동차가 연료 1 L로 갈 수 있는 거리를 각각 구한다.

A 자동차: $82.2\div3=27.4$ (km)

B 자동차: $114\div4=28.5$ (km)

C 자동차: $132.5\div5=26.5$ (km)

➜ $28.5>27.4>26.5$이므로 B 자동차가 같은 양의 연료로 가장 먼 거리를 갈 수 있다. 답 **B 자동차**

참고 (연료 1 L로 갈 수 있는 거리)
=(갈 수 있는 거리)÷(연료의 양)

코딩 7

로봇은 오른쪽으로 1칸, 아래쪽으로 1칸, 오른쪽으로 1칸, 아래쪽으로 1칸 이동하였다.
오른쪽으로 1칸 이동: $25+0.5=25.5$
➔ 아래쪽으로 1칸 이동: $25.5\div5=5.1$
➔ 오른쪽으로 1칸 이동: $5.1+0.5=5.6$
➔ 아래쪽으로 1칸 이동: $5.6\div5=1.12$ 답 1.12

종합평가 실전 마무리 하기 78~81쪽

1 전략 화단의 넓이를 6으로 나누자.
(화단 한 칸의 넓이)
$=14.7\div6=2.45\,(\mathrm{m}^2)$ 답 $2.45\,\mathrm{m}^2$

2 전략 책 5권의 무게를 5로 나누자.
(책 한 권 무게의 평균)
$=9.25\div5=1.85\,(\mathrm{kg})$ 답 $1.85\,\mathrm{kg}$

참고 (무게의 평균)=(전체의 무게)÷(전체의 개수)

3 ❶ 전략 전체 식용유의 양을 병의 수로 나누자.
(병 한 개에 담은 식용유의 양)
$=39.6\div6=6.6\,(\mathrm{L})$
❷ 전략 ❶에서 구한 식용유의 양을 사용한 날수로 나누자.
(하루에 사용한 식용유의 양)
$=6.6\div3=2.2\,(\mathrm{L})$ 답 $2.2\,\mathrm{L}$

4 ❶ 전략 사용한 페인트의 양을 칠한 벽의 넓이로 나누자.
(벽 $1\,\mathrm{m}^2$를 칠하는 데 사용한 페인트의 양)
$=49.2\div24=2.05\,(\mathrm{L})$
❷ 전략 ❶에서 구한 페인트의 양에 4를 곱하자.
(벽 $4\,\mathrm{m}^2$를 칠하는 데 사용한 페인트의 양)
$=2.05\times4=8.2\,(\mathrm{L})$ 답 $8.2\,\mathrm{L}$

5 ❶ 전략 5천 원에 팔고 있는 색 테이프의 길이를 5로 나누자.
(천 원으로 살 수 있는 색 테이프의 길이)
$=2.4\div5=0.48\,(\mathrm{m})$
❷ 전략 ❶에서 구한 길이에 8을 곱하자.
(8천 원으로 살 수 있는 색 테이프의 길이)
$=0.48\times8=3.84\,(\mathrm{m})$ 답 $3.84\,\mathrm{m}$

6 ❶ $41.2\div8=5.15$
❷ $66\div12=5.5$
❸ 전략 5.15<5.□<5.5에서 □ 안에 들어갈 수 있는 수를 구하자.
5.15<5.□<5.5
➔ □ 안에 들어갈 수 있는 수: 2, 3, 4
답 2, 3, 4

7 ❶ 전략 (간격 수)=(깃발의 수)−1
(깃발 사이의 간격 수)
$=9-1=8$(군데)
❷ 전략 모래사장의 길이를 깃발 사이의 간격 수로 나누자.
(깃발 사이의 간격)
$=82.4\div8=10.3\,(\mathrm{m})$ 답 $10.3\,\mathrm{m}$

8 ❶ 전략 구슬이 담긴 상자 2개의 무게에서 빈 상자 한 개의 무게를 2번 빼자.
(전체 구슬의 무게)
$=325-50-50=225\,(\mathrm{g})$
❷ 전략 (상자 한 개에 담은 구슬의 수)×(상자의 수)
(전체 구슬의 수)
$=15\times2=30$(개)
❸ 전략 전체 구슬의 무게를 전체 구슬의 수로 나누자.
(구슬 한 개 무게의 평균)
$=225\div30=7.5\,(\mathrm{g})$ 답 $7.5\,\mathrm{g}$

9 ❶ 몫이 가장 큰 나눗셈식을 만들려면 나누어지는 수는 가장 크게, 나누는 수는 가장 작게 만들어야 한다.
❷ 전략 만들 수 있는 가장 큰 소수 두 자리 수를 가장 작은 한 자리 수로 나누자.
몫이 가장 큰 나눗셈식:
$9.75\div3=3.25$ 식 $9.75\div3$ 답 3.25

10 ❶ 어떤 수를 □라 하여 잘못 계산한 식 쓰기:
□×9=364.5
❷ 전략 ❶에서 쓴 식을 나눗셈식으로 바꾸어 □를 구하자.
□=364.5÷9=40.5
➔ (어떤 수)=40.5
❸ 전략 어떤 수를 9로 나누자.
바르게 계산한 값:
$40.5\div9=4.5$ 답 4.5

4 비와 비율

FUN 한 이야기 82~83쪽

7, 18, 6 / 태형

STEP 1 문제 해결력 기르기 84~89쪽

선행 문제 1

(1) 15타수에 ○표, 6개에 △표
(2) 30 mL에 △표, 100 mL에 ○표
(3) 500 m에 ○표, 2 cm에 △표

실행 문제 1

❶ 25, 9
❷ 9, 36, 0.36 답 0.36

쌍둥이 문제 1-1

❶ 전략 기준량과 비교하는 양을 각각 찾자.
기준량: 석류주스 300 mL
비교하는 양: 석류 원액 120 mL

❷ 전략 $\frac{(\text{석류 원액 양})}{(\text{석류주스 양})}$
(석류주스 양에 대한 석류 원액 양의 비율)
$=\frac{120}{300}=\frac{40}{100}=0.4$ 답 0.4

선행 문제 2

150, 3750, $\frac{3750}{150}$, 25

실행 문제 2

❶ 1750, 35, 27, 40
❷ 나 답 나 지역

쌍둥이 문제 2-1

❶ 두 마을의 넓이에 대한 인구의 비율을 각각 구하면
가 마을: $\frac{300}{12}=25$
나 마을: $\frac{550}{25}=22$

❷ 전략 넓이에 대한 인구의 비율이 높을수록 인구가 더 밀집하다.
인구가 더 밀집한 곳: 가 마을 답 가 마을

선행 문제 3

10, 700, $\frac{700}{10}$, 70

실행 문제 3

❶ 100, 5, 25, 4.8
❷ 윤아 답 윤아

쌍둥이 문제 3-1

❶ 걸린 시간에 대한 간 거리의 비율을 각각 구하면
오토바이: $\frac{270}{3}=90$
승용차: $\frac{160}{2}=80$

❷ 전략 걸린 시간에 대한 간 거리의 비율이 높을수록 더 빠르다.
더 빠른 것: 오토바이 답 오토바이

선행 문제 4

(1) 120, 84
(2) 400, 25, 100

실행 문제 4

❶ 55, 45
❷ 200, 45, 90 답 90명

쌍둥이 문제 4-1

❶ 전략 100 % −(불량품의 비율)
(판매할 수 있는 인형의 비율)
$=100-10=90(\%)$

참고 백분율의 합은 항상 100 %이므로
(전체에서 A를 제외한 부분의 비율)
=100 % −(A의 백분율)

❷ 전략 (전체 인형의 수)×(판매할 수 있는 인형의 비율)
(판매할 수 있는 인형의 수)
$=500\times\frac{90}{100}=450$(개) 답 450개

선행 문제 5

3000, 450, $\frac{450}{3000}$, 15

실행 문제 5

❶ 9000, 3000

참고 (판매 가격)=(원래 가격)−(할인 금액)
(할인 금액)=(원래 가격)−(판매 가격)

❷ $\frac{3000}{12000}$, 25

답 25 %

쌍둥이 문제 5-1

❶ 전략 (원래 가격)−(산 가격)

(할인 금액)
$=20000-14000=6000$(원)

❷ 전략 $\frac{(\text{할인 금액})}{(\text{원래 가격})}\times 100$

(입장권의 할인율)
$=\frac{6000}{20000}\times 100=30(\%)$

답 30 %

선행 문제 6

200, 30, $\frac{30}{200}$, 15

실행 문제 6

❶ 120, 30, 150

❷ $\frac{30}{150}$, 20

답 20 %

쌍둥이 문제 6-1

❶ 전략 (물의 양)+(설탕 양)

(설탕물 양)
$=340+60=400(\text{g})$

❷ 전략 $\frac{(\text{설탕 양})}{(\text{설탕물 양})}\times 100$

(설탕물 양에 대한 설탕 양의 비율)
$=\frac{60}{400}\times 100=15(\%)$

답 15 %

주의 설탕물 양에 대한 설탕 양의 비율을 구할 때
물의 양만을 기준량으로 하여 구하지 않도록 주의한다.

STEP 2 수학 사고력 키우기 90~95쪽

대표 문제 1

해 ❶ 1 m=100 cm이므로 400 m=40000 cm이다.

답 40000 cm

❷ (실제 거리에 대한 지도에서의 거리의 비율)
$=\frac{(\text{지도에서의 거리})}{(\text{실제 거리})}=\frac{2}{40000}=\frac{1}{20000}$

답 $\frac{1}{20000}$

쌍둥이 문제 1-1

구 실제 거리에 대한 지도에서의 거리의 비율

어 1 두 거리의 단위를 맞춘 후,
2 기준량과 비교하는 양을 각각 찾아 비율을 구하자.

❶ 전략 600 m와 4 cm의 단위를 맞추자.

(실제 거리)=600 m
=60000 cm

❷ 전략 기준량 : 실제 거리
비교하는 양 : 지도에서의 거리

(실제 거리에 대한 지도에서의 거리의 비율)
$=\frac{4}{60000}=\frac{1}{15000}$

답 $\frac{1}{15000}$

참고 실제 거리에 대한 지도에서의 거리의 비율을 축척이라고 한다. 축척을 알면 지도 상에서 두 지점 사이의 거리를 재어 실제 거리를 알 수 있다.
예 축척이 $\frac{1}{15000}$인 지도에서 두 지점 사이의 거리가 4 cm라면 두 지점 사이의 실제 거리는 $4\times 15000=60000$ (cm), 즉 600 m이다.

대표 문제 2

주 190, 8

해 ❶ (인호네 마을의 넓이에 대한 인구의 비율)
$=\frac{(\text{인호네 마을의 인구})}{(\text{인호네 마을의 넓이})}=\frac{190}{5}=38$

답 38

❷ (성재네 마을의 넓이에 대한 인구의 비율)
$=\frac{(\text{성재네 마을의 인구})}{(\text{성재네 마을의 넓이})}=\frac{280}{8}=35$

답 35

❸ $38>35$
➜ 인호네 마을이 넓이에 대한 인구의 비율이 더 높으므로 인구가 더 밀집하다.

답 인호네 마을

쌍둥이 문제 2-1

구 인구가 더 밀집한 도시

주 • A 도시 ➔ 넓이: $80\ km^2$, 인구: 3600명

• B 도시 ➔ 넓이: $120\ km^2$, 인구: 6000명

❶ 전략 $\frac{(A\ 도시의\ 인구)}{(A\ 도시의\ 넓이)}$

(A 도시의 넓이에 대한 인구의 비율)

$=\frac{3600}{80}=45$

❷ 전략 $\frac{(B\ 도시의\ 인구)}{(B\ 도시의\ 넓이)}$

(B 도시의 넓이에 대한 인구의 비율)

$=\frac{6000}{120}=50$

❸ 전략 넓이에 대한 인구의 비율이 높을수록 인구가 더 밀집하다.

인구가 더 밀집한 곳: B 도시 **답 B 도시**

대표 문제 3

주 40, 1

해 ❶ 1시간=60분 **답 60분**

❷ 두 사람의 걸린 시간에 대한 간 거리의 비율을 각각 구하면

수진: $\frac{(간\ 거리)}{(걸린\ 시간)}=\frac{10}{40}=0.25$

민정: $\frac{(간\ 거리)}{(걸린\ 시간)}=\frac{18}{60}=0.3$

답 0.25, 0.3

❸ $0.25<0.3$

➔ 민정이가 걸린 시간에 대한 간 거리의 비율이 더 높으므로 더 빠르다. **답 민정**

쌍둥이 문제 3-1

구 더 빠른 사람

주 • 성민 ➔ 걸린 시간: 45분, 간 거리: 9 km

• 태훈 ➔ 걸린 시간: 1시간 20분, 간 거리: 12 km

어 1 두 사람이 걸린 시간의 단위를 맞춘 후,

2 걸린 시간에 대한 간 거리의 비율을 각각 구하여,

3 비율이 더 높은 사람을 구하자.

❶ 전략 45분과 1시간 20분의 단위를 맞추자.

(태훈이가 걸린 시간)

=1시간 20분=80분

❷ 전략 두 사람의 걸린 시간에 대한 간 거리의 비율을 각각 구하자.

(성민이의 걸린 시간에 대한 간 거리의 비율)

$=\frac{9}{45}=0.2$

(태훈이의 걸린 시간에 대한 간 거리의 비율)

$=\frac{12}{80}=0.15$

❸ 전략 걸린 시간에 대한 간 거리의 비율이 높을수록 더 빠르다.

더 빠른 사람: 성민 **답 성민**

대표 문제 4

주 40, 35

해 ❶ (배추를 심고 남은 밭의 비율)

=100−(배추를 심은 밭의 비율)

=100−40=60(%) **답 60 %**

❷ (배추를 심고 남은 밭의 넓이)

=(전체 밭의 넓이)×(배추를 심고 남은 밭의 비율)

$=300\times\frac{60}{100}=180(m^2)$ **답 $180\ m^2$**

❸ (양파를 심은 밭의 넓이)

=(배추를 심고 남은 밭의 넓이)

×(양파를 심은 비율)

$=180\times\frac{35}{100}=63(m^2)$ **답 $63\ m^2$**

쌍둥이 문제 4-1

구 노란색 옷을 입은 학생 수

주 • 전체 학생 수: 800명

• 분홍색 옷을 입은 학생: 전체 학생의 25 %

• 노란색 옷을 입은 학생: 분홍색 옷을 입지 않은 학생의 30 %

❶ 전략 100 %에서 분홍색 옷을 입은 학생의 비율을 빼자.

(분홍색 옷을 입지 않은 학생의 비율)

=100−25=75(%)

❷ 전략 전체 학생 수에 ❶에서 구한 비율을 곱하자.

(분홍색 옷을 입지 않은 학생 수)

$=800\times\frac{75}{100}=600$(명)

❸ 전략 ❷에서 구한 학생 수에 노란색 옷을 입은 비율을 곱하자.

(노란색 옷을 입은 학생 수)

$=600\times\frac{30}{100}=180$(명) **답 180명**

대표 문제 5

주 2000, 8000

해 ❶ (양말 한 켤레의 할인 행사 가격)
=(할인 행사에서 양말 5켤레의 가격)÷5
=8000÷5=1600(원) 답 1600원

❷ (양말 한 켤레의 할인 금액)
=(양말 한 켤레의 원래 가격)
−(양말 한 켤레의 할인 행사 가격)
=2000−1600=400(원) 답 400원

❸ (양말 한 켤레의 할인율)
$=\frac{(\text{양말 한 켤레의 할인 금액})}{(\text{양말 한 켤레의 원래 가격})}\times 100$
$=\frac{400}{2000}\times 100=20(\%)$

답 20 %

쌍둥이 문제 5-1

구 오렌지 한 개의 할인율

주 •원래 가격: 오렌지 한 개에 1000원
•마감 할인 가격: 오렌지 8개에 6800원

❶ 전략 오렌지 8개의 마감 할인 가격을 8로 나누자.
(오렌지 한 개의 마감 할인 가격)
=6800÷8=850(원)

❷ 전략 오렌지 한 개의 원래 가격에서 마감 할인 가격을 빼자.
(오렌지 한 개의 할인 금액)
=1000−850=150(원)

❸ 전략 $\frac{(\text{오렌지 한 개의 할인 금액})}{(\text{오렌지 한 개의 원래 가격})}$
(오렌지 한 개의 할인율)
$=\frac{150}{1000}\times 100=15(\%)$

답 15 %

대표 문제 6

주 30, 20

해 ❶ (새로 만든 소금물 양)
=(처음 소금물 양)+(더 넣은 소금 양)
=180+20=200(g) 답 200 g

❷ (새로 만든 소금물에 들어 있는 소금 양)
=(처음 소금 양)+(더 넣은 소금 양)
=30+20=50(g) 답 50 g

참고 (소금물 양)=(물의 양)+(소금 양)이므로
소금물에 소금을 더 넣으면
소금물 양도 더 넣은 소금 양만큼 늘어난다.

소금 양: 30 g, 소금물 양: 180 g →(+소금 20 g)→ 소금 양: 30+20=50(g), 소금물 양: 180+20=200(g)

❸ (새로 만든 소금물 양에 대한 소금 양의 비율)
$=\frac{(\text{전체 소금 양})}{(\text{새로 만든 소금물 양})}\times 100$
$=\frac{50}{200}\times 100=25(\%)$

답 25 %

쌍둥이 문제 6-1

구 새로 만든 소금물 양에 대한 소금 양의 비율

주 •소금 75 g을 넣어 소금물 450 g을 만듦.
•새로 더 넣은 물의 양: 50 g

❶ 전략 처음 소금물 양에 더 넣은 물의 양을 더하자.
(새로 만든 소금물 양)
=450+50=500 (g)

❷ 전략 처음 소금물과 새로 만든 소금물의 소금 양은 같다.
(새로 만든 소금물에 들어 있는 소금 양)=75 g

주의 소금물에 물을 더 넣으면
소금물 양은 늘어나지만 소금 양은 변하지 않는다.

❸ 전략 $\frac{(\text{소금 양})}{(\text{새로 만든 소금물 양})}\times 100$
(새로 만든 소금물 양에 대한 소금 양의 비율)
$=\frac{75}{500}\times 100=15(\%)$ 답 15 %

STEP 3 수학 독해력 완성하기 96~99쪽

독해 문제 1

구 책의 할인된 판매 가격

주 •책의 원래 가격: 15000원
•책의 할인율: 20 %

어 1 책의 할인 금액을 구하고
2 원래 가격에서 1에서 구한 금액을 빼자.

해 ❶ (책의 할인 금액)

$=$(원래 가격)$\times$(할인율)

$=15000\times\frac{20}{100}=3000$(원) **답 3000원**

참고 할인율을 알 때 할인 금액 구하기
(비교하는 양)$=$(기준량)$\times$(비율)
➔ (할인 금액)$=$(원래 가격)$\times$(할인율)

❷ 전략 원래 가격에서 할인 금액을 빼자.

(할인된 판매 가격)

$=$(원래 가격)$-$(할인 금액)

$=15000-3000=12000$(원)

답 12000원

독해 문제 | 2

구 방을 더 넓다고 느꼈을 모둠

주 • 설아네 모둠 ➔ 사람 수: 4명, 방의 정원: 8명
• 지수네 모둠 ➔ 사람 수: 7명, 방의 정원: 10명

어 1 방의 정원에 대한 방을 사용한 사람 수의 비율을 각각 구한 다음,
2 1에서 구한 비율을 비교하여 비율이 더 낮은 모둠을 구하자.

해 ❶ 방을 더 넓다고 느끼려면 인구 밀도가 더 낮아야 하므로 방의 정원에 대한 방을 사용한 사람 수의 비율이 더 낮아야 한다. **답 낮아야에 ○표**

참고 방의 정원에 대한 방을 사용한 사람 수의 비율은 같은 넓이의 방을 사용하는 사람 수를 나타내므로 비율이 높을수록 밀집해 있어 방을 더 좁다고 느낀다.

❷ 전략 두 모둠의 방의 정원에 대한 방을 사용한 사람 수의 비율을 각각 소수로 나타내자.

설아네 모둠: $\frac{(\text{사람 수})}{(\text{방의 정원})}$

$=\frac{4}{8}=\frac{1}{2}=0.5$

지수네 모둠: $\frac{(\text{사람 수})}{(\text{방의 정원})}$

$=\frac{7}{10}=0.7$ **답 0.5, 0.7**

❸ $0.5<0.7$

➔ 설아네 모둠이 방의 정원에 대한 방을 사용한 사람 수의 비율이 더 낮으므로 방을 더 넓다고 느꼈을 것이다. **답 설아네 모둠**

독해 문제 | 3

구 1년 동안의 이자율

주 • 예금한 돈: 50만 원
• 1년 후에 받은 돈: 51만 원

어 1 1년 동안 생긴 이자를 구한 다음,
2 1년 동안의 이자율을 구하자.

해 ❶ (1년 동안 생긴 이자)

$=$(1년 후에 받은 돈)$-$(예금한 돈)

$=51$만-50만$=1$만 (원)

답 1만 원 (또는 10000원)

❷ (1년 동안의 이자율)

$=\frac{(\text{1년 동안 생긴 이자})}{(\text{예금한 돈})}\times100$

$=\frac{1\text{만}}{50\text{만}}\times100=2\,(\%)$ **답 2 %**

참고 (이자율)$=\frac{(\text{이자})}{(\text{예금한 돈})}\times100$

독해 문제 | 4

구 새로 만들 직사각형의 넓이

주 • 직사각형의 가로: 10 cm ➔ 70 %로 축소
• 직사각형의 세로: 5 cm ➔ 120 %로 확대

어 1 새로 만들 직사각형의 가로와 세로의 길이를 각각 구한 다음,
2 새로 만들 직사각형의 넓이를 구하자.

해 ❶ (새로 만들 직사각형의 가로)

$=$(처음 직사각형의 가로)$\times$(축소 비율)

$=10\times\frac{70}{100}=7$(cm) **답 7 cm**

❷ (새로 만들 직사각형의 세로)

$=$(처음 직사각형의 세로)$\times$(확대 비율)

$=5\times\frac{120}{100}=6$(cm) **답 6 cm**

참고 백분율을 비율로 나타낼 때 소수로 나타내어 구할 수도 있다.
❶ (새로 만들 직사각형의 가로)$=10\times0.7=7$(cm)
❷ (새로 만들 직사각형의 세로)$=5\times1.2=6$(cm)

❸ 전략 ❶과 ❷에서 구한 길이를 곱하자.

(새로 만들 직사각형의 넓이)

$=$(새로 만들 직사각형의 가로)

$\times$(새로 만들 직사각형의 세로)

$=7\times6=42$(cm^2) **답 42 cm^2**

독해 문제 | 5

주 4, 2

해 ❶ 전략 가 후보의 득표율에 2를 곱하자.

(나 후보의 득표율)

=(가 후보의 득표율)×2

=□×2 식 □×2

❷ 득표율의 합이 100 %임을 이용하여 식을 세우면 □+□×2+4 %=100 %이다.

➔ □×3+4 %=100 %, □×3=96 %,

□=32 % 답 32 %

❸ (가 후보의 득표수)

=(투표에 참여한 학생 수)×(가 후보의 득표율)

$=500\times\frac{32}{100}=160$(표) 답 160표

독해 문제 | 5-1 정답에서 제공하는 **쌍둥이 문제**

전교 학생 회장 선거에서 학생 400명이 투표에 참여했습니다./ 다 후보의 득표율이 30 %이고,/ 가 후보와 나 후보의 득표율이 같을 때/ 가 후보의 득표수를 구해 보세요.

후보	가 후보	나 후보	다 후보
득표율(%)			30

구 가 후보의 득표수

주 • 투표에 참여한 학생 수 : 400명

• 다 후보의 득표율 : 30 %

• 가 후보의 득표율과 나 후보의 득표율은 같다.

어 1 가 후보와 나 후보의 득표율이 같으므로 두 후보의 득표율을 □라 하고

2 득표율의 합이 100 %임을 이용하여 □를 구한 다음,

3 가 후보의 득표수를 구하자.

해 ❶ (가 후보의 득표율)=(나 후보의 득표율)

=□

❷ □+□+30 %=100 %

➔ □+□=70 %, □=35 %

❸ (가 후보의 득표수)

$=400\times\frac{35}{100}=140$(표) 답 140표

독해 문제 | 6

주 45000

해 ❶ 전략 60000원에서 운동화의 할인된 판매 가격을 빼자.

(60000원짜리 운동화의 할인 금액)

=60000−(운동화의 판매 가격)

=60000−45000

=15000(원) 답 15000원

❷ (60000원짜리 운동화의 할인율)

$=\frac{(\text{운동화의 할인 금액})}{(\text{운동화의 원래 가격})}\times 100$

$=\frac{15000}{60000}\times 100=25$(%) 답 25 %

❸ (25 % 할인한 구두의 할인 금액)

=(구두의 원래 가격)×(할인율)

$=72000\times\frac{25}{100}=18000$(원) 답 18000원

❹ 전략 72000원에서 구두의 할인 금액을 빼자.

(72000원짜리 구두의 할인된 판매 가격)

=72000−(구두의 할인 금액)

=72000−18000

=54000(원) 답 54000원

STEP 4 창의·융합·코딩 체험하기 100~103쪽

융합 1

$(\text{준수의 타율})=\frac{(\text{안타 수})}{(\text{전체 타수})}$

$=\frac{9}{40}=0.225$

➔ 2할 2푼 5리 답 2할 2푼 5리

참고 타율은 전체 타수에 대한 안타 수의 비율로 선수의 타격 능력을 숫자로 쉽게 표현할 수 있다.

창의 2

(원피스의 할인 금액)=(정가)×(할인율)

$=60000\times\frac{30}{100}=18000$(원)

18000원을 할인받는 대신 배송비를 3000원 내야 하므로 18000−3000=15000(원) 더 싸게 살 수 있다.

답 15000원

코딩 3

웃는 얼굴	판단 불가	웃는 얼굴	판단 불가
웃는 얼굴	판단 불가	웃는 얼굴	판단 불가
판단 불가	판단 불가	웃는 얼굴	웃는 얼굴

전체 얼굴 수는 12개이고 판단한 결과 웃는 얼굴 수는 4개이다.

➔ (전체 얼굴 수에 대한 웃는 얼굴 수의 비율)

$=\frac{(\text{웃는 얼굴 수})}{(\text{전체 얼굴 수})}=\frac{4}{12}=\frac{1}{3}$ 답 $\frac{1}{3}$

주의 입꼬리의 끝이 두 기준선에 모두 닿지 않거나 한쪽 기준선에만 닿으면 판단할 수 없다.

융합 4

1일 단백질 기준치에 대한 우유 200 mL에 들어 있는 단백질은 10 %이다. ➔ 0.1

(우유 200 mL에 들어 있는 단백질의 양)

=(단백질의 1일 영양성분 기준치)×0.1

=55×0.1=5.5(g) 답 5.5 g

참고 (들어 있는 영양성분의 양)

=(1일 영양성분 기준치)

×(1일 영양성분 기준치에 대한 들어 있는 양의 비율)

코딩 5

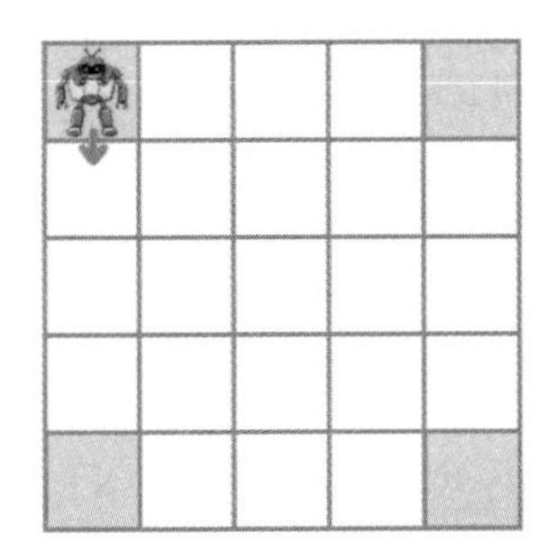

로봇이 시작 위치로 다시 돌아와서 칸을 색칠할 때까지 명령을 계속 반복하면 전체 25칸 중에서 4칸을 색칠하게 된다.

➔ (전체에 대한 색칠한 부분의 비율)

$=\frac{(\text{색칠한 칸수})}{(\text{전체 칸수})}\times 100$

$=\frac{4}{25}\times 100=16(\%)$ 답 16 %

창의 6

(1) (전체 슈팅 수에 대한 골 수의 비율)$=\frac{(\text{골 수})}{(\text{전체 슈팅 수})}$

➔ 기성: $\frac{5}{20}=0.25$

홍민: $\frac{12}{30}=0.4$

지환: $\frac{16}{50}=0.32$ 답 0.25, 0.4, 0.32

(2) (선수를 영입하기 위해 필요한 게임 포인트)

=10000×(전체 슈팅 수에 대한 골 수의 비율)

➔ 기성: 10000×0.25=2500(포인트)

홍민: 10000×0.4=4000(포인트)

지환: 10000×0.32=3200(포인트)

답 2500포인트, 4000포인트, 3200포인트

(3) 필요한 게임 포인트가 3000포인트 이하인 선수를 영입할 수 있다.

➔ 영입할 수 있는 선수: 기성 답 기성

종합평가 실전 마무리 하기 104~107쪽

1 ❶ 전략 기준량과 비교하는 양을 각각 찾자.

기준량: 공을 던진 횟수 25번

비교하는 양: 공을 넣은 횟수 15번

❷ 전략 $\frac{(\text{공을 넣은 횟수})}{(\text{공을 던진 횟수})}\times 100$

$(\text{성공률})=\frac{15}{25}\times 100=60(\%)$ 답 60 %

2 ❶ 전략 1000 m와 4 cm의 단위를 맞추자.

(실제 거리)=1000 m=100000 cm

참고 1 m=100 cm

❷ 전략 $\frac{(\text{지도에서의 거리})}{(\text{실제 거리})}$

(실제 거리에 대한 지도에서의 거리의 비율)

$=\frac{4}{100000}=\frac{1}{25000}$ 답 $\frac{1}{25000}$

3 ❶ 전략 100 %에서 안경을 쓴 학생의 비율을 빼자.

(안경을 쓰지 않은 학생의 비율)

=100−30=70(%)

❷ 전략 전체 학생 수에 ❶에서 구한 비율을 곱하자.
(안경을 쓰지 않은 학생 수)
$=150\times\frac{70}{100}=105$(명) 답 105명

4 ❶ (진수네 마을의 넓이에 대한 인구의 비율)
$=\frac{980}{28}=35$
❷ (동우네 마을의 넓이에 대한 인구의 비율)
$=\frac{510}{17}=30$
❸ 전략 넓이에 대한 인구의 비율이 높을수록 인구가 더 밀집하다.
인구가 더 밀집한 곳: 진수네 마을
답 진수네 마을

5 ❶ 전략 $\frac{\text{(집에서부터 도서관까지의 거리)}}{\text{(집에서부터 도서관까지 걸어간 시간)}}$
(하율이의 걸린 시간에 대한 간 거리의 비율)
$=\frac{840}{12}=70$
❷ 전략 $\frac{\text{(집에서부터 편의점까지의 거리)}}{\text{(집에서부터 편의점까지 걸어간 시간)}}$
(동생의 걸린 시간에 대한 간 거리의 비율)
$=\frac{520}{8}=65$
❸ 전략 걸린 시간에 대한 간 거리의 비율이 높을수록 더 빠르다.
걸음이 더 빠른 사람: 하율 답 하율

6 ❶ 전략 피자 한 판 가격에 할인율을 곱하자.
(할인 금액)
$=20000\times\frac{30}{100}=6000$(원)
❷ 전략 피자 한 판 가격에서 할인 금액을 빼자.
(내야 하는 금액)
$=20000-6000=14000$(원) 답 14000원

다르게 풀기
전략 할인된 판매 가격의 비율을 구하자.
❶ 할인된 판매 가격은 원래 가격의
$100-30=70$ (%)만큼과 같다.
전략 피자 한 판 가격에 ❶에서 구한 비율을 곱하자.
❷ (내야 하는 금액)
$=20000\times\frac{70}{100}=14000$(원) 답 14000원

7 ❶ 전략 1년 후에 받은 돈에서 예금한 돈을 빼자.
(1년 동안 생긴 이자)
$=154500-150000=4500$(원)
❷ 전략 $\frac{\text{(1년 동안 생긴 이자)}}{\text{(예금한 돈)}}\times 100$
(1년 동안의 이자율)
$=\frac{4500}{150000}\times 100=3$(%) 답 3 %

8 ❶ 전략 처음 설탕물 양에 더 넣은 설탕 양을 더하자.
(새로 만든 설탕물 양)
$=170+30=200$(g)
❷ 전략 처음 설탕 양에 더 넣은 설탕 양을 더하자.
(새로 만든 설탕물에 들어 있는 설탕 양)
$=20+30=50$(g)
❸ 전략 $\frac{\text{(설탕 양)}}{\text{(새로 만든 설탕물 양)}}\times 100$
(새로 만든 설탕물 양에 대한 설탕 양의 비율)
$=\frac{50}{200}\times 100=25$(%) 답 25 %

9 ❶ 전략 돼지고기 600 g의 할인된 판매 가격을 6으로 나누자.
(돼지고기 100 g의 할인된 판매 가격)
$=12000\div 6=2000$(원)
❷ 전략 돼지고기 100 g의 원래 가격에서 ❶에서 구한 가격을 빼자.
(돼지고기 100 g의 할인 금액)
$=2500-2000=500$(원)
❸ 전략 $\frac{\text{(돼지고기 100 g의 할인 금액)}}{\text{(돼지고기 100 g의 원래 가격)}}\times 100$
(돼지고기 100 g의 할인율)
$=\frac{500}{2500}\times 100=20$(%) 답 20 %

10 ❶ 전략 직사각형의 가로 길이에 확대 비율을 곱하자.
(새로 만든 직사각형의 가로)
$=15\times\frac{140}{100}=21$(cm)
❷ 전략 직사각형의 세로 길이는 변화가 없다.
(새로 만든 직사각형의 세로)$=20$ cm
❸ 전략 새로 만든 직사각형의 가로와 세로를 곱하자.
(새로 만든 직사각형의 넓이)
$=21\times 20=420$ (cm^2) 답 420 cm^2

5 여러 가지 그래프

FUN 한 기억 노트 108~109쪽

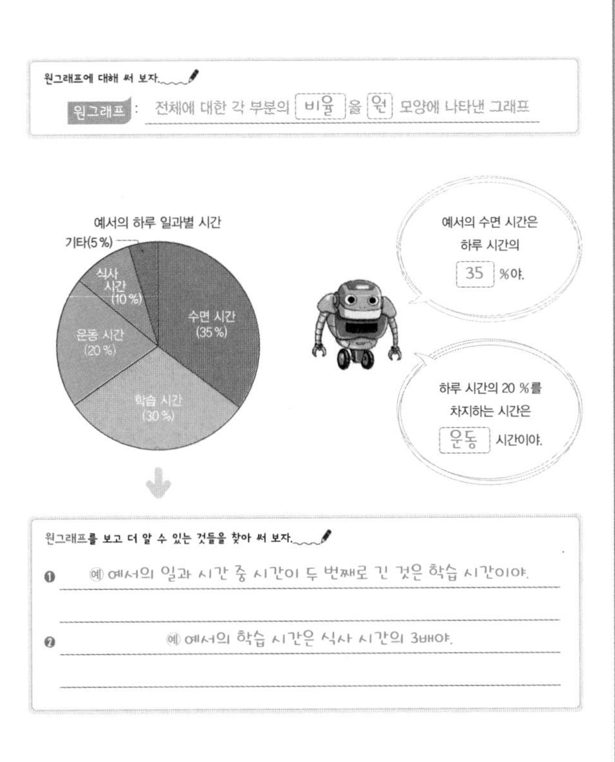

1 STEP 문제 해결력 기르기 110~115쪽

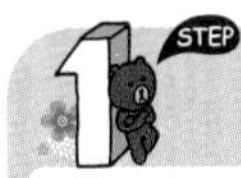

선행 문제 1

(1) 15, 3

(2) 15, 30, $\frac{1}{2}$

실행 문제 1

❶ 15, 2

❷ 6, 2, 12

답 12명

쌍둥이 문제 1-1

❶ 전략 가수의 비율은 개그맨의 비율의 몇 배인지 구하자.

(가수의 비율)÷(개그맨의 비율)

$=60\div15=4$(배)

❷ 전략 (개그맨을 좋아하는 학생 수)×(❶에서 구한 값)

(가수를 좋아하는 학생 수)

$=21\times4=84$(명)

참고 비율이 □배이면 학생 수도 □배이다.

답 84명

선행 문제 2

25, 25, 4

실행 문제 2

❶ 100, 10

❷ 10, 40

답 40명

선행 문제 3

(1) 200, 60

(2) 300, 75

실행 문제 3

❶ 35, 84

❷ 240, 20, 48

❸ 84, 48, 36

답 36명

초간단 풀이

전략 참가한 전체 학생 수에 6학년과 4학년의 비율의 차를 곱하여 간단하게 풀 수 있다.

❶ 20, 15

❷ 15, 36

답 36명

선행 문제 4

20, 15, 3

실행 문제 4

❶ 100, 30

❷ 40, 30, 12

답 12 cm

쌍둥이 문제 4-1

❶ 전략 전체의 비율 100 %에서 나머지 날씨의 비율을 빼자.

(비의 비율)

$=100-(40+35+5)$

$=100-80=20\,(\%)$

❷ 전략 (띠그래프의 전체 길이)×(비의 비율)

(비가 차지하는 부분의 길이)

$=50\times\frac{20}{100}=10\,(\text{cm})$

답 10 cm

선행 문제 5

160 / 160, 55, 88 / 88

실행 문제 5

❶ 70, 560

❷ 560, 50, 280

참고 (대기 오염을 이유로 반대하는 사람 수)

=(공장 건립을 반대하는 사람 수)×(대기 오염의 비율)

$=560\times\frac{50}{100}=280$(명)

답 280명

선행 문제 6

2, 2, 3, 16, 16

실행 문제 6

❶ 100, 60

❷ 2

❸ 60, 20, 20

참고 □+(□×2)=60 %

□×3=60 %

□=20 % ➔ (독일어의 비율)=20 %

답 20 %

쌍둥이 문제 6-1

❶ (튜브 전복과 수영 미숙의 비율의 합)

$=100-(22+17+21)$

$=100-60=40\,(\%)$

❷ 전략 수영 미숙이 튜브 전복의 3배이다.

튜브 전복 비율을 □라 하면

수영 미숙 비율은 □×3이다.

❸ □+(□×3)=40 %, □×4=40 %, □=10 %

➔ (튜브 전복의 비율)=10 %

답 10 %

STEP 2 수학 사고력 키우기 116~121쪽

대표 문제 1

구 지수

주 180

해 ❶ 원그래프에서 작은 눈금 한 칸이 5 %를 나타내므로 우태의 득표율: 45 %, 지수의 득표율: 15 %이다.

답 15 %, 45 %

❷ (지수의 득표율)÷(우태의 득표율)

$=15\div45=\frac{1}{3}$(배)

답 $\frac{1}{3}$배

❸ (지수가 얻은 표의 수)

=(우태가 얻은 표의 수)×$\frac{1}{3}$

$=180\times\frac{1}{3}=60$(표)

답 60표

쌍둥이 문제 1-1

구 깻잎을 심은 넓이

주 호박을 심은 넓이: $32\ \text{m}^2$

❶ 전략 원그래프에서 작은 눈금 한 칸은 5 %를 나타낸다.

(깻잎의 비율)=10 %

(호박의 비율)=20 %

❷ (깻잎의 비율)÷(호박의 비율)

$=10\div20=\frac{1}{2}$(배)

❸ 전략 호박을 심은 넓이에 ❷에서 구한 값을 곱하자.

(깻잎을 심은 넓이)

$=32\times\frac{1}{2}=16\,(\text{m}^2)$

답 $16\ \text{m}^2$

정답과 풀이

대표 문제 2

해 ❶ (4권 이상의 비율)
=(4권 이상 5권 이하의 비율)+(6권 이상의 비율)
=15+5=20 (%)

답 20 %

❷ 100 %는 20 %의 100÷20=5(배)이다.

답 5배

❸ (수민이네 학교 학생 수)
=(4권 이상 읽은 학생 수)×5
=84×5=420(명)

답 420명

쌍둥이 문제 2-1

구 설문 조사한 사람 수

❶ 전략 2시간 이상 3시간 미만, 3시간 이상 사용하는 사람의 비율을 더하자.

(2시간 이상의 비율)
=15+10=25 (%)

❷ (전체의 비율)÷(2시간 이상의 비율)
=100÷25=4(배)

❸ 전략 2시간 이상 사용하는 사람 수에 ❷에서 구한 값을 곱하자.

(설문 조사한 사람 수)
=90×4=360(명)

답 360명

대표 문제 3

구 보리

주 35, 30

해 ❶ (㉮ 마을의 보리 수확량)
=(㉮ 마을의 전체 곡물 수확량)×(보리의 비율)
=40×0.35=14 (t)
(㉯ 마을의 보리 수확량)
=(㉯ 마을의 전체 곡물 수확량)×(보리의 비율)
=50×0.3=15 (t)

답 14 t, 15 t

❷ 14<15이므로 ㉯ 마을의 보리 수확량이 더 많다.

답 ㉯ 마을

주의 ㉮ 마을과 ㉯ 마을의 보리의 비율만을 비교하여 35 %>30 %이므로 ㉮ 마을의 보리 수확량이 더 많다고 답하지 않도록 한다.

쌍둥이 문제 3-1

구 돼지고기를 좋아하는 학생 수가 더 많은 학년

주 • 5학년 ➔ 전체 학생 수: 250명
돼지고기의 비율: 32 %
• 6학년 ➔ 전체 학생 수: 300명
돼지고기의 비율: 28 %

❶ (돼지고기를 좋아하는 5학년 학생 수)
$=250\times\frac{32}{100}=80$(명)
(돼지고기를 좋아하는 6학년 학생 수)
$=300\times\frac{28}{100}=84$(명)

❷ 80<84이므로 6학년이 더 많다.

답 6학년

주의 5학년과 6학년의 돼지고기의 비율만을 비교하여 32 %>28 %이므로 5학년이 더 많다고 답하지 않도록 한다.

대표 문제 4

해 ❶ (저금의 비율)
=100−(30+35+10)
=100−75=25 (%)

답 25 %

❷ 100 %는 25 %의 100÷25=4(배)이다.

답 4배

❸ (띠그래프의 전체 길이)
=(저금이 차지하는 부분의 길이)×4
=10×4=40 (cm)

답 40 cm

쌍둥이 문제 4-1

구 계단이 차지하는 부분의 길이

어 1 계단과 교실의 비율을 각각 구하고,
2 계단의 비율이 교실 비율의 몇 배인지 구한 후,
3 교실이 차지하는 부분의 길이에 2에서 구한 값을 곱하자.

❶ (계단의 비율)=30 %
(교실의 비율)=100−(30+30+15+5)
=100−80=20 (%)

❷ (계단의 비율)÷(교실의 비율)
=30÷20=1.5(배)

❸ (계단이 차지하는 부분의 길이)
=12×1.5=18 (cm)

답 18 cm

대표 문제 5

구 해운대

주 800, 50, 35

해 ❶ (해수욕장에 가고 싶은 학생 수)
$=$(조사한 전체 학생 수)$\times$(해수욕장의 비율)
$=800\times\frac{50}{100}=400$(명)

답 400명

❷ (해운대 해수욕장에 가고 싶은 학생 수)
$=$(해수욕장에 가고 싶은 학생 수)
$\times$(해운대의 비율)
$=400\times\frac{35}{100}=140$(명)

답 140명

쌍둥이 문제 5-1

구 헌혈한 남자 중에서 B형인 사람 수

주 •헌혈한 전체 사람 수: 1000명
•헌혈한 남자의 비율: 64 %
•헌혈한 남자 중 B형의 비율: 20 %

❶ 전략 헌혈한 전체 사람 수에 남자의 비율을 곱하자.
(헌혈한 남자 수)
$=$(헌혈한 전체 사람 수)$\times$(남자의 비율)
$=1000\times\frac{64}{100}=640$(명)

❷ 전략 ❶에서 구한 남자 수에 B형의 비율을 곱하자.
(헌혈한 남자 중에서 B형인 사람 수)
$=$(헌혈한 남자 수)$\times$(B형의 비율)
$=640\times\frac{20}{100}=128$(명)

답 128명

주의 헌혈한 남자 수를 구하지 않고 다음과 같이 헌혈한 전체 사람 수에 B형의 비율을 곱하여 답하지 않도록 한다.
(헌혈한 남자 중에서 B형인 사람 수)
$=1000\times\frac{20}{100}=200$(명) (×)

대표 문제 6

구 커피

주 3, 33

해 ❶ (탄산음료와 커피의 비율의 합)
$=100-(33+11)$
$=100-44=56$ (%)

답 56 %

❷ (커피 판매량)$=$(탄산음료 판매량)$\times 3$이므로
커피의 비율은 □$\times 3$이다.

식 □×3

❸ □$+$(□$\times 3)=56$ %
□$\times 4=56$ %
□$=14$ % ← 탄산음료의 비율
➔ (커피의 비율)
$=14\times 3=42$ (%)

답 42 %

쌍둥이 문제 6-1

구 유치원의 비율

주 •유치원 수: 고등학교 수의 5배
•초등학교의 비율: 25 %
중학교의 비율: 20 %
기타: 7 %

❶ 전략 전체 교육 기관의 비율은 100 %이다.
(유치원과 고등학교의 비율의 합)
$=100-(25+20+7)$
$=100-52=48$ (%)

❷ 전략 유치원 수는 고등학교 수의 5배이다.
고등학교의 비율을 □라 하면
유치원의 비율은 □$\times 5$이다.

❸ 전략 ❶과 ❷에서 구한 것을 이용하여 식을 세우자.
(□$\times 5)+$□$=48$ %
□$\times 6=48$ %
□$=8$ %
➔ (유치원의 비율)
$=8\times 5=40$ (%)

답 40 %

3 STEP 수학 독해력 완성하기 122~125쪽

독해 문제 1

구 전체 학생의 $\frac{1}{5}$이 좋아하는 견과류

어 1 전체 비율의 $\frac{1}{5}$이 몇 %인지 구한 후,
2 1에서 구한 비율만큼 좋아하는 견과류를 찾자.

해 ❶ 전체의 비율은 100 %이다.
전체 비율의 $\frac{1}{5}$ ➔ $100\times\frac{1}{5}=20$ (%)

답 20 %

❷ 원그래프에서 비율이 20 %인 견과류는 아몬드이다.

답 아몬드

독해 문제 1-1 정답에서 제공하는 쌍둥이 문제

민서네 반 학생들이 좋아하는 견과류를 나타낸 원그래프입니다./
전체 학생의 $\frac{1}{4}$이 좋아하는 견과류는 무엇인가요?

좋아하는 견과류별 학생 수

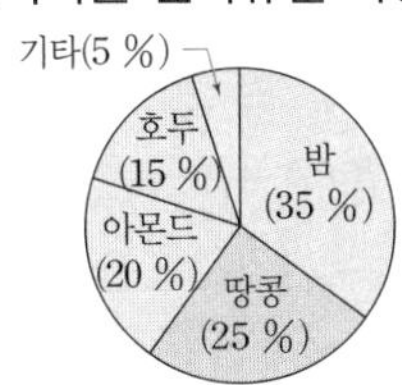

구 전체 학생의 $\frac{1}{4}$이 좋아하는 견과류

해 ❶ 전체의 비율은 100 %이다.
전체 비율의 $\frac{1}{4}$ ➔ $100\times\frac{1}{4}=25(\%)$

❷ 원그래프에서 비율이 25 %인 견과류는 땅콩이다.

답 땅콩

독해 문제 2

구 띠그래프로 나타내기

어 1 그림그래프를 보고 재활용품별 배출량을 구하고,
2 재활용품별 백분율을 구한 후,
3 띠를 백분율만큼 나누어 띠그래프로 나타내자.

해 ❶ (합계)
$=1200+750+600+450$
$=3000\ (kg)$

• 플라스틱류: $\frac{750}{3000}\times100=25\ (\%)$
• 병류: $\frac{600}{3000}\times100=20\ (\%)$
• 비닐류: $\frac{450}{3000}\times100=15\ (\%)$

답 (위에서부터) 600, 450, 3000 / 25, 20, 15, 100

❷ 띠를 백분율만큼 나누고, 각 항목의 내용과 백분율을 쓴다.

답 예

재활용품별 배출량

0 10 20 30 40 50 60 70 80 90 100 (%)

종이류 (40 %)	플라스틱류 (25 %)	병류 (20 %)	비닐류 (15 %)

독해 문제 3

구 가족 구성원이 5명인 학생 수

주 • 띠그래프의 전체 길이: 20 cm
• 세연이네 학교 전체 학생 수: 500명
• 5명이 차지하는 부분의 길이: 3 cm

해 ❶ (가족 구성원이 5명인 학생의 비율)
$=\frac{(\text{5명이 차지하는 부분의 길이})}{(\text{띠그래프의 전체 길이})}\times100$
$=\frac{3}{20}\times100=15(\%)$

답 15 %

참고 $\frac{(\text{각 항목이 차지하는 부분의 길이})}{(\text{띠그래프의 전체 길이})}$의 비율을 구하면 항목별 비율을 알 수 있다.
예 (가족 구성원이 3명인 학생의 비율)
$=\frac{7}{20}\times100=35(\%)$

❷ (가족 구성원이 5명인 학생 수)
=(전체 학생 수)×(5명인 학생의 비율)
$=500\times\frac{15}{100}=75$(명)

답 75명

독해 문제 4

구 40대 관객 수

주 • 전체 관객 수: 10000명
• 40대 관객의 비율: 기타 항목의 60 %

어 1 원그래프에서 기타 항목의 비율을 구하고,
2 1에서 구한 비율의 60 %를 구하여 40대 관객의 비율을 구한 후,
3 전체 관객 수에 2에서 구한 비율을 곱하자.

해 ❶ 작은 눈금 한 칸이 5 %를 나타내므로 기타 항목의 비율은 전체 관객의 20 %이다.

답 20 %

❷ 40대 관객의 비율은 기타 항목의 60 %이다.
➔ $20\times\frac{60}{100}=12(\%)$

답 12 %

❸ (40대 관객 수)
=(전체 관객 수)×(40대 관객의 비율)
$=10000\times\frac{12}{100}=1200$(명)

답 1200명

다르게 풀기

전략 '기타'의 관객 수를 구한 후, 그 수의 60 %를 구하여 40대 관객 수를 구할 수도 있다.

❶ 기타 항목의 비율은 전체 관객의 20 %이다.

❷ ('기타' 관객 수)

$=$(전체 관객 수)$\times$(기타의 비율)

$=10000\times\dfrac{20}{100}=2000$(명)

❸ (40대 관객 수)

$=$('기타' 관객 수)$\times\dfrac{60}{100}$

$=2000\times\dfrac{60}{100}=1200$(명)

답 1200명

독해 문제 4-1 정답에서 제공하는 **쌍둥이 문제**

K－pop 공연의 관객 10000명의 연령을 나타낸 원그래프입니다./
10대 관객의 70 %가 여자 관객일 때/
10대 여자 관객은 몇 명인가요?

연령별 관객 수

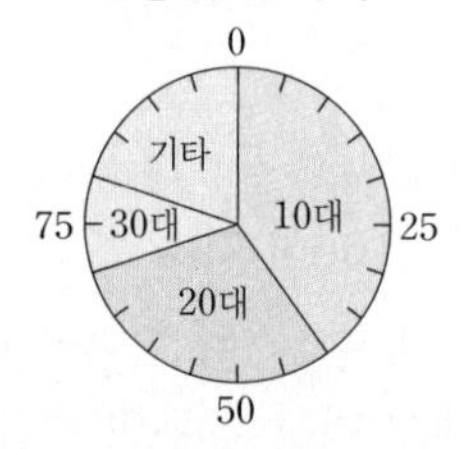

구 10대 여자 관객 수

주 • 전체 관객 수: 10000명

• 10대 여자 관객의 비율: 10대 관객의 70 %

어 1 원그래프에서 10대 관객의 비율을 구하고,

2 1에서 구한 비율의 70 %를 구하여 10대 여자 관객의 비율을 구한 후,

3 전체 관객 수에 2에서 구한 비율을 곱하자.

해 ❶ 10대 관객의 비율은 전체 관객의 40 %이다.

❷ (10대 여자 관객의 비율)

$=40\times\dfrac{70}{100}=28$(%)

❸ (10대 여자 관객 수)

$=10000\times\dfrac{28}{100}=2800$(명) 답 2800명

독해 문제 5

구 식품비

주 22, 11

해 ❶ 전체 생활비의 11 % ➔ 22만 원

↓÷11 ↓÷11

전체 생활비의 1 % ➔ 2만 원

답 22, 2

❷ (식품비의 비율)

$=100-(24+21+11+12)$

$=100-68=32$ (%) 답 32 %

❸ 식품비의 비율 32 %는 1 %의 32배이다.

(식품비로 지출하는 금액)

$=$2만$\times32=$64만 (원) 답 64만 원

독해 문제 6

구 음악회

주 300, 2

해 ❶ (영화 관람과 음악회 관람의 비율의 합)

$=100-(22+6)$

$=100-28=72$ (%) 답 72 %

❷ 음악회 관람의 비율을 □라 하면

영화 관람의 비율은 □$\times2$이다.

(□$\times2$)$+$□$=72$ %, □$\times3=72$ %, □$=24$ %

➔ (음악회 관람의 비율)$=24$ %

답 24 %

❸ (음악회를 관람한 사람 수)

$=$(조사한 사람 수)$\times$(음악회 관람의 비율)

$=300\times\dfrac{24}{100}=72$(명) 답 72명

STEP 4 창의·융합·코딩 체험하기 126~129쪽

융합 1

① 판매량이 가장 많은 지역은 경기이다.

② 경기의 인근 지역은 강원, 충북, 충남인데 그중 충남의 판매량이 가장 많다.

③ 충남의 인근 지역은 충북, 전북(경기 제외)인데 그중 전북의 판매량이 더 많다.

④ 전북의 인근 지역은 충북, 경북, 경남, 전남(충남 제외)인데 그중 경남의 판매량이 가장 많다.

➔ 방문하는 순서는 경기 → 충남 → 전북 → 경남 지역이다. 답 커피 기계의 판매량

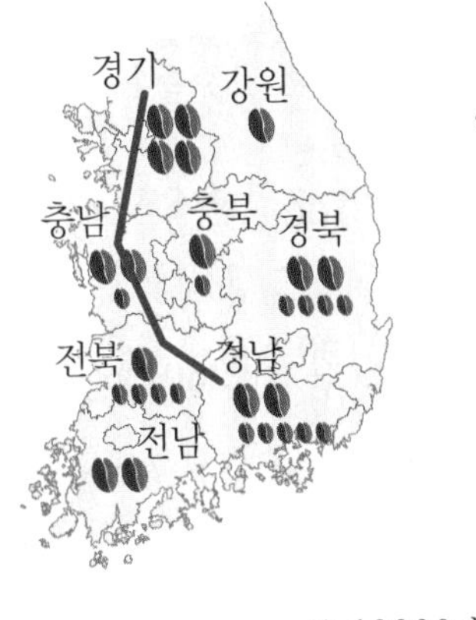

융합 2

• 삶은 달걀의 단백질 비율은 전체의 15 %이다.

(섭취한 단백질의 양)

$=140\times\frac{15}{100}=21$ (g)

• 떡볶이의 단백질 비율은 전체의 4 %이다.

(섭취한 단백질의 양)

$=250\times\frac{4}{100}=10$ (g)

➔ $21+10=31$ (g) 답 31 g

융합 3

햄버거의 지방 비율은 전체의 14 %이다.

(섭취하는 지방의 양)

$=200\times\frac{14}{100}=28$ (g)

➔ 섭취하는 지방이 30 g을 넘지 않으므로 점심 식사로 햄버거 200 g을 먹어도 된다.

답 먹어도 된다.

코딩 4

(1) 로봇이 명령에 따라 다음과 같이 움직이며 색칠한 칸의 장난감 20개를 얻게 된다.

• 곰인형: 4개 ➔ $\frac{4}{20}\times100=20$ (%)

• 자동차: 5개 ➔ $\frac{5}{20}\times100=25$ (%)

• 공: 3개 ➔ $\frac{3}{20}\times100=15$ (%)

답 (위에서부터) 5, 3, 20 / 20, 25, 15

(2) 답 예 얻게 되는 종류별 장난감 수

0 10 20 30 40 50 60 70 80 90 100 (%)

비행기 (40 %)	곰인형 (20 %)	자동차 (25 %)	공 (15 %)

창의 5

• 국산 자동차의 비율: 92.5 % → 91.6 % → 90.6 % → 89.8 %로 줄어들고 있다.

• 수입 자동차의 비율: 7.5 % → 8.4 % → 9.4 % → 10.2 %로 늘어나고 있다.

답 예 국산 자동차의 비율은 줄어들고 있고 수입 자동차의 비율은 늘어나고 있다.

창의 6

아이템을 가장 많이 살 수 있는 사람은 500포인트를 나타내는 그림이 가장 많은 세은이다.

(세은이의 게임 포인트)

÷(아이템을 한 개 사는 데 필요한 포인트)

$=2320\div400=5.8$(배)

따라서 세은이는 아이템을 5개까지 살 수 있다. 답 5개

종합평가 실전 마무리 하기 130~133쪽

1 ❶ 단백질의 비율은 전체 성분의 25 %이다.

❷ (단백질의 양)

$=500\times\frac{25}{100}=125$ (g) 답 125 g

2 ❶ 전략 전체의 비율은 100 %이다.

전체 비율의 $\frac{1}{4}$ ➔ $100\times\frac{1}{4}=25$ (%)

❷ 띠그래프에서 비율이 25 %인 운동은 태권도이다.

답 태권도

3 ❶ (겨울의 비율)$=30\ \%$

(여름의 비율)$=10\ \%$

❷ (겨울의 비율)$\div$(여름의 비율)

$=30\div10=3$(배)

❸ 전략 여름에 태어난 학생 수에 ❷에서 구한 값을 곱하자.

(겨울에 태어난 학생 수)

$=26\times3=78$(명)

답 78명

4 어 **1** 간식 금액의 합계를 구하고,

2 간식별 백분율을 구한 후,

3 원을 백분율만큼 나누어 원그래프로 나타내자.

❶ (간식 금액의 합계)

$=1200+600+1000+1200=4000$(원)

❷ (과자의 비율)$=\frac{1200}{4000}\times100=30\ (\%)$

(소시지의 비율)$=\frac{600}{4000}\times100=15\ (\%)$

(초콜릿의 비율)$=\frac{1000}{4000}\times100=25\ (\%)$

(우유의 비율)$=$(과자의 비율)$=30\ \%$

답 예

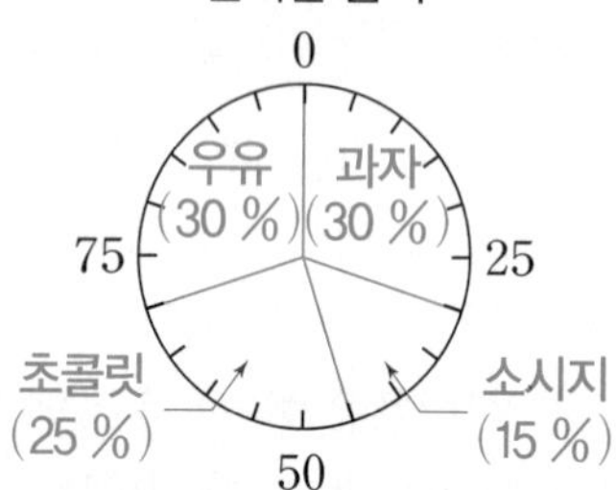

5 ❶ 전략 6회 이상 8회 이하, 9회 이상 손을 씻는 학생의 비율을 더하자.

(6회 이상의 비율)

$=35+15=50\ (\%)$

❷ (전체의 비율)$\div$(6회 이상의 비율)

$=100\div50=2$(배)

❸ 전략 6회 이상 손을 씻는 학생 수에 ❷에서 구한 값을 곱하자.

(윤성이네 반 학생 수)

$=20\times2=40$(명)

답 40명

6 ❶ 전략 전체의 비율에서 아시아를 제외한 나머지 대륙의 비율을 빼자.

(아시아의 비율)

$=100-(17+18+2)$

$=100-37=63\ (\%)$

❷ 전략 띠그래프의 전체 길이에 ❶에서 구한 비율을 곱하자.

(아시아가 차지하는 부분의 길이)

$=40\times0.63=25.2$ (cm)

답 25.2 cm

7 ❶ 전략 각 연도별 전체 과일 생산량에 포도의 비율을 곱하자.

(2015년의 포도 생산량)

$=1500\times\frac{25}{100}=375$ (kg)

(2020년의 포도 생산량)

$=1800\times\frac{20}{100}=360$ (kg)

❷ $375>360$이므로

포도 생산량이 더 많은 해는 2015년이다.

답 2015년

8 ❶ 전략 $\frac{\text{(떡볶이가 차지하는 부분의 길이)}}{\text{(띠그래프의 전체 길이)}}$의 비율을 구하자.

(떡볶이의 비율)

$=\frac{6}{25}\times100=24\ (\%)$

❷ (떡볶이를 좋아하는 학생 수)

$=400\times\frac{24}{100}=96$(명)

답 96명

9 ❶ 전략 조사한 사람 수에 애완동물을 키우는 비율을 곱하자.

애완동물을 키우는 비율: $60\ \%$

(애완동물을 키우는 사람 수)

$=600\times\frac{60}{100}=360$(명)

❷ 전략 ❶에서 구한 사람 수에 고양이의 비율을 곱하자.

고양이의 비율: $30\ \%$

(고양이를 키우는 사람 수)

$=360\times\frac{30}{100}=108$(명)

답 108명

10 ❶ (액션과 공포의 비율의 합)

$=100-(22+15+24)$

$=100-61=39\ (\%)$

❷ 전략 좋아하는 학생 수가 액션이 공포의 2배이다.

공포의 비율을 □라 하면

액션의 비율은 $\square\times2$이다.

❸ 전략 ❶과 ❷에서 구한 것을 이용하여 식을 세우자.

$(\square\times2)+\square=39\ \%$, $\square\times3=39\ \%$, $\square=13\ \%$ (공포의 비율)

➔ (액션의 비율)

$=13\times2=26\ (\%)$

답 26 %

6 직육면체의 부피와 겉넓이

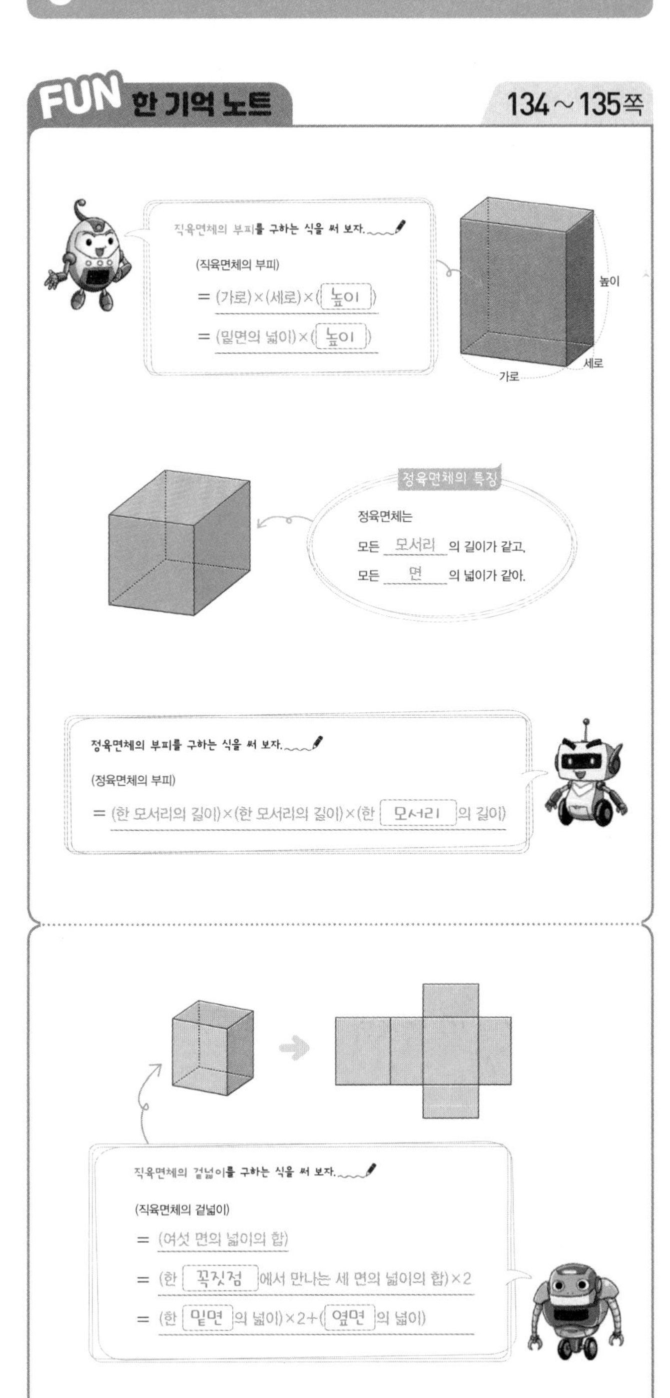

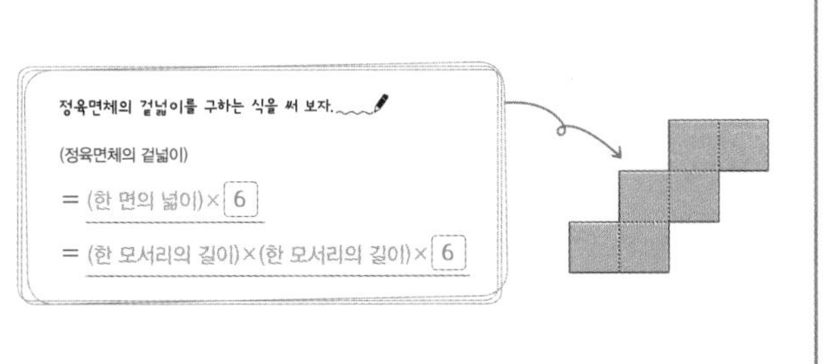

문제 해결력 기르기 136~141쪽

선행 문제 1

5, 5, 125 /
6, 150

실행 문제 1

❶ 12, 7
❷ 7, 7, 294 답 294 cm^2

쌍둥이 문제 1-1

❶ 전략 (모든 모서리의 길이의 합)÷(모서리의 수)
(정육면체의 한 모서리의 길이)
$=48\div12=4\,(\mathrm{cm})$

❷ 전략 (한 모서리의 길이)×(한 모서리의 길이)×6
(정육면체의 겉넓이)
$=4\times4\times6=96\,(\mathrm{cm}^2)$ 답 96 cm^2

선행 문제 2

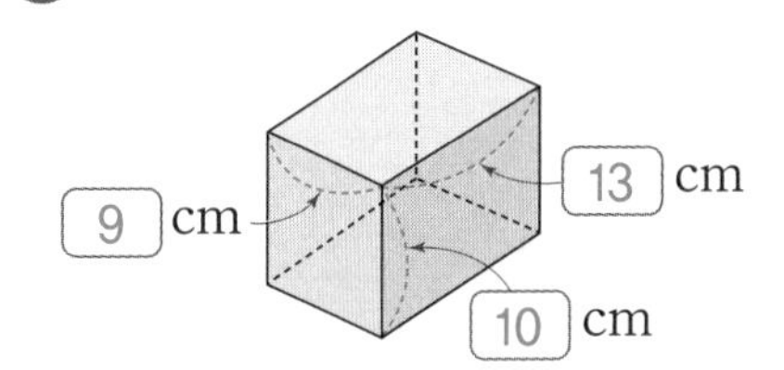

실행 문제 2

❶
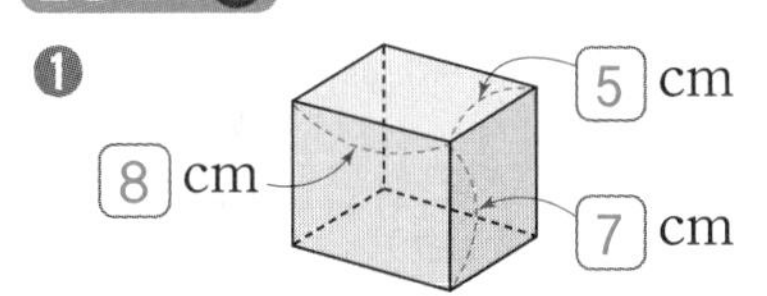

❷ 8, 5, 7, 280 답 280 cm^3

쌍둥이 문제 2-1

❶
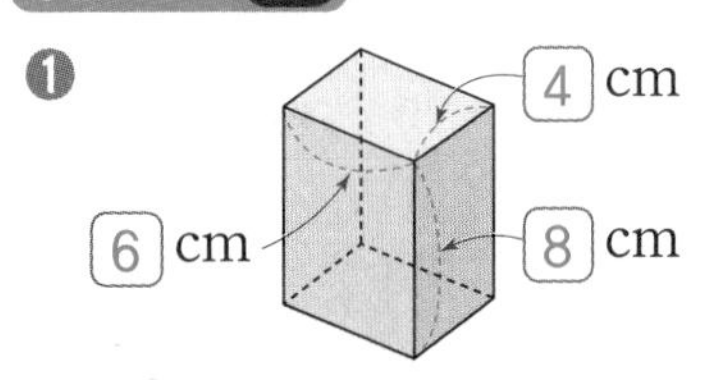

❷ (직육면체의 부피)
$=6\times4\times8=192\,(\mathrm{cm}^3)$ 답 192 cm^3

선행 문제 3

(1) 2
(2) 6, 9, 9, 3

실행 문제 3

❶ 9, 4, 216

❷ 216

❸ 6

답 6 cm

쌍둥이 문제 3-1

❶ 전략 (직육면체의 부피)=(가로)×(세로)×(높이)

(가의 부피)

$=4\times2\times8=64\,(\text{cm}^3)$

❷ 전략 (가의 부피)=(나의 부피)

(나의 부피)

$=\square\times\square\times\square=64\,(\text{cm}^3)$

❸ 전략 3번 곱해서 ❷에서 구한 값이 되는 수를 찾자.

(나의 한 모서리의 길이)=4 cm

주의 □×□×□를 □×3으로 계산하지 않도록 주의한다.

답 4 cm

선행 문제 4

20, 15, 900

실행 문제 4

❶ 6, 3

❷ 3, 390

답 $390\ \text{cm}^3$

쌍둥이 문제 4-1

❶ 전략 (벽돌을 넣은 후 물의 높이)−(처음 물의 높이)

(늘어난 물의 높이)

$=8-6=2\,(\text{cm})$

❷ 전략 (벽돌의 부피)=(늘어난 물의 부피)

(벽돌의 부피)

$=12\times15\times2=360\,(\text{cm}^3)$

답 $360\ \text{cm}^3$

선행 문제 5

7, 5, 24 / 24, 10

참고 전개도를 접었을 때 만나는 모서리를 찾아 옆면의 가로 길이를 구할 수 있다.

7 cm, 5 cm, 5 cm, 7 cm, 7 cm, □ cm

(옆면의 가로)=7+5+7+5=24 (cm)

실행 문제 5

❶ 10, 5, 30

❷ 10, 5, 450

❸ 30, 450, 15

답 15

쌍둥이 문제 5-1

❶ (옆면의 가로)

$=9+6+9+6=30\,(\text{cm})$

❷ 전략 (겉넓이)−(한 밑면의 넓이)×2

(옆면의 넓이)

$=348-(9\times6)\times2$

$=348-108=240\,(\text{cm}^2)$

❸ 전략 (옆면의 가로)×(옆면의 세로)=(옆면의 넓이)

$30\times\square=240$ ➔ $\square=8$

답 8

실행 문제 6

❶

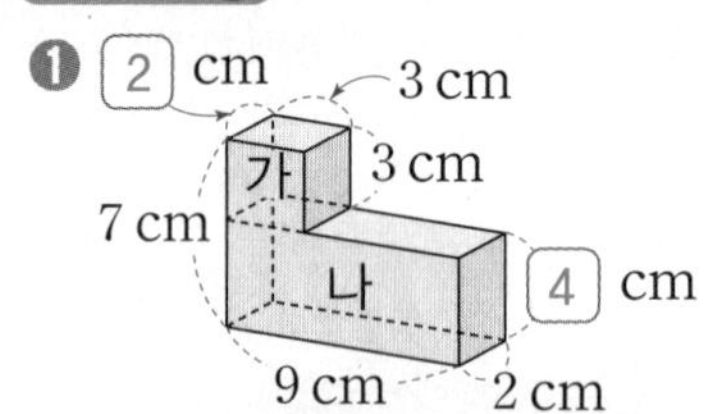

❷ 2, 18, 4, 72

❸ 18, 72, 90

답 $90\ \text{cm}^3$

다르게 풀기

❶

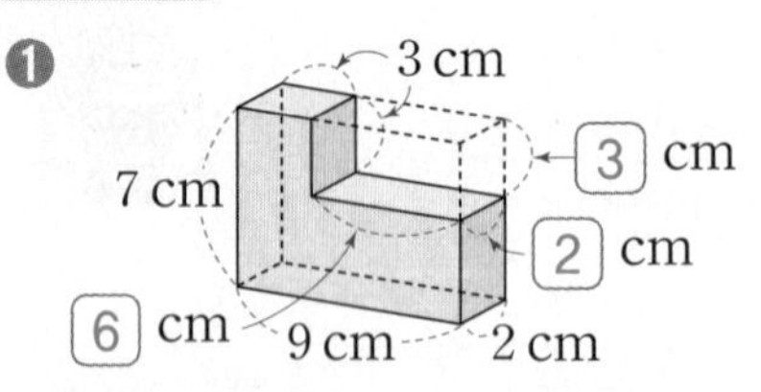

❷ 126, 6, 2, 36

❸ 126, 36, 90

답 $90\ \text{cm}^3$

참고 다음과 같이 두 개의 직육면체로 나누어 구할 수도 있다.

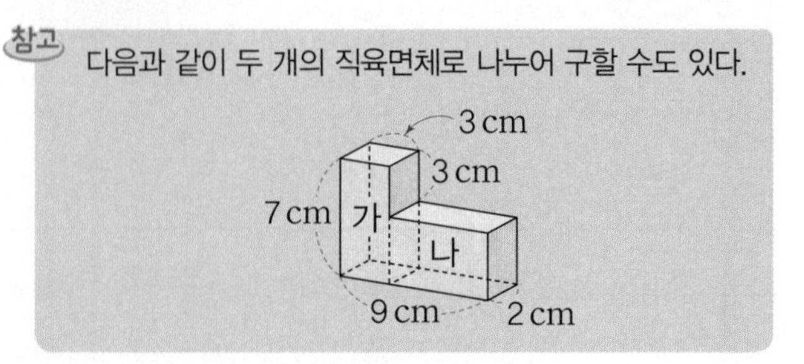

수학 사고력 키우기 142~147쪽

대표 문제 1

해 ❶ 전개도에서 3개의 모서리 길이의 합이 24 cm이다. 정육면체는 모서리의 길이가 모두 같으므로
(정육면체의 한 모서리의 길이)
$=24\div3=8$ (cm) 답 8 cm

❷ (정육면체의 부피)
$=8\times8\times8=512$ (cm^3) 답 512 cm^3

쌍둥이 문제 1-1

구 정육면체의 부피

어 1 전개도를 보고 정육면체의 한 모서리의 길이를 구한 다음,
2 정육면체의 부피를 구하자.

❶ 전략 정육면체는 모서리의 길이가 모두 같다.
(정육면체의 한 모서리의 길이)
$=27\div3=9$ (cm)

❷ 전략 (정육면체의 부피)=(한 모서리의 길이)×(한 모서리의 길이)×(한 모서리의 길이)
(정육면체의 부피)
$=9\times9\times9=729$ (cm^3) 답 729 cm^3

대표 문제 2

해 ❶

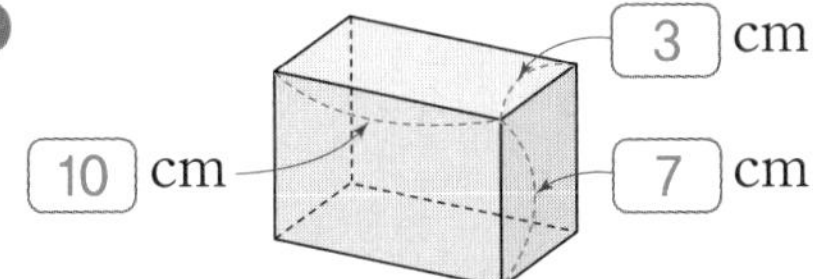

❷ (직육면체의 겉넓이)
=(한 꼭짓점에서 만나는 세 면의 넓이의 합)×2
$=(10\times3+10\times7+3\times7)\times2$
$=121\times2=242$ (cm^2) 답 242 cm^2

쌍둥이 문제 2-1

구 직육면체의 겉넓이

어 1 직육면체를 앞, 옆에서 본 모양을 보고 겨냥도를 그린 다음,
2 직육면체의 가로, 세로, 높이를 각각 구하여 겉넓이를 구하자.

❶ 전략 앞, 옆에서 본 모양에서 공통인 변끼리 맞닿게 겨냥도를 그려 가로, 세로, 높이를 각각 구하자.

직육면체의 겨냥도: 예

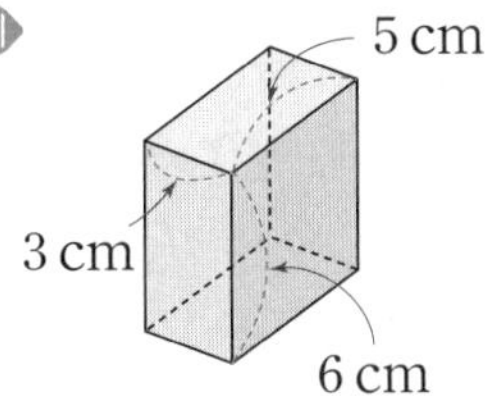

❷ 전략 (한 꼭짓점에서 만나는 세 면의 넓이의 합)×2
(직육면체의 겉넓이)
$=(3\times5+3\times6+5\times6)\times2$
$=63\times2=126$ (cm^2) 답 126 cm^2

대표 문제 3

해 ❶ (직육면체의 겉넓이)
=(한 꼭짓점에서 만나는 세 면의 넓이의 합)×2
$=(9\times3+9\times10+3\times10)\times2$
$=147\times2=294$ (cm^2) 답 294 cm^2

❷ (정육면체의 겉넓이)=(직육면체의 겉넓이)
$=294$ (cm^2)
정육면체는 6개의 면의 넓이가 모두 같으므로
(정육면체의 한 면의 넓이)
=(정육면체의 겉넓이)÷6
$=294\div6=49$ (cm^2) 답 49 cm^2

❸ $7\times7=49$이므로
(정육면체의 한 모서리의 길이)=7 cm 답 7 cm

쌍둥이 문제 3-1

구 정육면체의 한 모서리의 길이

어 1 직육면체의 겉넓이를 구한 다음,
2 직육면체와 겉넓이가 같음을 이용하여 정육면체의 한 모서리의 길이를 구하자.

❶ 전략 (한 꼭짓점에서 만나는 세 면의 넓이의 합)×2
(직육면체의 겉넓이)
$=(12\times9+12\times4+9\times4)\times2$
$=192\times2=384$ (cm^2)

❷ 전략 정육면체는 6개의 면의 넓이가 모두 같다.
(정육면체의 한 면의 넓이)
$=384\div6=64$ (cm^2)

❸ 전략 같은 수를 2번 곱해서 ❷에서 구한 값이 나오는 수를 찾자.
$8\times8=64$이므로
(정육면체의 한 모서리의 길이)=8 cm 답 8 cm

대표 문제 4

주 10, 7

해 ❶ (줄어든 물의 높이)
=(처음 물의 높이)−(돌을 꺼낸 후 물의 높이)
$=10-7=3$ (cm) 답 **3 cm**

❷ (돌의 부피)
=(줄어든 물의 부피)
=(수조의 가로)×(수조의 세로)×(줄어든 물의 높이)
$=22\times15\times3=990$ (cm^3) 답 **990 cm^3**

쌍둥이 문제 4-1

구 돌의 부피

주 • 수조의 가로: 30 cm, 세로: 20 cm
• 처음 물의 높이: 15 cm
• 돌을 꺼낸 후 물의 높이: 10 cm

❶ 전략 (처음 물의 높이)−(돌을 꺼낸 후 물의 높이)
(줄어든 물의 높이)
$=15-10=5$ (cm)

❷ 전략 (돌의 부피)=(줄어든 물의 부피)
(돌의 부피)
$=30\times20\times5=3000$ (cm^3) 답 **3000 cm^3**

대표 문제 5

주 184

해 ❶ (옆면의 넓이)
=(겉넓이)−(한 밑면의 넓이)×2
$=184-(8\times4)\times2$
$=184-64=120$ (cm^2) 답 **120 cm^2**

❷ (옆면의 가로)$=8+4+8+4=24$ (cm) 답 **24**

❸ (옆면의 가로)×□=(옆면의 넓이)
➔ 24×□=120, □=5이므로
(직육면체의 높이)=5 cm 답 **5 cm**

쌍둥이 문제 5-1

구 직육면체의 높이

주 • 직육면체의 겉넓이: 292 cm^2
• 직육면체의 가로: 6 cm, 세로: 7 cm

❶ 전략 (겉넓이)−(한 밑면의 넓이)×2
(옆면의 넓이)
$=292-(6\times7)\times2$
$=292-84=208$ (cm^2)

❷ 직육면체의 옆면:
예 6 cm 7 cm 6 cm 7 cm / □ cm / 26 cm

❸ 전략 (옆면의 가로)×□=(옆면의 넓이)임을 이용하여 □의 값을 구하자.
26×□=208, □=8이므로
(직육면체의 높이)=8 cm 답 **8 cm**

대표 문제 6

해 ❶ (큰 직육면체의 부피)
$=30\times15\times12=5400$ (cm^3) 답 **5400 cm^3**

❷ (가운데 뚫려 있는 작은 직육면체의 부피)
$=10\times10\times12=1200$ (cm^3) 답 **1200 cm^3**

❸ (입체도형의 부피)
=(큰 직육면체의 부피)
−(가운데 뚫려 있는 작은 직육면체의 부피)
$=5400-1200=4200$ (cm^3)
답 **4200 cm^3**

쌍둥이 문제 6-1

구 입체도형의 부피

어 큰 직육면체의 부피에서 작은 직육면체의 부피를 빼서 구하자.

❶ 전략 (직육면체의 부피)=(가로)×(세로)×(높이)
(큰 직육면체의 부피)
$=11\times11\times4=484$ (cm^3)

❷ (작은 직육면체의 부피)
$=5\times7\times4=140$ (cm^3)

참고 작은 직육면체의 부피를 구하는 데 필요한 모서리의 길이를 먼저 구한다.

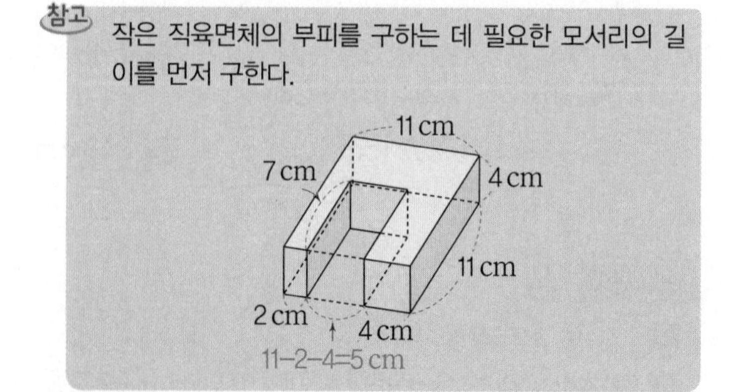

❸ 전략 (큰 직육면체의 부피)−(작은 직육면체의 부피)
(입체도형의 부피)
$=484-140=344$ (cm^3) 답 **344 cm^3**

3 STEP 수학 독해력 완성하기 148~151쪽

독해 문제 1

구 에어컨과 세탁기의 부피의 차

주 • 에어컨의 부피 : $1.2\ m^3$
• 세탁기의 부피 : $580000\ cm^3$

어 1 답을 m^3 단위로 구해야 하므로 세탁기의 부피를 m^3 단위로 나타낸 후,
2 부피의 차를 구하자.

해 ❶ $1\ m^3=1000000\ cm^3$이므로
(세탁기의 부피)$=580000\ cm^3=0.58\ m^3$
답 $0.58\ m^3$

❷ 전략 크기가 더 큰 부피에서 더 작은 부피를 빼자.
(에어컨의 부피)$-$(세탁기의 부피)
$=1.2-0.58=0.62\ (m^3)$ 답 $0.62\ m^3$

독해 문제 1-1 정답에서 제공하는 **쌍둥이 문제**

침대의 부피는 $1\ m^3$이고,/
서랍장의 부피는 $450000\ cm^3$입니다./
침대와 서랍장의 부피의 차는 몇 cm^3인가요?

구 침대와 서랍장의 부피의 차

주 • 침대의 부피 : $1\ m^3$
• 서랍장의 부피 : $450000\ cm^3$

어 1 답을 cm^3 단위로 구해야 하므로 침대의 부피를 cm^3 단위로 나타낸 후,
2 부피의 차를 구하자.

해 ❶ (침대의 부피)$=1\ m^3=1000000\ cm^3$
❷ (침대의 부피)$-$(서랍장의 부피)
$=1000000-450000=550000\ (cm^3)$
답 $550000\ cm^3$

독해 문제 2

구 쌓을 수 있는 상자의 수

주 • 창고의 가로 : 5 m, 세로 : 2 m, 높이 : 4 m
• 정육면체 모양 상자의 한 모서리의 길이 : 20 cm

어 1 창고의 가로, 세로, 높이의 단위를 각각 cm로 바꾸고,
2 창고에 쌓을 수 있는 상자의 수를 구하자.

해 ❶ 가로 : 5 m=500 cm
세로 : 2 m=200 cm
높이 : 4 m=400 cm
답 500 cm, 200 cm, 400 cm

❷ 상자의 한 모서리의 길이는 20 cm이므로 창고의 가로, 세로, 높이를 각각 20으로 나눈다.
(가로에 들어갈 수 있는 상자의 수)
$=$(가로)$\div20=500\div20=25$(개)
(세로에 들어갈 수 있는 상자의 수)
$=$(세로)$\div20=200\div20=10$(개)
(높이에 들어갈 수 있는 상자의 수)
$=$(높이)$\div20=400\div20=20$(개)
답 25개, 10개, 20개

❸ 전략 창고의 가로, 세로, 높이 각각에 들어갈 수 있는 상자의 수를 곱하자.
(창고에 쌓을 수 있는 상자의 수)
$=25\times10\times20=5000$(개) 답 5000개

독해 문제 3

주 • 정육면체의 한 모서리의 길이 : 4 cm
• 각 모서리의 길이를 2배로 늘임.

어 1 처음 정육면체의 부피를 구하고,
2 각 모서리의 길이를 2배로 늘였을 때의 부피를 구한 다음,
3 2에서 구한 부피를 1에서 구한 부피로 나누자.

해 ❶ (처음 정육면체의 부피)$=4\times4\times4=64\ (cm^3)$
답 $64\ cm^3$

❷ (각 모서리의 길이를 2배로 늘였을 때 정육면체의 한 모서리의 길이)$=4\times2=8$ (cm)
(각 모서리의 길이를 2배로 늘였을 때 정육면체의 부피)$=8\times8\times8=512\ (cm^3)$ 답 $512\ cm^3$

❸ $512\div64=8$(배) 답 8배

참고 각 모서리의 길이를 ■배로 늘이면 부피는 (■×■×■)배가 된다.

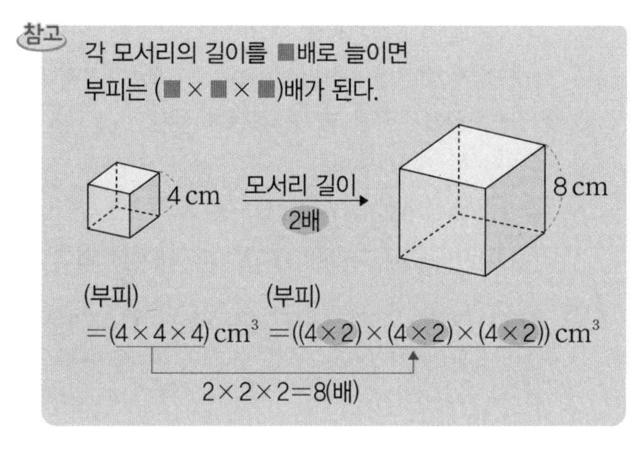

독해 문제 4

구 직육면체를 잘라서 만들 수 있는 가장 큰 정육면체의 부피와 겉넓이

주 • 직육면체 모양의 떡의 가로: 8 cm, 세로: 10 cm, 높이: 5 cm

어 **1** 직육면체를 잘라서 만들 수 있는 가장 큰 정육면체의 한 모서리의 길이를 알아본 후
2 부피와 겉넓이를 각각 구하자.

해 ❶ 직육면체의 가장 짧은 모서리의 길이인 5 cm가 가장 큰 정육면체의 한 모서리의 길이가 된다.
답 **5 cm**

참고 직육면체를 잘라서 가장 큰 정육면체를 만들기 위해서는 직육면체의 가장 짧은 모서리의 길이가 한 모서리의 길이가 되도록 자르면 된다.

❷ (만들 수 있는 가장 큰 정육면체의 부피)
=(한 모서리의 길이가 5 cm인 정육면체의 부피)
$=5\times5\times5=125\,(\text{cm}^3)$ 답 **125 cm³**

❸ (만들 수 있는 가장 큰 정육면체의 겉넓이)
=(한 모서리의 길이가 5 cm인 정육면체의 겉넓이)
$=5\times5\times6=150\,(\text{cm}^2)$ 답 **150 cm²**

독해 문제 5

주 3, 9

해 ❶ (늘어난 물의 높이)
=(벽돌을 넣은 후 물의 높이)−(처음 물의 높이)
$=9-3=6\,(\text{cm})$ 답 **6 cm**

❷ 전략 벽돌 3개의 부피는 늘어난 물의 부피와 같다.
(벽돌 3개의 부피)
=(늘어난 물의 부피)
=(수조의 가로)×(수조의 세로)×(늘어난 물의 높이)
$=18\times10\times6=1080\,(\text{cm}^3)$ 답 **1080 cm³**

❸ 전략 ❷에서 구한 부피를 3으로 나누자.
(벽돌 한 개의 부피)
=(벽돌 3개의 부피)÷3
$=1080\div3=360\,(\text{cm}^3)$ 답 **360 cm³**

주의 ❷에서 구한 부피는 크기가 같은 벽돌 3개를 넣었을 때 늘어난 물의 부피이므로 벽돌 한 개의 부피를 구하려면 3으로 나누어야 한다.

독해 문제 6

주 426

해 ❶ (직육면체의 옆면의 넓이)
=(겉넓이)−(한 밑면의 넓이)×2
$=426-(12\times5)\times2$
$=426-120=306\,(\text{cm}^2)$ 답 **306 cm²**

❷ 직육면체의 전개도에서 옆면은 다음과 같다.

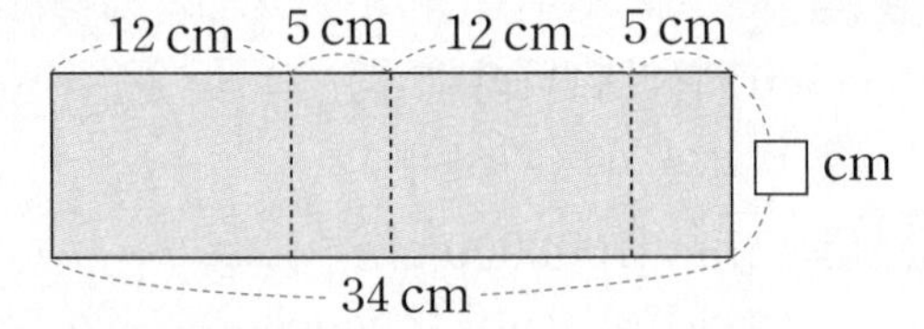

옆면의 세로는 직육면체의 높이와 같고
(옆면의 가로)
$=12+5+12+5=34\,(\text{cm})$
(직육면체의 높이)
=(옆면의 넓이)÷(옆면의 가로)
$=306\div34=9\,(\text{cm})$ 답 **9 cm**

직육면체의 전개도에서 옆면의 가로 길이는 밑면의 둘레와도 같다.

❸ (직육면체의 부피)
=(가로)×(세로)×(높이)
$=12\times5\times9=540\,(\text{cm}^3)$ 답 **540 cm³**

STEP 4 창의·융합·코딩 체험하기 152~155쪽

두 상자가 모두 정육면체 모양이다.
왼쪽 상자는 한 모서리의 길이가 10 cm이고, 오른쪽 상자는 한 모서리의 길이가 12 cm이다.
한 모서리의 길이가 길수록 겉넓이가 넓으므로 오른쪽 상자의 겉넓이가 더 넓다. 답 오른쪽 상자에 ○표

융합 2

(벽돌 한 개의 부피)
$=10\times15\times10=1500\,(\text{cm}^3)$
물 1 L의 부피는 1000 cm³이므로 1500 cm³는 물 1.5 L와 같다.
따라서 물을 한 번 내렸을 때 물 1.5 L를 절약할 수 있다.
답 **1.5 L**

코딩 3

로봇은 높이가 3.5 cm, 5 cm인 장애물은 인식하고 높이가 3 cm인 장애물은 없다고 판단한다.

(직육면체 모양 장애물의 높이)

$=160 \div (5 \times 8)$

$=160 \div 40=4$ (cm)

높이가 3.5 cm보다 높으므로 높이가 4 cm인 장애물은 있다고 판단할 것이다. **답 장애물이 있어요.**

창의 4

(1) 예 1 cm 1 cm

(2) 직육면체를 한 바퀴 굴렸을 때 분홍색 물감이 묻은 부분의 모양은 직사각형이다. **답 직사각형**

(3) 분홍색 물감이 묻은 부분은
가로가 $7+3+7+3+7=27$ (cm),
세로가 10 cm인 직사각형이다.
(분홍색 물감이 묻은 부분의 넓이)
$=27 \times 10=270$ (cm^2) **답 270 cm^2**

코딩 5

(상자에 넣은 길이)-1 cm가 정육면체의 한 모서리의 길이가 되는 규칙이 있다.

상자에 10 cm를 넣으면 한 모서리의 길이가 9 cm인 정육면체가 나온다.

➔ (부피)$=9 \times 9 \times 9=729$ (cm^3) **답 729 cm^3**

창의 6

치즈를 똑같이 2조각으로 자르면 치즈 2조각의 겉넓이의 합은 처음 치즈의 겉넓이보다 120 cm^2 늘어난다.

치즈를 똑같이 4조각으로 자르면 치즈 4조각의 겉넓이의 합은 치즈 2조각의 겉넓이의 합보다 120 cm^2 늘어난다.

치즈 4조각의 겉넓이의 합은 처음 치즈의 겉넓이보다 $120+120=240$ (cm^2) 늘어난다. **답 240 cm^2**

참고 치즈를 똑같이 2조각으로 자르면 처음 치즈의 겉넓이보다 $12 \times 5=60$ (cm^2)인 면이 2개 더 생겨 겉넓이가 $60 \times 2=120$ (cm^2) 늘어난다.
치즈를 똑같이 4조각으로 자르면 똑같이 2조각으로 자른 겉넓이보다 $6 \times 5=30$ (cm^2)인 면이 4개 더 생겨 겉넓이가 $30 \times 4=120$ (cm^2) 늘어난다.

종합평가 실전 마무리 하기 156~159쪽

1 ❶ 전략 직육면체의 부피의 단위를 m^3으로 바꾸자.
(직육면체의 부피)
$=80000000$ $cm^3=80$ m^3

❷ 전략 직육면체의 부피를 밑면의 넓이로 나누자.
(직육면체의 높이)
$=80 \div 16=5$ (m) **답 5 m**

2 ❶ 전략 정육면체는 모서리의 길이가 모두 같다.
(정육면체의 한 모서리의 길이)
$=18 \div 3=6$ (cm)

❷ 전략 (정육면체의 부피)=(한 모서리의 길이)×(한 모서리의 길이)×(한 모서리의 길이)
(정육면체의 부피)
$=6 \times 6 \times 6=216$ (cm^3) **답 216 cm^3**

3 ❶ 전략 직육면체의 가장 짧은 모서리의 길이가 가장 큰 정육면체의 한 모서리의 길이가 된다.
(만들 수 있는 가장 큰 정육면체의 한 모서리의 길이)$=4$ cm

❷ (만들 수 있는 가장 큰 정육면체의 부피)
$=4 \times 4 \times 4=64$ (cm^3) **답 64 cm^3**

4 ❶ 직육면체의 겨냥도: 예

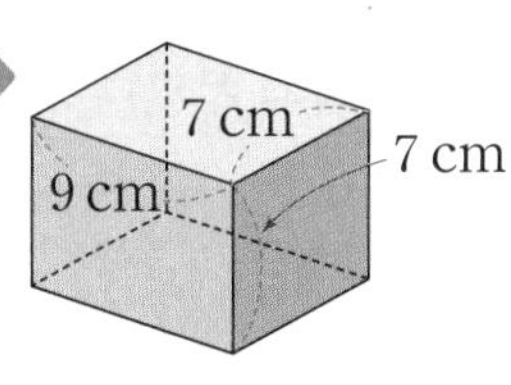

❷ 전략 (한 꼭짓점에서 만나는 세 면의 넓이의 합)×2
(직육면체의 겉넓이)
$=(9 \times 7+9 \times 7+7 \times 7) \times 2$
$=175 \times 2=350$ (cm^2) **답 350 cm^2**

5 ❶ 상자의 가로, 세로, 높이에 각각 들어갈 수 있는 지우개의 수

➔ 가로: $20\div4=5$(개)

세로: $56\div7=8$(개)

높이: $30\div2=15$(개)

❷ 전략 상자의 가로, 세로, 높이에 각각 들어갈 수 있는 지우개의 수를 곱하자.

(상자에 쌓을 수 있는 지우개의 수)

$=5\times8\times15=600$(개)

답 600개

6 ❶ 전략 (한 꼭짓점에서 만나는 세 면의 넓이의 합)×2

(직육면체의 겉넓이)

$=(11\times3+11\times3+3\times3)\times2$

$=75\times2=150\,(cm^2)$

❷ (정육면체의 한 면의 넓이)

$=150\div6=25\,(cm^2)$

❸ 전략 같은 수를 2번 곱해서 ❷에서 구한 값이 나오는 수를 찾자.

$5\times5=25$이므로

(정육면체의 한 모서리의 길이)$=5$ cm

답 5 cm

7 ❶ (처음 정육면체의 부피)

$=2\times2\times2=8\,(cm^3)$

❷ (각 모서리의 길이를 3배로 늘였을 때 정육면체의 부피)$=6\times6\times6=216\,(cm^3)$

❸ 전략 ❷에서 구한 부피를 ❶에서 구한 부피로 나누자.

$216\div8=27$(배)

답 27배

참고 각 모서리의 길이를 3배로 늘였으므로 부피는 처음 부피의 $3\times3\times3=27$(배)가 된다.

8 ❶ 전략 쇠구슬을 넣은 후 물의 높이에서 처음 물의 높이를 빼자.

(늘어난 물의 높이)

$=8-5=3\,(cm)$

❷ 전략 쇠구슬의 부피는 늘어난 물의 부피와 같다.

(쇠구슬의 부피)=(늘어난 물의 부피)

$=6\times6\times3=108\,(cm^3)$

답 $108\ cm^3$

9 ❶ 전략 (겉넓이)−(한 밑면의 넓이)×2

(옆면의 넓이)

$=236-(6\times8)\times2$

$=236-96=140\,(cm^2)$

❷ 전략 직육면체의 옆면의 전개도를 그리고 옆면의 가로 길이를 구하자.

직육면체의 옆면:

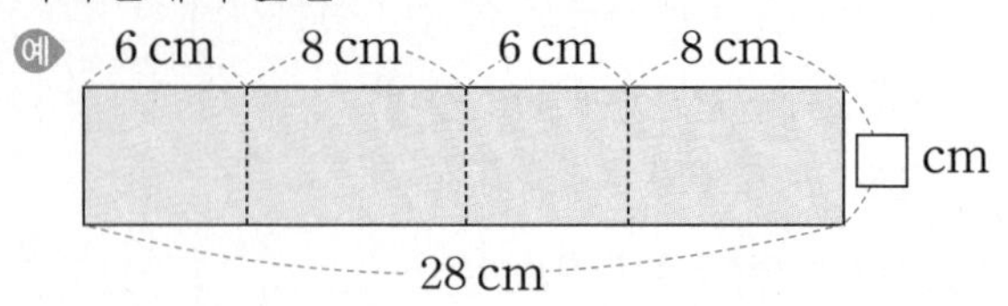

❸ 전략 (옆면의 가로)×□=(옆면의 넓이)임을 이용하여 □의 값을 구하자.

$28\times\square=140$, $\square=5$이므로

(직육면체의 높이)$=5$ cm

답 5 cm

10 ❶ 전략 (직육면체의 부피)=(가로)×(세로)×(높이)

(큰 직육면체의 부피)

$=20\times18\times10=3600\,(cm^3)$

❷ (작은 직육면체의 부피)

$=4\times9\times10=360\,(cm^3)$

참고 작은 직육면체의 부피를 구하는 데 필요한 모서리의 길이를 먼저 구한다.

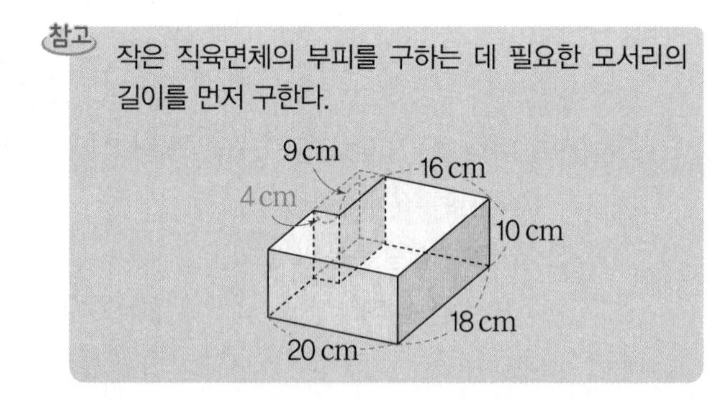

❸ 전략 (큰 직육면체의 부피)−(작은 직육면체의 부피)

(입체도형의 부피)

$=3600-360=3240\,(cm^3)$

답 $3240\ cm^3$

다르게 풀기

전략 두 개의 직육면체로 나누어 각각의 부피를 구하여 더하자.

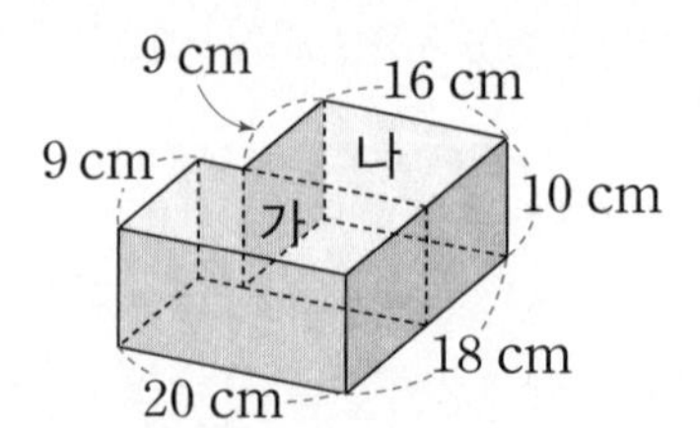

❶ (가의 부피)

$=20\times9\times10=1800\,(cm^3)$

(나의 부피)

$=16\times9\times10=1440\,(cm^3)$

❷ (입체도형의 부피)

$=1800+1440=3240\,(cm^3)$

답 $3240\ cm^3$

정답은
이안에
있어.!

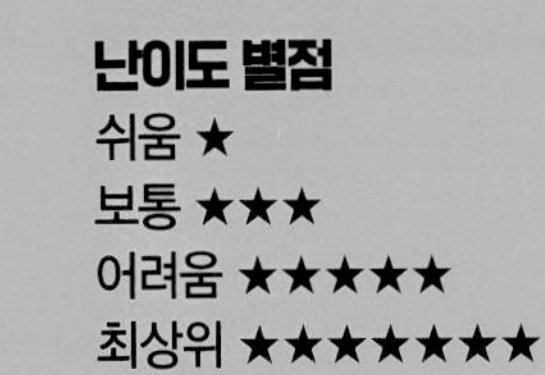
난이도 별점
쉬움 ★
보통 ★★★
어려움 ★★★★★
최상위 ★★★★★★★

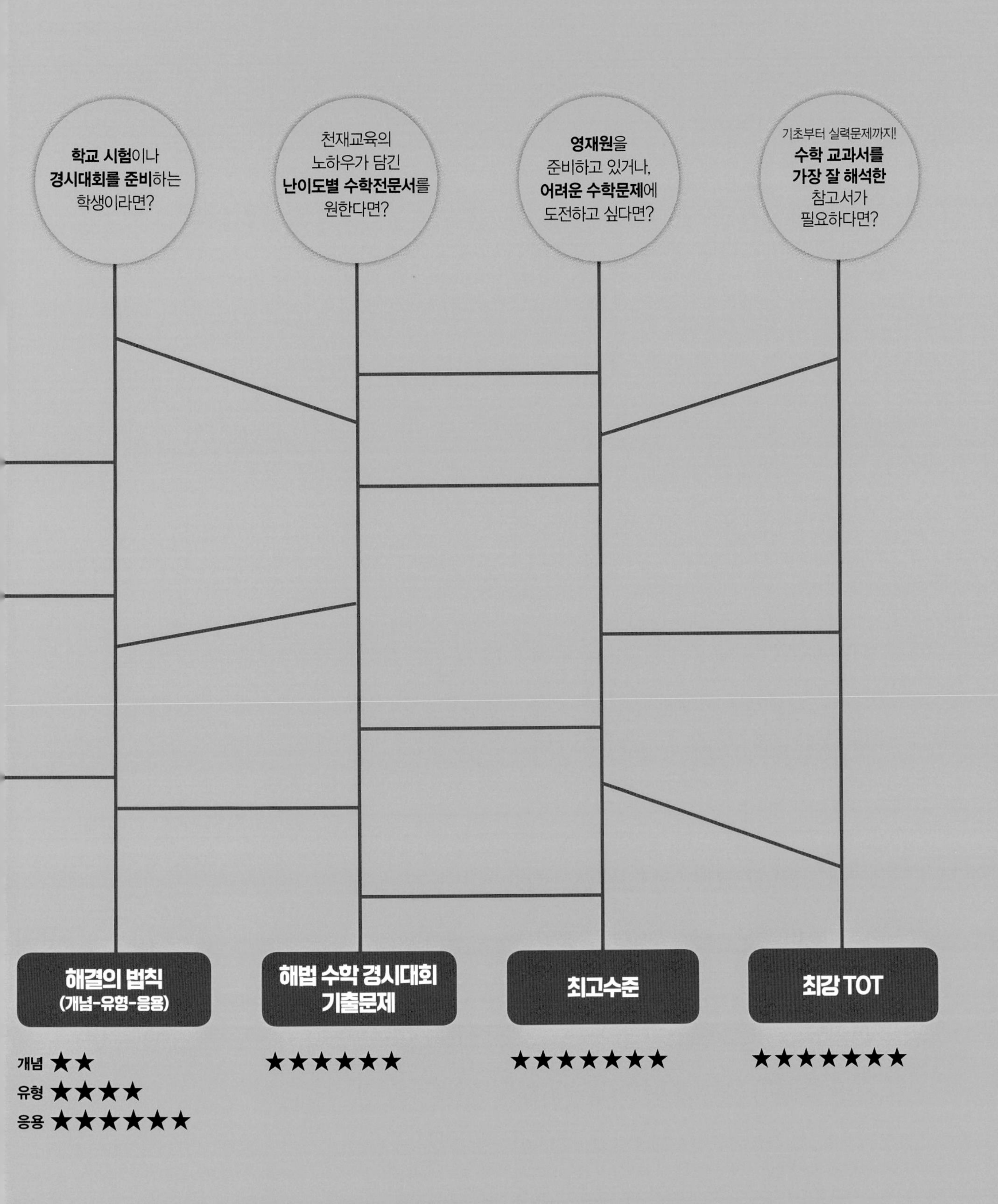
학교 시험이나 경시대회를 준비하는 학생이라면?
천재교육의 노하우가 담긴 난이도별 수학전문서를 원한다면?
영재원을 준비하고 있거나, 어려운 수학문제에 도전하고 싶다면?
기초부터 실력문제까지! 수학 교과서를 가장 잘 해석한 참고서가 필요하다면?
해결의 법칙 (개념-유형-응용)
해법 수학 경시대회 기출문제
최고수준
최강 TOT

개념 ★★
유형 ★★★★
응용 ★★★★★★

★★★★★★

★★★★★★★

★★★★★★★

배움으로 행복한 내일을 꿈꾸는

천재교육 커뮤니티 안내

교재 안내부터 구매까지 한 번에!

천재교육 홈페이지

천재교육 홈페이지에서는 자사가 발행하는 참고서,
교과서에 대한 소개는 물론 도서 구매도 할 수 있습니다.
회원에게 지급되는 별을 모아 다양한 상품 응모에도
도전해 보세요.

구독, 좋아요는 필수! 핵유용 정보 가득한

천재교육 유튜브 <천재TV>

신간에 대한 자세한 정보가 궁금하세요?
참고서를 어떻게 활용해야 할지 고민인가요?
공부 외 다양한 고민을 해결해 줄 채널이 필요한가요?
학생들에게 꼭 필요한 콘텐츠로 가득한 천재TV로 놀러오세요!

다양한 교육 꿀팁에 깜짝 이벤트는 덤!

천재교육 인스타그램

천재교육의 새롭고 중요한 소식을 가장 먼저 접하고 싶다면?
천재교육 인스타그램 팔로우가 필수!
누구보다 빠르고 재미있게 천재교육의 소식을 전달합니다.
깜짝 이벤트도 수시로 진행되니 놓치지 마세요!